Santé sexuelle
et vieillissement

Santé sexuelle et vieillissement

Denise Badeau, Ph. D.
André Bergeron, Ph. D.

Méridien
ÉDITIONS DU MÉRIDIEN

Les Éditions du Méridien bénéficient du soutien financier du Conseil des arts du Canada pour son programme de publication.

LE CONSEIL DES ARTS | THE CANADA COUNCIL
DU CANADA | FOR THE ARTS
DEPUIS 1957 | SINCE 1957

Tél. : (514) 935-0464

DISTRIBUTEURS:

CANADA FRANCOPHONE:
    MESSAGERIE ADP
    955, rue Amherst
    Montréal (Québec) H2L 3K4

EUROPE ET AFRIQUE FRANCOPHONE:
    ÉDITIONS BARTHOLOMÉ
    16, rue Charles Steenebruggen
    B-4020 Liège
    Belgique

ISBN 2-89415-175-6

© Éditions du Méridien

Dépôt légal — Bibliothèque nationale du Québec, 1997

Imprimé au Canada

30619

CHAPITRE 1

*La vieillesse
rendue visible*

Depuis 4 500 ans, la vieillesse fait l'objet de sentences et de préoccupations existentielles. Au Moyen-Orient, la vieillesse rime avec sagesse et prouesse. En Grèce, Aphrodite est fâchée avec les vieux car l'amour et la sexualité sont réservés à la jeunesse et à la beauté. À Rome, le *pater familias* fait peser son pouvoir sur sa descendance qui le traite d'avare et de libidineux. L'Occident chrétien grave dans la pierre la figure des nobles vieillards des Écritures et découvre la présence gênante des vieux malades et sans gîte. À partir du XVIIIᵉ siècle, l'inéluctable visibilité de la vieillesse mène à des prises de conscience sur la place des vieux dans la société, ce qui suscitera des décisions politiques sur le statut économique et social des vieillards.

Les attitudes face à la vieillesse et aux vieux oscillent entre le dénigrement et l'idéalisation. Les personnes âgées adoptent des attitudes contradictoires devant leur vieillissement tandis que les jeunes générations peuvent bien vivre comme si la vieillesse n'existait pas pour eux, mais celle-ci les rejoint... en passant par les cotisations aux régimes de pension et la prise de la retraite. Les distinctions entre le « bon vieillard » et le « mauvais vieillard » ne réussissent pas à chasser de la scène de la vie les préoccupations vis-à-vis le vieillissement et la mort. Les attitudes face au vieillissement peuvent mettre en péril la santé sexuelle ou générer une nouvelle « verdeur ».

Les vieux dans l'histoire ancienne

La planète des vieux s'annonce à l'horizon du XXIᵉ siècle, mais la vieillesse comme phénomène humain fait l'objet de réflexions et de sentences depuis des millénaires. Le premier témoignage d'un vieillard au sujet de la vieillesse est attribué à Ptah-Hotep d'Égypte, vizir du Pharaon Tzezi, vers 2 450 ans avant J.-C. Ce texte inaugure un courant de pensée caractérisé par la dénonciation de la décrépitude du vieillard :

Comme est pénible la fin d'un vieillard ! Il s'affaiblit chaque jour ; sa vue baisse, ses oreilles deviennent sourdes ; sa force décline ; son cœur n'a plus de repos ; sa bouche devient silencieuse et ne parle point. Ses facultés intellectuelles diminuent et il lui devient impossible de se rappeler aujourd'hui ce que fut hier. Tous ses os sont douloureux. Les occupations auxquelles on s'adonnait naguère avec plaisir ne s'accomplissent plus qu'avec peine et le sens du goût disparaît. La vieillesse est le pire des malheurs qui puisse affliger un homme. Le nez se bouche et on ne peut plus rien sentir. (Minois, 1987)

Depuis lors les discours sur la vieillesse oscillent entre le dénigrement et la vénération manifestant ainsi la complexité de l'identité du vieillard. On affirme souvent depuis Aristote qu'aucun bien n'est possible sans la santé du corps, ce qui enlève beaucoup de sens à la maladie, surtout celle du vieillard. Les termes employés (aînés, âge d'or, vieux amis, 3e et 4e âges, etc.) pour désigner cet âge montre encore aujourd'hui l'embarras que l'on éprouve devant la vieillesse que l'on associe tantôt à l'expérience, au prestige et à la sagesse, tantôt à la souffrance, à la faiblesse et à la sénilité.

Cette ambiguïté de la vieillesse se manifeste chez le vieillard lui-même qui se plaint parfois de son grand âge mais en tire fierté et honneur.

Quelle place le vieillard occupe-t-il dans l'histoire ?

Des historiens se sont penchés sur la naissance du vieillard (Gutton, 1988), sur l'histoire de la vieillesse (Minois, 1987) et sur les vieux des derniers siècles (Bois, 1989). Il appert qu'il y a lieu de nuancer les belles images d'époque et d'éviter les généralisations hâtives au sujet du nombre peu élevé des vieillards, en tenant compte des facteurs culturels, économiques et politiques et des données démographiques particulières à chaque pays à un moment donné de son histoire.

Au Moyen-Orient ancien, les vieux jouissent du privilège de la rareté et jouent le rôle d'archives vivantes pour le droit et la tradition. Une longue vie est une récompense accordée aux justes (Minois, 1987). L'Ancien Testament attribue aux patriarches d'avant le Déluge une exceptionnelle longévité. Adam mourut à 930 ans (Gen. 5,5) et Noé à 950 ans (Gen. 9,29). La palme revient à Mathusalem qui engendra Lamek à l'âge de 187 ans et mourut à l'âge de 969 ans (Gen. 5, 25-27). Le Décalogue fait du respect des parents un gage de vieillesse : « Honore ton père et ta mère afin d'avoir longue vie sur la terre. » (Ex. 20, 12). Mais la population augmentant, Dieu fixe la durée de la vie humaine à 120 ans (Gen. 6, 3).

Quand les récits insistent sur les limites et les maux de la vieillesse, c'est signe que son image sociale se modifie. Les maux physiques annoncent la fin du temps de la sexualité : « Or Abraham et Sara étaient vieux, avancés en âge, et Sara avait cessé d'avoir ce qu'ont les femmes. Donc Sara rit en elle-même, se disant : « Maintenant que je suis usée, je connaîtrais le plaisir ! Et mon mari qui est un vieillard » (Gen. 18,11-12). Quand l'impuissance sexuelle est signe de l'inaptitude à régner, la vieillesse devient dramatique : « Le roi David était vieux et avancé en âge ; on lui mit des couvertures sans qu'il pût se réchauffer. Alors ses serviteurs lui dirent : « Qu'on cherche pour Monseigneur le roi une jeune fille qui assiste le roi et qui le soigne ; elle couchera sur ton sein et cela tiendra chaud à Monseigneur le roi » (I R. 1-2). La très belle Shoulamite ne parvint pas à ranimer la vigueur de David ; son fils Adonias complote alors pour le supplanter sur le trône.

La sagesse du vieil âge est respectée mais la sagesse n'a pas d'âge. Ainsi le jeune Daniel démasque les deux juges, vieillards libidineux, qui firent condamner la chaste Suzanne par leurs faux témoignages (Dn, 13). À partir du deuxième siècle avant J.-C., Dieu lui-même prend figure de vieillard dans la vision de Daniel : « Je considérais : des trônes furent placés et un Ancien s'assit. Son vêtement, blanc comme neige ; les cheveux de sa tête, purs comme la laine » (Dn 7.9). Les Juifs donnèrent une place assez importante au vieillard quoique pour les gens du peuple, « un vieil homme dans la maison est un fardeau et une vieille femme un trésor »(Erahim, 19a).

Dans la mythologie grecque, les anciens sont détrônés par leurs enfants : Uranus est châtré par son fils Kronos et ce dernier est lui-même victime de son fils Zeus. La vieillesse, au même titre que le mal, la douleur et la souffrance est à classer au rang des grands mystères, dans la galerie des «pourquoi» insolubles (Minois, 1987). Hésiode, dans «Les travaux et les jours», parle de la «triste vieillesse», fille de la Nuit, déesse des Ténèbres et petite fille du Chaos. La comédie grecque met en scène le ridicule de la vieillesse et se sert des stéréotypes qui font rire : le vieux lubrique, le vieil ivrogne, la vieille amoureuse et la vieille entremetteuse.

Les philosophes notent les ambiguïtés de la vieillesse, à la fois décrépitude et faiblesse, sagesse et modération. Les vieux acceptent leur âge aussi longtemps que la santé l'accompagne. Aristote, mort à 63 ans, fixe la maturité du corps à 35 ans et celle de l'âme à 49 ans. Dans la logique de la théorie aristotélicienne de l'union substantielle de l'âme et du corps, la santé physique et la pleine possession des moyens corporels sont indispensables à l'exercice de la sagesse. Platon termine «Les Lois» à l'âge de 80 ans. Il y propose un type de gouvernement qui a toutes les caractéristiques d'une gérontocratie. Le poète comique Aristophane juge que le vieillard a passé l'âge de l'amour physique, essentiellement parce que la laideur rend toute idée d'accouplement révoltante ; la vieillesse est aux antipodes de l'érotisme, et la simple pensée qu'un vieux puisse encore désirer suffit à le rendre répugnant dans l'esprit d'un Grec, pour qui beauté, jeunesse et amour sont indissociables (Minois, 1987).

La médecine hippocratique explique le vieillissement par la théorie des quatre humeurs (sang, lymphe, bile noire, bile jaune) sur le modèle des quatre éléments (eau, terre, feu, air) dont l'équilibre assure la bonne santé. Par le vieillissement, le corps devient froid et sec par perte de chaleur et d'humidité. Si la vieillesse ne constitue pas en elle-même une maladie, elle prédispose aux maladies parce que le corps vieilli est moins résistant. La vieillesse est donc un processus irréversible purement naturel qui s'explique par les changements physiques au cours du temps.

« Aphrodite est fâchée avec les vieux » affirme le dicton grec. Autant en prendre son parti, selon Plutarque, pour qui l'homme âgé, frustré de l'amour physique, trouvera des compensations dans le plaisir d'accomplir de nobles actions (Minois, 1987). Un proverbe conseille par ailleurs : « À chaque âge, plais-toi avec qui a ton âge ; mais vieux, plais-toi avec un vieux. »

À Rome, on comptera deux fois plus d'hommes âgés que de femmes âgées de plus de 60 ans pour cause de mort lors des accouchements. D'où rareté des personnages féminins âgés dans la littérature. Ce déséquilibre entre hommes et femmes durera jusqu'aux temps modernes où il s'inversera graduellement en faveur des femmes âgées. L'on constate chez les Romains un nombre élevé de mariages entre un vieil homme et une toute jeune femme car il y a peu de femmes adultes disponibles. Le type littéraire du vieillard libidineux amoureux de la même femme que son fils se comprend mieux dans ce contexte.

Rome nous a laissé une image bien particulière du « pater familias » détenant un pouvoir absolu sur l'épouse, les enfants et les petits-enfants. Aussi trouve-t-on souvent dans les écrits romains le thème de l'opposition du père et du fils, celui-ci voulant s'émanciper de celui-là. Les vieux ayant alors beaucoup de pouvoir sont détestés, alors qu'aujourd'hui, nous voyons que les vieux sans pouvoir sont méprisés.

Le rôle politique des vieux à Rome est important sous la République mais devient moindre sous l'Empire en réaction au pouvoir important des vieux. Un dicton affirmait que « La République obéissait aux sénateurs et les sénateurs obéissaient à leur femme ». Caton l'Ancien, mort en 149, à l'âge de 85 ans, avait selon Plutarque beaucoup de vitalité : « Alors qu'il était très âgé, il continuait à satisfaire ses appétits sexuels et il se remaria alors qu'il avait dépassé depuis longtemps l'âge du mariage » (Minois, 1987). Il avait l'habitude de coucher avec une jeune esclave, mais comme son fils trouvait cela inconvenant, il épousa la fille de l'un de ses clients.

Même si les auteurs satiriques mettent en scène des vieux libidineux, l'âge de 60 ans est considéré comme l'entrée en vieillesse ; les plaisirs de la chair sont désormais interdits selon l'idéal proposé par les philosophes qui invitent le vieil homme à se consacrer à la sagesse et aux plaisirs de l'esprit. Sénèque prend sa retraite à 64 ans et affirme que « cela tient lieu de plaisir de n'en avoir plus besoin » (Lettre XII). « Un homme quelque vieux qu'il soit doit toujours apprendre » (Lettre LXXVI) et le sage épicurien lance une invitation à profiter de la vieillesse pour poursuivre la vertu : « Donne-toi cette satisfaction de voir mourir tes vices avant toi » (Lettre XXVII).

La civilisation romaine nous a laissé le titre d'anciens pour désigner les nobles vieillards, terme que l'on retrouve dans les récits anthropologiques comme dans l'expression « les anciens du village ». Les « anciens » sont des gens « au soir de la vie », réputés libérés des passions et des fureurs de la vie active, ce qui les rend sages et de bon conseil. Les Épicuriens attribuent la sérénité aux vieillards, car ceux-ci se détachent des entraves à la vertu qui accompagnent la poursuite des biens non strictement nécessaires à l'existence.

Les vieux dans l'Occident chrétien

Dans l'imaginaire chrétien, les vieillards sont couronnés de mérite et d'honneur ; ils sont dans l'Apocalyse ceux qui trônent auprès de l'Agneau pour représenter les croyants. Dans l'Église primitive, les anciens jouent un rôle de premier plan dans la transmission de la foi et l'administration de l'Église à titre de successeurs et d'héritiers des Apôtres. La langue française a conservé le mot « prêtre » qui vient du grec « presbuteros » qui signifie ancien. D'où le mot presbytère pour désigner la résidence du presbyte ou de l'ancien.

Le vieillard est devenu un symbole dans la littérature chrétienne. Saint Jean Chrysostome, dans la même ligne de pensée que Sophocle et Platon, considère que la vieillesse nous délivre des plaisirs de la chair. Le Nouveau Testament n'attache pas une grande importance à la vieillesse sans doute à cause de la jeunesse de Jésus et de ses premiers disciples. Le haut Moyen Âge se caractérise par l'indifférence à l'âge : c'est ainsi que les règles des monastères ne donnent pas de place privilégiée aux vieux. Pour les gens du Moyen Âge, la notion de vieillesse reste confuse car la vie humaine est perçue comme une et indivisible du baptême à la mort. À partir du VIe siècle, l'on verra de plus en plus le vieil homme riche mettre ses vieux jours à l'abri du mépris en s'assurant une retraite au monastère (Minois, 1987). Dans le monde ouvrier et paysan, la vieillesse signifie souvent maladie et mendicité. D'où l'apparition, sous l'impulsion de l'Église, des hôpitaux pour les pauvres, les vieux, les malades et les infirmes.

L'encyclopédie intitulée *Le Grand Propriétaire de toutes choses*, paru en francais en 1556, distingue sept âges de la vie sur le modèle des sept planètes : enfance, pueritia, adolescence, jeunesse, senecté, vieillesse, senies. Les termes senecté et senies annoncent les catégories contemporaines de 3e et 4e âges. Si l'on superpose les âges de la vie aux 12 mois de l'année, la vieillesse arrive en octobre. En mettant en relation les quatre saisons avec les quatre parties de la vie, on obtient ainsi des multiples de 20 : enfance, âge adulte, 3e et 4e âges. L'apparition progressive du nom de famille entre le XIe et le XIIIe siècles aura pour effet, selon Georges Minois (1987), de resserrer la solidarité entre les générations. Chaque famille s'occupe de ses vieux. Perdure toutefois la tendance à jeter sur la route les vieux parents devenus bouches inutiles. La présence de vieillards sans enfant ou abandonnés par leurs enfants amène le Concile de Mayenne (1261) à demander que chaque monastère soit équipé d'une infirmerie pour les vieillards sans gîte.

Au XIVe et XVe siècles, la présence du vieillard s'affirme dans la famille et la société. La peste noire, apparue à Gênes en 1348, tue le tiers de la population européenne en trois ans. Elle épargne les vieillards. D'une manière générale, l'espérance de vie augmente après les diverses épidémies sans doute à cause de l'immunité conférée par la maladie aux malades guéris.

Le XVIe siècle décrit parfois la vieille femme sous un jour favorable. La poésie lie le sexe et la vieille femme. On note par ailleurs que les vieilles femmes sont perçues comme dépositaires d'une culture ancienne, imprégnée de paganisme, que les magistrats du temps des réformes pourchassent. La «chasse aux sorcières», qui a la hantise de la chair liée à la vieillesse, recherche particulièrement des preuves d'une «copulation satanique» surtout chez les vieilles femmes décrépites (Gutton, 1988). Ce dégoût de la chair vieillie mènera aussi au charivari, protestation bruyante des organisations de jeunesse contre l'écart des âges, surtout quand une veuve épouse un jeune homme ou qu'un barbon s'unit à un tendron.

Longtemps perçu comme un privilégié de la vie, le vieillard, dans les *Fables* de La Fontaine, construit et plante, il survit aux jouvenceaux téméraires et prépare lucidement la mise en scène de sa mort : entouré de ses enfants qu'il a convoqués, il lègue biens et bons conseils. Ce modèle idéalisé du vieillard s'est élaboré dans un monde stable dans lequel certains deviennent vieux et jouissent des privilèges d'une certaine rareté. À une époque où rôdent la maladie, les épidémies, les disettes et les guerres, où même la médecine avec ses saignées à répétition fait partie des dangers pour la vie, devenir vieux est un exploit digne de mention et de louange. La vie est alors perçue comme un don ou un prêt à plus ou moins long terme qu'il s'agit de faire fructifier et dont il faudra rendre compte. Ce modèle va changer au XVIIe siècle avec le mécanisme qui instaure une nouvelle vision du monde et de l'homme. Cette vision du macrocosme régi par les mêmes principes que l'horloge et du microcosme qu'est l'homme-machine va marquer profondément la culture occidentale des derniers siècles.

La philosophie mécaniste conçoit l'univers comme une immense machine qui tourne autour du soleil. Le « dualisme cartésien » sépare le corps et l'âme conçus comme deux entités distinctes. Le corps humain peut dès lors être considéré comme une machine : le vieillissement, c'est le corps qui se dégrade car les organes s'usent et le fonctionnement de la machine se détériore. La médecine va mettre l'accent sur les régimes de santé et les diètes de longue vie susceptibles de garder en bon état le corps-machine. Ce qui n'élimine pas toutes les ordonnances magiques. Ainsi le médecin allemand Johann-Heinrich Cohausser (1665-1750) recommande vivement aux vieillards non résignés l'inhalation du souffle calorique et bienfaisant d'une jeune fille comme prévention contre les maux du vieillissement (Bois, 1989).

Ordonnance qui aura longue vie dans les traités de médecine et qui remonte sans doute à l'histoire du roi David.

Au XVIIe siècle, apparaît le souci de compter les vieillards. Les premières ébauches des tables de mortalité permettent alors de quantifier la longévité, ce qui sera fort utile pour déterminer les primes d'assurance-vie. En 1563, le Concile de Trente rend obligatoire les livres de baptêmes et le Pape Paul V, en 1614, impose le rituel romain qui oblige les curés à tenir un registre de baptêmes, mariages et sépultures, et de dénombrer, par famille, les habitants de leur paroisse, avec pour chacun l'âge et le sexe (Bois, 1989). Ces mesures permettront avant les recensements décrétés par les États au XIXe siècle, d'établir les premières pyramides des âges et ainsi de prendre conscience de la place des vieux dans la société. Il n'existe pas alors de consensus sur l'âge où l'on devient vieux, âge qui varie de 30 à 60 ans. Les contes populaires qu'a recueillis Charles Perrault (1628-1700) en France présentent une image de la vieillesse différente selon le sexe. Le bon vieux roi à barbe blanche est un modèle masculin de sérénité et de pouvoir bienfaisant. Par ailleurs, l'infâme sorcière malfaisante est souvent une vieille qui inspire crainte et répulsion. Faut-il y voir le reflet de ce qui se passait à la cour où la lutte entre courtisanes était vive ? Chez Molière, les vieux barbons sont dans la quarantaine alors que Géronte (du grec gerôn, vieillard) dans les *Fourberies de Scapin* est sexagénaire.

Au XVIIIe siècle, la vieillesse sert d'exemple pédagogique. Les vieillards représentent l'avarice, la luxure, la débilité ou le contraire, la piété, le savoir, la pondération, le détachement et la sagesse (Bois, 1989). L'autorité du père dans la famille, sans limite d'âge, remonte aux Écritures et l'exemple des patriarches l'illustre. Le droit romain reconnaît la puissance du père (pater familias) sur la personne et les biens de sa descendance. Le pouvoir traditionnel de l'âge avait une fonction culturelle irremplaçable dans une société d'illettrés : le vieillard est la mémoire du village, la bibliothèque vivante. La découverte de l'imprimerie, l'organisation de l'école du village, l'apparition de nouvelles techniques de production vont remettre en question ce rôle ancien.

La vieillesse devient socialement visible

Les historiens situent la naissance de la vieillesse comme phénomène social au cours du XVIIIe siècle. Jean-Pierre Bois (1989) note que la vieillesse est née en 1760. Mathématiciens et démographes font le constat que la vieillesse n'est plus rare. Au début du XVIIIe siècle, les vieillards représentent 5 à 7 % de la population d'Europe, ce pourcentage passera de 7 à 10 % à la fin du siècle.

La diminution de la mortalité est constante. Le taux de mortalité, en France, passe de 35 % vers 1730 à 22 % en 1880. L'espérance de vie à la naissance, pour les hommes, de 39 ans en 1820 passe à 48 ans en 1910, pour les femmes, pendant la même période, cette espérance de vie passe de 40 à 52 ans. Les raisons sont nombreuses pour rendre compte de ce gain d'une dizaine d'années en un siècle. L'augmentation du niveau de vie, les changements climatiques qui favorisent de meilleures récoltes de céréales, le développement de l'hygiène et l'amélioration du cadre de vie quotidienne, tous ces facteurs vont y contribuer, avant même les progrès de la médecine qui ne se feront sentir qu'à la fin du XIXe siècle. Durant cette période, le taux de natalité en France passe de 40 % au milieu du XVIIIe siècle à 21 % au début du XXe siècle. Cette diminution sensible amène une faible croissance de la population et va se traduire par le vieillissement de la population. Les personnes de 60 ans et plus représentent, en France, 8 % de la population en 1790 et 12 % en 1870.

De 30 ans dans la Grèce antique, la durée moyenne de vie est passée à 40 ans dans l'Angleterre du milieu du XIXe siècle puis à 48 ans aux États-Unis au début du XXe siècle. En 1975, elle est de 75 ans en Amérique du Nord et en Europe occidentale. Au Québec, l'espérance de vie était de 39.7 ans pour les hommes et de 41.9 ans pour les femmes en 1831, alors qu'en 1976, elle atteignait 69.1 et 76.5 ans respectivement. La population mondiale des 60 ans et plus qui était de 214 millions en 1950 atteindra 1 121 millions en 2025. La croissance numérique des 80 ans et plus passera de 15 millions en 1950 à 111 millions en 2025 selon les prévisions de l'Organisation des Nations Unies (1982).

La révolution grise qui s'est engagée vers le milieu du XVIIIe siècle fait de la vieillesse un phénomène social qui va exercer son poids démographique sur les législations des États. La révolution industrielle s'accompagne de l'éclatement de la famille traditionnelle et de l'urbanisation massive. Les machines dévalorisent l'apprentissage familial et rendent inutiles les savoirs des grands-parents. La condition des personnes âgées en sera affectée et la misère de cette partie de la population, souvent réduite à la mendicité, donne naissance au XIXe siècle aux premiers régimes d'assurance-vieillesse ; le tout premier de ces régimes a été mis sur pied par le Chancelier Bismarck en Allemagne. Il fixait à 70 ans l'âge donnant droit à la pension. Les mesures socio-économiques concernant la retraite apparaissent en Angleterre en 1833 et en France en 1851. Le Canada, en 1927, vote la loi d'Assistance Vieillesse et la France, en 1930, la loi sur les Assurances Sociales. Après la Seconde Guerre mondiale la pension devient un droit plus étendu dans la classe ouvrière ; c'est la naissance de la Sécurité Sociale en France, en 1945, et de la Sécurité de la Vieillesse au Canada, en 1951. Depuis 1970, la pension de la sécurité de vieillesse est payable à tous les citoyens canadiens de 65 ans et plus. Dans les années soixante, apparaît une « politique de la vieillesse » qui substitue à la notion d'assistance publique une approche qui met l'accent sur l'assurance collective, ce qui permet de réduire la part de l'État dans la charge sociale des personnes âgées. Le Régime des Rentes du Québec a été créé en 1965 ; son but est d'assurer aux travailleurs un revenu de retraite proportionnel à leurs gains de travail. S'affirme aussi la distinction entre retraite et vieillesse. La retraite se prend à la fin de la cinquantaine ou au début de la soixantaine alors que le terme vieillesse est attribué surtout au 4e âge généralement après 75 ou 80 ans, quoique l'âge ne soit qu'un des nombreux facteurs qui permettent de définir le vieillissement.

Le nombre grandissant des personnes âgées leur donne une nouvelle visibilité sociale. Les hospices pour vieillards sollicitent les médecins qui sont encore peu outillés au XIXe pour faire face à ces malades plus nombreux, plus vieux et qui pourraient vivre mieux cette étape de leur vie. En 1803, le médecin français Esparron, dans son « Essai sur les âges de l'homme » parle pour la première fois du « quatrième âge » caractérisé, dit-il, par l'impuissance, l'égoïsme, la cessation de toutes les fonctions créatrices, l'attente morose de la mort (Bois, 1989) Vers 1815, la vieillesse est devenue un objet médical qui suscite l'intérêt de certains médecins. Philippe Pinel (1745-1826) a le mérite de souligner l'importance d'une étude spéciale des vieillards. C'est un bavarois, le docteur Geist, qui présente en 1860, le premier traité clinique des maladies des vieillards.

Au début du XXe siècle, l'apparition de nouvelles approches dans la distribution des soins de santé permet à un plus grand nombre d'individus d'atteindre le grand âge. Le terme « gérontologie », désignant la science du vieillissement, a été utilisé, en 1901, par Elie Metchnikov, prix Nobel de la médecine en 1908. Puis en 1912, l'américain Nascher, d'origine autrichienne, crée à l'intention des vieillards une branche spéciale de la médecine : il fonde la société de gériâtrie de New York. La gériâtrie, partie de la médecine qui étudie les maladies des vieillards, permet de mettre l'accent sur la réversibilité de certaines maladies du vieil âge et ainsi de ne plus considérer la vieillesse elle-même comme une maladie à proprement parler. Vieillir en santé est désormais une préoccupation légitime et l'Organisation Mondiale de la Santé s'est fixé comme objectif une vieillesse en santé d'ici l'an 2000. Le Conseil des Affaires Sociales et de la Famille du Québec estimait, en 1980, l'espérance de vie après 65 ans à 14 ans pour les hommes, dont 8 ans en santé, et à 18,5 ans pour les femmes, dont 8,5 en santé.

Cette brève revue d'histoire de la vieillesse nous a montré que, selon les époques et les lieux, il y avait des attitudes différentes face aux vieillards ; voyons ce qui caractérise les attitudes actuelles face aux vieillards et au vieillissement.

Nous pouvons définir l'attitude comme étant une prédisposition à réagir positivement ou négativement à un objet donné. Elle est liée aux croyances, préjugés et mythes que nous entretenons, aux valeurs préconisées, à l'éducation, aux expériences vécues en rapport à son objet. L'attitude comporte plusieurs

dimensions selon qu'elle réfère aux croyances, aux comportements ou aux intentions de comportements, aux émotions ou aux
sentiments. L'attitude est acquise, elle oriente le comportement à
l'égard d'un objet donné dans une direction donnée avec une
intensité donnée ; elle est modifiable bien qu'elle ait plutôt tendance à se maintenir.

En ce qui concerne les attitudes face à la vieillesse, au vieillissement et à la personne âgée, nous retiendrons que la réaction
favorable ou défavorable avec toutes les nuances intermédiaires
est issue de l'expérience heureuse ou malheureuse qu'une personne a vécue en rapport à la vieillesse, au vieillissement ou aux
vieillards, à l'éducation reçue et aux valeurs privilégiées quant à
la vie et à son déroulement ; nous retiendrons également que
cette réaction se traduit de différentes façons et que, de plus, elle
est modifiable à certaines conditions. Nous considérerons l'attitude de la personne âgée face à sa propre vieillesse et aux différentes étapes de l'avance en âge et l'attitude des autres, des jeunes
générations face à la vieillesse, à la personne âgée et au vieillissement.

Les attitudes face aux vieux, à la vieillesse, au vieillissement
sont le fruit d'ambivalences psychologiques collectives ou individuelles. Elles oscillent entre la négation, la répression et l'idéalisation, la survalorisation... avec une intensité variable.

L'âge avancé et les attitudes face aux vieux, à la vieillesse et au vieillissement

Certaines personnes qui avancent en âge préfèrent nier qu'elles
vieillissent plutôt que de regarder la situation en face. Elles continuent le même rythme de vie trépidant, « endiablé », qu'elles
menaient étant plus jeunes. On dirait qu'elles ne peuvent ralentir
ou s'arrêter, de peur d'ankyloser, de « rouiller », de ne pouvoir
repartir ou encore de réaliser que leurs capacités diminuent ou se
sont modifiées. Inconsciemment, elles courent après une jeunesse

qui leur échappe. Quelques personnes âgées vont même adopter des vêtements de jeune premier ou première, un maquillage accentué ou entretenir des relations et vivre des expériences d'un autre âge. Tout cela parce que la vieillesse leur apparaît comme une phase de décrépitude, de décadence, de détérioration, de préparation à la mort. Ce qu' elles ne peuvent ou ne veulent à aucun prix considérer. Suite à une influence culturelle intériorisée et conservée à travers le temps, influence venant des Grecs tout particulièrement, ces personnes âgées considèrent que la jeunesse, l'agilité, la beauté sont les qualités les plus appréciables. Même dans leur grand âge (à moins d'une modification d'attitude) alors que les incapacités physiologiques, cognitives, psychologiques, sexuelles, sociales seront plus marquées, ces personnes nieront encore la vieillesse et ses avatars et continueront de faire comme si tout ce qui leur arrive était l'histoire de quelqu'un d'autre.

D'autres personnes âgées adopteront le comportement du nourrisson qui a besoin qu'on fasse à peu près tout pour lui. Ces personnes sont victimes d'une vision exagérément incapacitante, débilitante de la vieillesse, ou bien elles sont dans la vieillesse ce que foncièrement elles ont toujours été : un enfant. Les familles, les milieux institutionnels, décidant pour les personnes âgées ce qu'elles doivent faire de leur journée, de leur argent, de la vie qui reste, se font complices de cette vision, infantilisant à force de prise en charge la personne âgée capable de s'occuper d'elle, à plus forte raison, en est-il de même pour celle qui a des prédispositions à l'infantilisme.

Certaines personnes âgées se reconnaissant des caractéristiques particulières, des intérêts et des besoins particuliers, tendent à se regrouper dans une espèce de sous-culture et à se couper ainsi de leurs concitoyens des autres âges de la vie. On observe alors une espèce d'auto-ségrégation. Elles revendiquent des résidences, des activités ou des loisirs, des moyens de transport, ... propres à elles, et se marginalisent bien avant que la société ne le fasse pour elles. Se marginaliser pour mieux être vues ou bien parce que l'on se dévalorise et ne se reconnaît plus de place dans la société active ?...

« Vous avez bien dit : Âge d'Or ? » Certaines personnes âgées ont accepté difficilement l'apparition de leurs premières rides, des taches de vieillissement attribuables à une pigmentation différente chez elles et appelées parfois « fleurs de cimetière », des cheveux gris, de la fatigue après un exercice modéré et qu'elles supportaient allègrement autrefois, des pertes de mémoire, ... Quand s'ajoute la mise à la retraite avec ce qu'elle occasionne : perte d'un environnement, d'un espace et d'un temps familiers, perte des amis ou des compagnons de travail, perte du pouvoir de consommation, perte de certains rôles. Alors, c'est inacceptable, injuste, ... La vie elle-même perd de son sens. Bien souvent, ces personnes n'acceptent pas le vieillissement et son cortège de modifications biologiques affectant l'un ou l'autre, l'un et l'autre systèmes du corps humain : cardio-vasculaire, respiratoire, digestif, intestinal, musculo-squelettique, uro-génital ... et se traduisant par des malaises ou des contraintes de toutes sortes ; elles n'acceptent pas davantage les modifications psychologiques liées aux pertes déjà mentionnées et influençant l'image que l'individu a de lui-même, et pas davantage les modifications sociales liées au déracinement, au peu de liens avec les autres générations, et à l'effritement du sentiment d'appartenance ; elles ne l'acceptent pas mais n'expriment pas les sentiments éprouvés à ce sujet ; elles refoulent et du refoulement à la frustration, à l'agressivité, il n'y a qu'un pas. Parfois un événement insignifiant en soi déclenchera une réaction démesurée, disproportionnée par rapport à l'événement qui l'a provoquée. « Qu'est-ce que je lui ai dit ou fait ? Qu'est-ce qui lui prend ? « L'interrogation peut se prolonger sans autre réponse éclairante que le refus de vieillir chez ces personnes, refus accompagné d'un repli sur soi. Un jour, n'en pouvant plus, elles éclatent en paroles blessantes, gestes brusques ou fracassants, projections énormes... Elles s'étaient construit une image d'elles-mêmes qui les valorisait, leur permettait de relever des défis ou de continuer à vivre avec une certaine satisfaction ; voilà que la vieillesse s'en est pris à elles, à cette image de personne dynamique que rien n'arrête, s'ensuit une blessure narcissique importante, difficilement « camouflable ».

D'autres personnes âgées regardent en toute lucidité les avantages et les inconvénients liés à l'avance en âge, les possibilités
dont elles disposent et les limites dont elles doivent tenir compte,
les promesses et les détresses de l'âge. Vision réaliste et compréhension de la vie qui suit son cours avec ses aléas, juste bilan des
acquisitions et des pertes. C'est la vieillesse. Et si pénible qu'elle
soit, que la personne vieillissante l'assume ou pas, la vieillesse fait
partie de la vie. Les retours en arrière, si ce n'est par le souvenir,
sont impossibles. On se dirige inexorablement vers la mort. Alors
quoi qu'on y fasse, la demeure la plus confortable, la vie la mieux
organisée risquent bien de ressembler à un « jardin d'hiver » (Préclaire, 1984).

D'autres personnes âgées et précisément parce qu'elles sont
âgées s'attendent à ce que les jeunes générations les vénèrent,
soulignent leurs mérites, leur vouent une reconnaissance sans fin.
Quelle désillusion quand elles se rendent compte que non seulement on ne les vénère pas mais qui plus est, on oublie qui elles
sont, on oublie qu'elles sont. C'est le désenchantement, le dépit,
liés à la survalorisation de soi. Ces personnes âgées s'attribuent
tous les progrès de notre civilisation en omettant de considérer
que ces progrès se sont acccomplis souventes fois au détriment de
la qualité de vie, que l'on pense au réchauffement de la planète, à
l'accélération effrénée du rythme de vie, à la mécanisation des
rapports humains, à la pollution de l'atmosphère d'origine
variée...

D'autres, enfin, loueront la vieillesse comme étant l'âge de la
sagesse de la paix, de l'expérience, de l'autonomie, etc. Il s'agit
d'une vision idéalisante et idéalisée de la vieillesse. Il y a, dans la
vieillesse, un peu de tout cela mais le dosage varie selon les individus et les âges.

Déni, régression, infantilisation, réalisme, survalorisation,
idéalisation... autant de façons pour les personnes âgées de traduire leur attitude face à la vieillesse et au vieillissement. Plus
elles avancent en âge, plus elles éprouvent les défaillances liées
au vieillissement et plus elles modifient leur attitude de favorable
à moyennement favorable, à défavorable, à moins d'événements

ou d'interventions favorisant l'appréciation ou l'acceptation de l'âge tel qu'il est.

La personne aujourd'hui âgée tient peut-être son attitude face à la vieillesse de son éducation, des croyances, préjugés et valeurs qu'elle a fait siens, des expériences qu'elle a vécues étant jeune avec ses grands-parents ou les personnes âgées de son entourage. Cependant, Kaas (1981) a démontré en sept étapes que nous reprenons brièvement comment la personne âgée finit par répondre à la désirabilité sociale concernant la vieillesse et le vieillissement depuis 1) la perte des rôles et son impact sur l'égo et l'identité, 2) le manque de modèle de rôle, 3) à l'étiquetage comme personne incompétente, incapable... 4) à l'adoption du rôle de malade, 5) à la négation de ses sentiments y compris tout sentiment libidineux, 6) au manque de stimulation, 7) jusqu' à la négation de sa personne comme être sexué. « Notre société dénonce l'obsolescence. On ne garde plus, on ne répare plus ; ce qui est usé est destiné à être jeté dès lors qu'on peut le remplacer. » (Herfray, 1988).

 ## Les jeunes générations face à la vieillesse, au vieillard, au vieillissement

La jeunesse de cœur a beau être éternelle, les rides et les cheveux blancs n'ont pas toujours l' ascendant social escompté. Au contraire, les personnes âgées se sentent souvent mises au rancart, leur expérience et leurs connaissances inexploitées (Huberdeau, 1986).

On qualifie d'âgisme l'attitude stéréotypée qui se traduit par le dégoût, le rejet, un malaise profond ressenti par les jeunes et les personnes d'âge moyen face à la vieillesse et aux vieilles personnes. Les mots utilisés pour désigner ces dernières : personnes âgées, âge d'or, citoyens séniors, aînés... ont acquis une connotation qui reflète l'anxiété individuelle et collective concernant la vieillesse. Les mots reflètent le processus et la structure de la pensée et renforcent les attitudes, croyances, comportements face aux stimuli : vieux, vieillesse, vieillissement... Les personnes âgées elles-mêmes en viennent à croire que ces appellations disent qui elles sont et ce qu'elles sont (Barbato et Feezel, 1987).

Certaines personnes jeunes et moins jeunes vivent comme si la vieillesse ne les atteindra pas: elles sont belles, alertes, intelligentes, lucides, enthousiastes, et s'imaginent qu'avec un peu de chance, elles seront inaltérables. N'ont de valeur à leurs yeux que la beauté, le rendement, la richesse, la « fringance », l'intégrité et particulièrement l'intégrité physique. La première ride, le premier cheveu gris, le premier bourrelet disgracieux, occasionnent une véritable dépression. Alors, elles réalisent qu'elles n'ont pas été exemptées, qu'elles n'ont pas réussi à éloigner d'elles la vieillesse. C'est la négation de la vieillesse, partage de tout être humain, négation nourrie par la publicité, l'éducation, les valeurs sociales contemporaines. Ces mêmes personnes peuvent nier la vieillesse chez les personnes âgées, alors elles attendront d'elles qu'elles soient autonomes, vigoureuses, performantes, peu importe leurs incapacités de toutes sortes, dans les différentes activités de la vie quotidienne.

D'autres personnes appartenant aux jeunes générations considèrent, sans discrimination, la personne âgée comme handicapée physique, mentale, cognitive, sexuelle, sociale. Puisqu'elle est handicapée, elles prendront pour elle à peu près toutes les décisions et feront, à sa place, ce qu'elle peut raisonnablement faire elle-même ; elles la réduiront à l'impuissance, à l'infantilisme. Pour ces personnes, l'équation est vite établie entre vieillesse et infirmité et incapacité. Quand la tentation est forte de se substituer à la personne âgée pour les soins personnels, par exemple, à quels besoins répondent-elles ? À ceux de la personne âgée (besoin d'affection, d'autonomie, de considération...) ou aux leurs propres (besoin de déculpabilisation, de rentabilité...) ?

D'autres, sous le couvert du silence, envisagent très mal la proximité de la retraite, la « mise entre parenthèses » de leurs possibilités, de leurs compétences, la séparation à plus ou moins court terme avec le milieu de travail et les amitiés qu'elles y avaient bâties. Comme les personnes âgées dont nous avons parlé précédemment, elles refoulent, accumulent frustration sur frustration, et fabriquent une haute dose d'agressivité quand ce n'est pas une maladie mentale ou psychosomatique éloquente. « Ne pas vouloir vieillir, c'est refuser l'ensemble de ce que nous avons été capables de faire et d'obtenir » (Abraham, 1984).

D'autres idéalisent ce merveilleux « âge d'or ». Viennent la retraite, la tranquillité, la pension... On voyagera, on se lèvera tard le matin, on fera l'amour aussi longtemps que l'on veut, on aura beaucoup de temps à consacrer aux relations sociales, enfin, on sera entièrement libre... Elles oublient que l'utilisation de cette liberté de façon satisfaisante suppose réflexion, planification, organisation, ajustement. Est donc à prévoir un écart plus ou moins prononcé entre l'idéal pensé et l'idéal vécu entraînant une certaine désillusion.

D'autres concluent à l'inutilité de la vieillesse, de la personne âgée. Ce que les anciens ont vécu, les connaissances qu'ils ont acquises et l'expérience qu'ils ont acccumulée... jamais il ne leur viendrait à l'idée de les exploiter, elles se privent ainsi d'un réservoir de ressources importantes. Certaines personnes jeunes et moins jeunes demanderont aux personnes âgées, « dont le passé constitue désormais l'être bien davantage que l'avenir incertain » (Abraham, 1984), de ne pas parler de leur vie antérieure, de leurs souvenirs, de leurs réalisations, de leur famille, de leurs santé... autrement dit, elles leur demanderont de ne pas pas les incommoder avec ce qui les préoccupe, elles, comme personnes seules, désireuses de partager leurs expériences, ayant besoin de se dire que leur vie n'a pas été vécue en vain. Répression dont l'objectif est sans doute de ménager la trop grande vulnérabilité des jeunes qu'ils soient de la famille ou du monde professionnel.

Abraham (1984) reconnaît deux types de vieillards. Il présente le « bon vieillard » comme celui qui ne dérange pas, qui est sympathique, qui est sage et sain, qui est agile et autonome tandis que le « mauvais vieillard » est celui qui est malade, qui va mourir, qui exige des soins, qui est faible, fragile ; celui qui par ce qu'il est nous insécurise face au lendemain.

Les attitudes de déni, de dévalorisation des jeunes générations face à la vieillesse et au vieux peuvent être mises en corrélation avec la proximité de la mort. Le dos voûté, les yeux regardant la terre, les sens dont l'acuité réduite la distancient de plus en plus de son entourage, la lenteur de sa démarche... tout semble initier, chez la personne âgée, le retour à la terre lieu d'ensevelissement ou d'ultime repos et cette perspective, elles refusent de l'envisager pour elles-mêmes.

Négation, répression, idéalisation, rejet... sont autant de modalités d'expression des attitudes tant chez les personnes âgées elles-mêmes que chez les jeunes. Ces attitudes sont ce que l'éducation, les expériences de vie, les croyances et les préjugés ont permis de développer. Elles peuvent être modifiées chez les unes et les autres si elles acceptent d'investir dans l'information, l'éducation, la réflexion et si elles s'accordent beaucoup de temps, car les attitudes ne se modifient de façon durable que dans le temps.

La personne humaine étant un tout intégré où les interactions et les rétroactions sont continuelles, on peut penser que l'exposition aux attitudes ou l'adoption des attitudes présentées dans ce texte risque d'influencer favorablement ou défavorablement la santé en général et la santé sexuelle : influence favorable générant créativité, « verdeur », bonne humeur, épanouissement, goût de vivre ; influence défavorable se concrétisant en amertume, tristesse, lassitude, fatigue, lourdeur, dépression, maladie psychosomatique.

CHAPITRE 2

*Vieillissement :
évolution ou involution ?*

Au fur et à mesure des années et parfois même à l'intérieur d'un laps de temps plus court, sous de multiples influences, l'être humain change dans sa physionomie, sa physiologie, ses attitudes et ses aptitudes psychologiques et sociales. Il vit des événements comme la retraite, le départ des enfants, la perte du conjoint, la maladie... événements qui pour certains prennent l'allure de véritables crises. Il effectue des gains et accuse des pertes dont la quantité, le rythme, la qualité sont aussi diversifiés que le sont les individus eux-mêmes.

Dans son désir de bien-être, d'actualisation, de compréhension, de prise en charge, d'infinitude et peut-être aussi dans sa crainte de l'inconnu, du terminé, de l'au-delà, l'homme par l'intermédiaire de chercheurs a tenté, depuis environ un demi-siècle, de dénouer l'énigme du vieillissement sous ses diverses formes : vieillissement biologique, psychologique et social, pour le comprendre, le prévenir, le contrecarrer, l'annihiler. Il s'est heurté à plusieurs problèmes dont l'absence d'une définition universelle et intégrée du vieillissement.

Théories biologiques du vieillissement

À partir d'observations telles la diminution progressive de la viabilité et l'augmentation concomitante de la vulnérabilité physiologique qui se traduit par des changements de toutes sortes au niveau de la peau, des articulations, des muscles, des vaisseaux, des poumons, des organes d'élimination, du système nerveux central et autonome ; à partir d'observations portant sur la modification du matériel génétique, les transformations moléculaires, la perte des capacités régénératrices de la cellule, les modifications du système immunitaire... un certain nombre de théories du vieillissement ont été élaborées. Ces théories traitent ou du caractère catastrophique de la sénescence, ou de mutations génétiques ou d'erreurs ponctuelles dans la synthèse des protéines. On les a appelées théories stochastiques ou du hasard. D'autres théories du vieillissement ont été élaborées s'intéressant celles-là à la programmation génétique et sont dites génétiques par le fait même ; d'autres s'intéressent aux transformations affectant le système immunitaire et sont dites immunologiques. Ces dernières attribuent à la défaillance ou à l'incompétence du système immunitaire l'apparition des maladies chroniques survenant aux 3e, 4e et 5e âges de la vie. Enfin, d'autres théories dites physiologiques essaient d'expliquer le vieillissement par la rupture ou la diminution de la performance d'un organe ou d'un système ou plus rationnellement, par les altérations dans les mécanismes de contrôle physiologique, [Shock (1977), Ebersole (1982), Barbeau (1984), (Gauvreau, 1987)]. Ces différentes théories, on pourrait les présenter sommairement comme suit : (voir tableau I).

Aucune de ces théories ne saurait à elle seule expliquer de façon satisfaisante le vieillissement, aucune d'entre elles ne saurait rassasier notre désir de savoir, aucune ne peut dissiper nos craintes.

On peut penser que le vieillissement est attribuable à la conjonction de phénomènes présentés par plusieurs de ces théories, qu'il est lié à des facteurs génétiques, à l'environnement et à la capacité d'adaptation de l'individu à son milieu, à des erreurs métaboliques, à la maladie.

Selon Barbeau (1984), des interventions ont été tentées en vue de ralentir ou d'arrêter le processus du vieillissement : modification de conditions en laboratoire permettant de prolonger la vie des fibroblastes ou d'influencer le rythme de division cellulaire, promotion d'une meilleure hygiène de vie, utilisation de produits pharmaceutiques spécifiques. S'arrêter là, ce serait réduire l'être humain à un corps dont la chimie est modifiable. Même si la relation entre le biologique, le psychologique et le social apparaît moins marquée chez l'adulte vieillissant que chez l'enfant ou l'adolescent, il n'en demeure pas moins qu'elle existe de façon non négligeable. Le vieillissement étant un événement multidimensionnel, une difficulté touchant la dimension biologique, par exemple, risque de se répercuter sur l'actualisation de la dimension psychologique ou sociale et vice versa. Ce qui nous amène à présenter quelques théories psychologiques et sociales du vieillissement.

TABLEAU I : Théories biologiques du vieillissement

Théories	Origine	Ralentisseur
I- *Du Hasard* (Stochastiques) :		
1. Des radicaux libres dont l'augmentation produit des effets nocifs sur les chromosomes ; produit l'accumulation de pigments, l'altération du collagène.	– oxydation des gras, des protéines, des sucres	– Amélioration du contrôle de l'environnement. – Augmentation de l'absorption des vitamines A, C, E.
2. Du collagène : contraction du tissu conjonctif ou de support occasionnant l'asphyxie des cellules fonctionnelles, créant une instabilité chimique, l'insolubilité du tissu conjonctif et de l'ADN.	– lipides, protéines sucres, acides nucléiques	– restriction calorique, agents anti-contraction
II- *Immunologiques* : – mécanique – formation d'anticorps réagissant aux cellules normales du corps et les détruisant – incapacité de reconnaître les cellules normales	– altération des cellules ß et T des systèmes humoraux et cellulaires	– altération sélective du système immunitaire et rajeunissement de ce système
III- *De la programmation génétique* : – l'organisme est capable d'un certain nombre de divisions cellulaires, nombre décroissant avec le temps. – perturbation de la programmation génétique. – erreur somatique dans la reproduction, la transcription et le transport d'ADN.	– diète, hypothermie – erreur de synthèse de l'ADN et de l'ARN, protéines, enzymes, irradiation	
IV- *De l'usure* des structures et des fonctions corporelles	– atteinte répétée ou sur- utilisation	– amélioration de l'hygiène de vie
V- *De l'adaptation au stress* : accumulation des résidus suite au stress et incapacité de réagir à de nouveaux stress	– stresseurs physiques, psychologiques, sociaux... internes et externes	– ré-évaluation et ajustement de son style de vie
IV- *Physiologiques* : vieillissement attribué à l'incompétence ou à la défaillance d'un organe, d'un système		

* Adapté de Ebersole, P. et Hess, P. (1985) *Forward Healthy Aging*, C.V. Mosby, Toronto.

Théories psychologiques du vieillissement

Plusieurs théories qui portent sur l'ensemble de la vie humaine ont été élaborées. Le développement y est perçu comme sur un continuum dont l'une des extrémités est représentée par la petite enfance et l'autre par la vieillesse. Selon les auteurs, chaque portion de ce continuum s'exprime en termes de passages, de saisons (Levinson, 1978), de stades, d'étapes, de crises (Freud, 1970 ; Erikson, 1982), d'heures du jour (Jung, 1933) ou de cycles (Buhler, 1973). Selon la théorie, l'attention est centrée sur le concept de soi et son évolution, sur les défis à relever ou les tâches à accomplir, sur les dynamismes de développement. Nous nous limiterons à considérer l'âge avancé, la vieillesse ou la dernière étape de la croissance humaine.

On ne devient pas vieux soudainement, plusieurs messages intérieurs ou extérieurs servent d'indicateurs : la mise à la retraite, le départ des enfants de la maison, la ménopause, un regard différent sur le monde du travail ou du loisir, la définition d'objectifs faisant appel davantage à l'expérience qu'à l'agilité, à la célérité ou à la connaissance théorique. On devient vieux jour après jour et il n'est pas rare de trouver chez la personne âgée la présence simultanée de cheveux blancs, de rides, d'une jeunesse d'esprit et de cœur. Plusieurs questions concernant le développement à l'âge avancé demeurent sans réponse :

- quelles sont les modifications psychologiques ponctuant l'avance en âge ?
- que peut-on espérer accomplir au cours de cette tranche de vie ?
- sur quelles ressources internes peut-on compter ?
- quel est le sens du vieillissement ?

Les réponses à ces questions sont aussi différentes que les personnes qui vivent cette étape de la vieillesse, elles jaillissent comme de source de l'image que la personne a d'elle-même et de l'attitude qu'elle a développée face à la vie et à la fin de la vie. Hétu (1988) se référant à l'Ecuyer (1979) présente le concept de soi comme système que la personne est appelée à redéfinir compte tenu des nombreuses pertes accompagnant l'avance en âge; d'aucunes y parviendront allègrement en misant sur ce qui reste plutôt que sur ce qui est perdu. Les aspirations constituant le soi personnel subiront des modifications selon le sexe et l'âge de l'individu, passant chez l'homme de 60 ans au maintien de la santé afin de poursuivre le travail et ensuite les loisirs pour connaître une période dépressive entre 65 et 70 ans, puis elles sont traduites à 75 ans en référence aux réalisations antérieures dont la personne tire fierté et valorisation pour, de nouveau, être axées sur le maintien de la santé et le désir de rester «dans sa maison» le plus longtemps possible; puis, entre 80 et 85 ans, ce que l'homme souhaite le plus ardemment c'est de demeurer en santé et actif jusqu'à la mort. Les femmes ont des aspirations plus variées et plus altruistes que les hommes; elles expriment plus tôt que les hommes leur acceptation de la mort, évitant ainsi d'épuiser inutilement leurs forces physiques et psychiques, elles abordent la fin de la vie avec plus de sérénité. À quoi attribuer cette attitude différentielle? Serait-ce aux nombreux deuils de la vie que la femme, en tant que femme, a été appelée à vivre, mentionnons la séparation de l'enfant lors de l'accouchement ou lors du sevrage, la ménopause et la fin de la période de reproduction, la conscience du temps qui passe et de la fin du temps plus marquée en raison des cycles menstruels.... c'est là une hypothèse à considérer. À cette étape de la vie, les personnes âgées se valorisent plus par ce qu'elles sont que par ce qu'elles font et les femmes plus que les hommes se valorisent par ce qu'elles peuvent continuer à faire.

La théorie du développement humain élaborée par Erikson (1982) englobe toute la vie et chacune des étapes est «caractérisée par un enjeu fondamental qui se définit comme un conflit entre deux pôles»: intégrité versus désespoir en ce qui concerne la vieillesse. À cette étape, la personne âgée entrevoyant l'éventualité de sa mort est portée à faire l'évaluation de sa vie. Si, au terme de cette évaluation, elle éprouve un sentiment de satisfaction, de plénitude, de signification, d'achèvement, elle développera une certaine tranquillité, une certaine sagesse en maintenant une image positive d'elle-même pour le temps de vie qui reste. Si, au contraire, le bilan qu'elle fait de sa vie est négatif, elle peut ressentir une impression de non-sens, de vie ratée ou vécue inutilement. On assiste alors à une détérioration de la personne s'exprimant dans la peur de la mort, l'alcoolisme, la dépression, le désespoir (devant la fuite du temps et l'impossibilité de retourner en arrière, de corriger les erreurs, d'effacer les regrets) et peut-être dans le suicide. Elle réalise qu'il reste trop peu de temps pour changer la situation et se permettre de réaliser son intégrité. Elle éprouve des sentiments de culpabilité et de regret. C'est souvent aussi une personne qui, avide de stabilité, a compromis sa croissance acceptant une vieillesse stéréotypée faite d'involution, de renoncement, d'abandon. Elle ne parvient jamais à l'éclosion de la sagesse (Aumond, 1987 ; Houde,1986).

Peck (1956) qui, on le croit, favorise la valorisation des forces restantes et l'adaptation, propose à la personne âgée tout un programme : accorder de l'importance à la sagesse plutôt qu'à l'énergie physique, à la dimension humaine dans une relation plus globale et plus significative avec autrui plutôt qu'à la dimension sexuelle, c'est-à-dire génitale, laquelle est en perte de performance ; il lui propose de valoriser la souplesse plutôt que la rigidité dans les investissements affectifs et dans les activités mentales ; il lui propose également de donner place à l'utilisation de l'expérience passée pour vivre l'expérience nouvelle, la différenciation de soi, la redéfinition de sa valeur, utilisant abondamment le transfert d'apprentissage et complétant le deuil du rôle de travailleur ; il lui propose enfin de viser la transcendance du corps plutôt que la préoccupation constante de celui-ci et la transcendance du moi plutôt que la préoccupation de celui-ci. Selon Bob Hope, comédien âgé de plus de 80 ans, la recette de la longévité se résumerait comme suit : « se passionner et rire ».

Bühler (1973) affirme que les modifications sur le plan biologique sont la plupart du temps accompagnées d'une redéfinition des objectifs de vie. Exemple : En ce qui concerne les personnes dont l'âge varie entre 45 et 65 ans et qui vivent la fin de la période de reproduction, ces personnes, sur le plan psychologique, évaluent l'atteinte des objectifs fixés jusque-là et n'hésitent pas, si nécessaire, à effectuer un changement de cap dans la carrière comme dans la vie à deux... Celles de 65 ans et plus dont le déclin biologique est plus marqué effectuent le bilan des réalisations antérieures en terme de réussite ou d'échec mais éprouvent le besoin d'actualiser au maximum les forces, les habiletés restantes, leurs motivations sont conditionnées par les limites personnelles et des efforts sont faits pour maintenir une certaine stabilité.

Quant à Havighurst et al.(1981), il présente un modèle développemental basé sur les attentes sociales et culturelles. Chaque décennie est caractérisée par une préoccupation dominante orientant le comportement pendant cette période. Exemple : la préoccupation des personnes dont l'âge varie entre 60 et 70 ans porte la décision de se désengager ou pas et comment le faire tandis que leurs principales tâches développementales seraient de s'ajuster à la santé qui décline, à la retraite, à la baisse de revenu, à la mort du conjoint ; elles seraient d'établir un style de vie satisfaisant.

Maslow (1971) met l'accent sur le développement d'une personnalité saine qu'il croit procéder d'abord de déterminants instinctifs et physiologiques, puis de déterminants plus rationnels et cognitifs. Il présente une hiérarchie de besoins dont la satisfaction entraîne un état de plénitude. De l'âge moyen à la mort, les besoins de devenir ce qu'on doit, de savoir, de comprendre si la personne y trouve réponse, entraîneraient l'actualisation de soi. Cette hiérarchie peut se percevoir comme une pyramide à plusieurs paliers dont aucun ne peut être franchi avant que le précédent ne le soit d'abord.

Axées sur l'évolution du concept de soi, sur le développement humain en terme d'enjeu, sur l'adaptation... ces théories n'épuisent pas toutes les possibilités d'évolution ou d'involution de la personne âgée. Chacune étant unique, son cheminement dans le temps risque bien de l'être aussi.

◤ Théories sociales du vieillissement

Nous avons considéré les théories biologiques et psychologiques du vieillissement. La personne âgée étant aussi un être social, quelques modèles théoriques de sa réalité sociale ont été proposés tournant autour de l'engagement-désengagement, de l'activité-inactivité, des rôles sociaux (socialisation, reconstruction sociale, sous-culture), de la continuité. On se rend compte qu'il n'y a pas de théorie générale du vieillissement. Ces théories reflètent jusqu'à un certain point la perception que leur auteur a du vieillissement et de la personne vieille.

Le désengagement se caractérise par la diminution des interactions sociales en quantité et en qualité ; il est effectué d'une part par la personne âgée elle-même et d'autre part, par la société qui la met à la retraite, l'invite presque à quitter pour laisser la place aux jeunes générations ; la personne désengagée cesse de faire des choses pour le rendement ou la préparation de l'avenir, elle pense au plaisir, à la satisfaction que ce qu'elle fait lui procure.

Pour les tenants de la théorie de l'activité, la vieillesse n'existe pas, la personne âgée doit trouver un substitut à l'activité professionnelle antérieure qui lui permettrait d'atteindre des buts identiques. Au lieu de consacrer du temps à la réflexion, à l'intériorisation, à l'évaluation de la vie passée et à l'orientation de la vie qui reste, elle continue de courir après une jeunesse qui lui échappe ; au lieu de s'appliquer à trouver un sens à sa vie, elle évite d'y penser, elle fuit, elle se fuit. L'activité n'est pas nécessairement un engagement, lequel suppose signification pour soi.

Puis il y a la théorie de la sous-culture dont les personnes âgées constituent les membres avec leurs normes de conduite. Se regroupant, elles font le jeu de la société qui, elle, aime bien ses vieux mais dans la mesure où ils ne sont pas trop visibles ou encombrants, dans la mesure où ils habitent sagement leurs quartiers.

Le vieillissement sur le plan social pourrait, selon certains auteurs, être lié au statut social « vide » de la personne âgée et à la perte des rôles à moins que d'autres rôles sociaux ne soient accessibles à ceux qui le désirent. D'autres théories sociales semblent enfermer la personne âgée dans une espèce de déterminisme : déterminisme de son passé, des conditions biologiques, économiques et sociales. Il y a conséquemment peu de place pour le changement.

Enfin, Kuypers (1972) présente comme théorie sociale le « syndrome de reconstruction sociale » qui, partant de l'identité de la personne âgée, de l'amélioration des services sociaux et possiblement de santé, vise le renforcement de l'autonomie, de sorte que la personne âgée puisse choisir ce qu'elle veut faire, quand et comment elle veut le faire.

Ces théories sociales du vieillissement ne font trop souvent qu'encourager le maintien des stéréotypes concernant la personne âgée : personne incapable, inutile, sans statut, sans rôle... n'ayant comme toute perspective que le maintien du système établi. Une seule fait exception à la règle, c'est celle de la reconstruction sociale ; elle considère la personne âgée comme une personne humaine à part entière, unique et pouvant exprimer son unicité.

Ces théories sociales, psychologiques, biologiques ont tenté d'expliquer le vieillissement, d'en permettre l'apprivoisement, de le prévenir ou de ralentir son évolution, si possible. Un vieillissement réussi serait celui où l'individu se maintient constamment en état d'expérimenter, continue de faire des choix et d'avoir une place dans la collectivité, serait celui où, dans la mesure du possible, il est permis d'espérer des conditions de vie favorables au maintien d'une santé physique, psychologique, sociale optimale. Mais si nous voulons pousser plus loin la réflexion et examiner les différentes crises de l'avance en âge, les considérations précédentes risquent bien de ne nous satisfaire qu'à demi puisqu'elles omettent de prendre en compte la façon particulière dont chaque individu répond aux événements de la vie adulte. Ce que Birren (1977) définit comme étant la personnalité du sujet. Les réponses peuvent être internes, cachées ou privées: c'est la façon dont on se perçoit, dont on perçoit les gens et les événements. Ces réponses incluant les pensées, les sentiments et les interprétations personnelles concernent ce que les gens font ou disent. Elles incluent aussi les humeurs, les motivations, ce qui porte à réagir d'une façon très particulière. Ceci suppose, bien entendu, que la personnalité est relativement stable. Une autre façon de regarder la personnalité est de la voir comme un processus qui intervient entre les événements de la vie adulte et le comportement individuel, on parle de type de personnalité dans le sens suivant : constellation de caractéristiques behaviorales présentées typiquement par un individu. Les recherches de différentes sources nous offrent, en ce qui concerne les personnes âgées, des typologies qui, bien que différentes, affichent une sorte de bipolarité : autonomie – dépendance, besoin de support ; activité – désengagement, passivité ; estime de soi – mésestime de soi, dévalorisation ; acceptation de son âge – refus de vieillir ; intégration, réorganisation – non-intégration, désorganisation. Il existe un facteur, semble-t-il, qui permet un ajustement réussi aux différentes crises du vieillissement et en dépit du type de personnalité de la personne âgée : c'est la présence et la disponibilité d'un confident, d'une relation intime et stable jouant le rôle d'amortisseur de chocs.

 ## Principales crises du vieillissement

L' avance en âge est ponctuée de multiples changements dont l'ampleur, l'intensité et la résonance font l'effet de véritables crises au cours desquelles la personne âgée ne sait plus très bien qui elle est, ce qu'elle veut et où elle va. Les crises de croissance ou de situation sont des phases de la vie, des événements pouvant porter atteinte à l'estime de soi, à l'intégrité psychique et corporelle entraînant une ou des modifications de rôles personnels, conjugaux, professionnels, familiaux et dont la résolution s'échelonne sur des périodes de jours, de semaines, de mois ou même d'années.

Dans la vie d'une personne âgée, une crise peut avoir des effets dévastateurs exacerbant les caractéristiques négatives, redoutables ou vulnérables de la personnalité comme elle peut mobiliser au maximum ses capacités d'adaptation et mettre en relief les caractéristiques positives de la personnalité, elle peut révéler la personne à elle-même et aboutir à une plus grande autonomie.

Les situations de crise dont il est souvent fait mention dans les écrits et concernant l'âge avancé sont considérées comme telles ou parce qu'elles entraînent une modification de rôles (retraite, départ des enfants de la maison, mort du conjoint, handicap...) ou parce qu'une de leurs conséquences est une atteinte de l'image corporelle (accidents, maladies, chirurgies, vieillissement bio-physiologique...) ou parce qu'elles se traduisent dans des pertes significatives (éloignement d'un ami intime, rupture conjugale, mort du conjoint ou d'un proche, pertes matérielles par désastre, perte de son espace et de son temps familiers...) ou parce qu'elles réduisent les moyens de communication isolant la personne (aphasie, immobilité, surdité, pertes des moyens de transport) ou parce qu'elles perturbent le déroulement habituel de la vie quotidienne (retraite, grève, panne d'électricité, hospitalisation, institutionnalisation...), enfin parce qu'elles font présager la mort (mort du conjoint, des personnes du même âge, du partenaire de chambre, incapacité physique, diagnostic d'une maladie fatale...). Ajoutons à cela d'autres événements dont l'impact sera important pour certaines personnes âgées, léger ou nul pour d'autres (conditions atmosphériques, événements régionaux, nationaux...).

Ici, nous considérerons les crises vécues comme telles par une bonne majorité de personnes âgées, à savoir :

– le départ des enfants de la maison, particulièrement du dernier enfant, ou le syndrome du nid vide,
– la retraite, celle que l'on prend ou celle qui est imposée,
– la perte du conjoint par décès ou rupture,
– le déracinement
  (fermeture de la maison et/ou l'institutionnalisation),
– l'incapacité physique,
– l'anticipation de sa propre mort.

Le départ des enfants de la maison ou le syndrome du nid vide

La femme qui a dédié quelque vingt années de sa vie aux soins et à l'éducation des enfants, celle qui était mère plus que femme ou épouse, celle dont l'identité de genre s'est confondue avec le rôle maternel, lequel a pris toute la place, lors du départ des enfants et particulièrement du dernier enfant, cette femme sentira l'effritement de son identité, de son estime d'elle-même, du sens à la vie, de son utilité. Cette crise à la fois de situation et de croissance pourra être difficile à vivre au point que plusieurs femmes prolongeront leur rôle maternel en retenant, sous de multiples prétextes, l'enfant le plus longtemps possible à la maison. Cette crise trouvera sa résolution dans une réorganisation de vie, dans la définition d'objectifs plus centrés sur l'actualisation de soi comme personne au cours des années qui viennent que sur le service des enfants et des petits enfants. Ce qui n'exclut pas la présence aux proches et une certaine disponibilité sans en faire un travail à plein temps comme ce fut le cas trop longtemps. La sollicitude maternelle risque parfois de s'exercer au détriment de l'autonomie de ceux auprès de qui elle s'exerce. Histoire ancienne que cette situation féminine ?... Peut-être mais pas tant que cela. Les femmes sur le marché du travail en même temps qu'elles élèvent leurs enfants et qui partagent la tâche avec un conjoint vivront peut-être moins cette crise mais rien n'est moins certain avec la monoparentalité à majorité féminine croissante. L'observation ultérieure nous permettra de nous prononcer là-dessus.

Les hommes dont le rôle traditionnel a été de travailler à l'extérieur de la maison, assurant la subsistance de la famille, ont été généralement moins proches des enfants et moins uniquement centrés sur leur évolution de sorte qu'au départ des enfants ils vivent moins difficilement cette crise. Qu'en sera-t-il des pères ayant la garde des enfants dans une situation de monoparentalité ? L'avenir le dira. Crise d'identité, du sens à la vie, d'une modification des rôles présageant d'autres crises tout aussi exigeantes en terme d'énergie physique et psychologique.

La retraite

Fin du travail rémunéré, le sens de la retraite évolue à travers le temps. Pour les personnes aujourd'hui âgées de 75 ans et plus, la retraite signait véritablement le début de la vieillesse, le repos, le temps de mettre ordre à ses affaires, l'attente et la préparation à la mort. Elle était souventes fois liée à des incapacités physiques. Plus on approche du vingt-et-unième siècle, plus la retraite signifie le début d'une période de repos, de loisir bien méritée ou encore d'une mutation de carrière. La retraite prend aussi un sens différent selon que l'individu la prend de plein gré ou selon qu'il est mis à la retraite par son employeur. La personne mise à la retraite peut y être peu préparée et n'avoir pas le goût de la prendre, elle peut être frustrée d'avoir eu peu de place dans cette décision, ce qui n'est pas le cas de celle qui décide du quand, du pourquoi et du comment de sa retraite. Pour la personne qui n'a pas été sur le marché du travail, le signal de la retraite est donné par le départ des enfants de la maison, la retraite du conjoint ou le décès de ce dernier.

Dans un couple, la retraite du conjoint n'est pas toujours synonyme de retraite pour la partenaire, l'augmentation de sa tâche peut au contraire se produire : bouleversement dans l'organisation de ses journées, présence constante du conjoint qui tourne en rond ne sachant pas trop quoi faire de son temps et occupant l'espace qu'elle occupait antérieurement à elle seule, liberté réduite dans ses temps de loisir personnel...

La retraite, une crise ? Oui, non... dépendamment de ce que la première moitié de la vie a été faite. A-t-on cherché dans le travail la confirmation de sa valeur personnelle, de son identité d'homme ou de femme, le point d'ancrage de son identité tant dans le privé que dans le public, le cadre organisationnel rythmant toute la vie, sa justification sociale ? Alors oui la retraite est une crise et une crise importante synonyme de perte de soi, de vide, de manque de sens, d'inachèvement. « La retraite peut réveiller d'anciennes peurs et d'anciens chagrins (...) » « Privé de sa définition par le métier exercé, privé de sa justification sociale, le retraité perdra son statut et son amour-propre » (Viorst, 1986). Plusieurs hommes particulièrement se détériorent physiquement et mentalement à la retraite. La vie étant alors sans structure, sans signification. La retraite d'un ou des deux conjoints déclenche parfois une crise conjugale accentuant les problèmes existants mais que le travail avait permis d'obnubiler. L'ajustement du couple à la retraite dépendra de l'efficacité de la communication antérieure, du modèle de prise de décision adopté concernant la gestion domestique, l'utilisation des temps et des espaces, du partage ou de l'orientation des rôles, du degré d'affection ou d'intimité (Ebersole et al. 1985).

On constate qu'il y a une préparation de plus en plus extensive aux rôles du travail mais peu de préparation ou une préparation adéquate est prévue en regard du départ des enfants, de la retraite, du veuvage, et des autres transitions majeures de la vie adulte.

La retraite vécue positivement initiera « la substitution de la notion de rendement par celle d'utilité personnelle et sociale » (Riverin-Simard, 1983), l'acceptation de l'inachevé, tout travail étant un commencement qui ne finit pas vraiment, toute personne étant un produit en perpétuelle redéfinition. Elle initiera également une longue période de réflexion, de bilan de vie et de formulation de nouveaux objectifs. Pour celui qui, étourdi par le travail et son rythme effréné, ne s'est jamais ou rarement arrêté pour faire le point sur lui, ses relations avec les autres, le sens qu'il veut donner à sa vie, à l'heure de la retraite, il aura peut-être la surprise, l'émotion de se trouver dans une maison qui s'est construite comme en son absence.

La retraite, c'est aussi la perte des amis compagnons et compagnes de travail et de certains liens affectifs qui s'étaient créés. La personne retraitée a à inventorier des moyens de conserver les relations qu'elle souhaite conserver. La retraite, c'est une crise à prévenir et la prévention la plus efficace serait de parvenir à se définir autrement que dans le « faire ».

La perte du conjoint, de la conjointe

Que la perte du conjoint ou de la conjointe survienne dans la mort ou dans la rupture, l'événement demeure traumatisant et peut-être même le plus traumatisant que la personne ait vécu. Tristesse, anxiété, colère, culpabilité, dépression, ces sentiments peuvent habiter à tour de rôle celui ou celle qui reste, qui fait le deuil et on ne saurait dire lequel prend le plus d'ampleur, d'intensité, lequel est plus douloureux.

On ne saurait dire davantage si c'est le confident, l'amant, l'ami, le père ou la mère de ses enfants, le protecteur... qu'on pleure le plus. L'absence du partenaire sexuel suivant la mort ou la rupture prive temporairement d'une partie importante de l'expression de soi dans son identité d'homme ou de femme, prive d'une source de chaleur humaine, d'affirmation personnelle. Les hommes qui trouvent une nouvelle partenaire sont exposés à vivre l'impuissance du veuf (du séparé, du divorcé), laquelle origine de la culpabilité, de la dépression, de longues périodes d'abstinence et de l'étrangeté de la nouvelle partenaire (Ebersole et al. 1985). Du déni de la rupture ou de la mort à l'acceptation et même parfois après, des vagues de tristesse réapparaissent fortuitement à l'occasion d'un anniversaire, d'un repas cuisiné qu'il aimait, d'une musique, d'une odeur, d'une lecture, d'une rencontre... risquant d'ensevelir, d'engloutir l'endeuillé-e (Line D'amours, 1987). Il, elle doit apprendre à vivre avec cela. Cette crise, bien que pas spécifique à la retraite, survient souvent au cours de cette période et est très souvent le lot des femmes puisque la longévité n'est pas la même pour les individus féminins et masculins. Au Canada, la moitié des femmes âgées de 65 ans ont perdu leurs maris. Les veufs sont cinq fois moins nombreux dans cette tranche d'âge (Garnier, 1988).

L'ampleur, l'intensité, l'acuité de la crise dans la perte du conjoint ou de la conjointe dépendront de l'investissement affectif dont l'autre a été l'objet. S'il était celui ou celle à travers qui la personne se découvrait, se définissait, se valorisait... il va sans dire que son départ, que sa mort entraînera la perte de soi-même, un vide immense qu'il faudra mettre du temps à combler et user d'une patience infatigable envers soi-même. Il faut alors renaître, s'enfanter, ce qui ne se fait pas sans douleur.

Mais le deuil du conjoint, c'est aussi l'occasion d'apprendre à vivre seul, à prendre son existence en main, à réaliser des rêves jusque-là inassouvis. Le deuil du conjoint peut évoluer selon différentes modalités, il n'y a pas de bonne ou de mauvaise façon d'effectuer un deuil, il y a sa façon personnelle de le faire ; pouvoir l'actualiser, c'est pouvoir se dire qu'on est en vie et capable de faire des choses pour soi-même, capable de prendre soin de soi, c'est l'augure d'une nouvelle autonomie ou d'une autonomie retrouvée. Le deuil dépendra de la façon dont on identifie la perte, de l'âge qu'on a quand la mort ou la rupture survient, de son degré de préparation à l'événement, de sa force intérieure, du support sur lequel on peut compter ; dans le cas de rupture, il dépendra du degré de décision qu'on y a apporté, de ce qu'on a vécu avec le disparu, de son expérience de l'amour, de la perte, de l'abandon dans la vie passée. Mais le deuil dépendra aussi de la longueur de la maladie de celui qui est mort, de la douleur et des incapacités avant la mort, du coût personnel et financier de la maladie.

Selon Viorst (1986), la rupture est une perte comparable à la mort du conjoint et sera pleurée de façon similaire, sauf que le divorce peut susciter davantage de colère que la mort, sauf que le conjoint absent vit encore, possiblement avec quelqu'un d'autre dont il est amoureux. L'amour-propre en prend un coup en même temps que la colère gronde ou que la culpabilité ronge.

Selon l'âge qu'elle a lors de la rupture ou la mort du conjoint, la femme peut s'attrister face à la rareté de partenaires éventuels. Chacun des conjoints séparément ou le veuf peuvent aussi vivre difficilement l'éloignement des couples amis, une personne seule étant perçue comme menaçante pour le couple ou encore les amis peuvent vouloir éviter de prendre partie pour l'un ou l'autre conjoint séparé, divorcé.

Le veuvage simule parfois la retraite pour la personne qui reste, retraite dans sa carrière d'époux, d'épouse ; elle simule aussi une perte de statut : on n'est ni marié, ni divorcé, ni célibataire... qui est-on ? Nouvelle crise d'identité dont la résolution heureuse entraîne définition de soi, productivité, créativité.

Le déracinement

On ne pourrait sans risque d'occasionner la mort procéder à la transplantation d'un arbre trop âgé, ou en le faisant hors saison...

C'est pourtant ce qui se produit pour nombre de personnes âgées au Québec et ailleurs. D'un seul coup, elles doivent abandonner leur cadre familier de vie : maison, meubles, coin de terre... par lesquels elles se disaient ; elles doivent l'abandonner, le passer à des mains étrangères dans bien des cas. Cette maison, ces meubles, cette terre ont été le témoin de leur vie, des chagrins, des épreuves, des joies, des labeurs, ils reflètent la vie toute entière. Ils font corps de façon même très intime avec l'individu. Voir l'habitat c'est souvent deviner celui qui l'habite. Pour les personnes âgées, quitter cette maison, ce lieu, c'est perdre les souvenirs gravés dans les murs, dans l'environnement, c'est perdre une grande partie de ce qui les ont faites et pour aller où ? en centre d'hébergement, en résidence, ailleurs où rien ne ressemble à ce qu'elles ont connu, même dans le meilleur des cas où la personne âgée apporte avec elle ses vêtements, quelques meubles, ses photos... Partir, c'est accepter de vivre tous les jours en pension, suivre un horaire accommodant pour ceux qui travaillent dans ces endroits mais pas pour ceux qui y vivent... Pas étonnant que faute de pouvoir s'adapter, la personne âgée se perde dans la confusion. Quand la réalité est trop dure à envisager, la personne se réfugie dans un autre monde, son monde intérieur, celui de ses souvenirs... en attendant qu'un proche lui permette de reconstituer pour un temps limité, souvent le temps d'une visite, sa vie. «Les problèmes psychologiques reliés au vieillissement sont rarement causés par la baisse des fonctions cognitives.» (Berger et al. 1990). Ce sont plutôt les pertes de rôles, les crises, les stress multiples, la maladie, la fatigue, le déracinement qui les occasionnent.

Le déracinement est une crise plus ou moins aiguë dans la mesure où il a été prévu ou pas, préparé ou pas, décidé par la personne impliquée ou pas. Tournier (1976) rapporte, en parlant des Maisons de Vieillesse, qu'en France plus du quart des vieillards meurent dans les premiers six mois, et plus de la moitié dans la première année de leur admission.

Plus la personne âgée a été impliquée tout au long du processus de prise de décision quant à la fermeture de se maison, quant au déracinement, quant à l'institutionnalisation, plus elle a de chances de vivre ces événements sans heurts sérieux.

L'incapacité physique

Si le déracinement est moins difficile à vivre dépendant du degré d'autonomie personnelle laissée à la personne âgée, il en est de même en ce qui concerne l'incapacité physique. L'atteinte portée à la personne est plus ou moins marquée selon le degré d'autonomie qui reste et que l'environnement (physique, familial, social, institutionnel) permet d'actualiser. L'atteinte à la personne varie aussi selon les modifications que l'incapacité physique entraîne dans les rôles, l'image corporelle, l'estime de soi. Les changements qui se produisent dans notre corps nous redéfinissent comme le font les événements, l'image que les autres ont de nous et qu'ils nous renvoient (Viorst, 1986). Avec l'âge, la beauté, la force, l'acuité des sens, la compétence des différents systèmes de l'organisme déclinent. Plusieurs aînés, hommes ou femmes, vivent cette série de pertes comme un outrage, une trahison, une humiliation. Série à laquelle s'ajoute la perte de son être sexuel. La personne âgée est sexuellement neutralisée par des messages silencieux voulant que le désir à son âge soit improbable, ou s'il existe, il relève du vice plus que de la « normalité ». Elle ne vit souvent qu'à demi ce qu'elle souhaiterait vivre par crainte d'être pointée du doigt, stigmatisée alors que de vivre sa sexualité pourrait lui permettre de promouvoir son identité, l'estime d'elle-même, de célébrer la vie enfin.

La personne âgée atteinte dans son corps se perçoit souvent comme diminuée, peu séduisante, pas tout à fait elle-même, pas tout à fait un homme ou une femme et pis encore, le regard porté sur elle par les proches, les professionnels vient confirmer cette perception. Il faut une force de caractère peu commune pour continuer de lutter et de croire en ses possibilités restantes quand tout autour de soi insinue la laideur, l'incapacité, l'inutilité, la dépendance.

L'incapacité physique importante évoque pour celui qui en est victime la fin de la vie, de sa vie. Évocation d'autant plus vive que la personne âgée assiste à la mort du conjoint, à celle des amis du même âge, à celle du compagnon ou de la compagne de chambre. Une autre crise jalonnant l'âge avancé sera donc l'anticipation de sa propre mort et des détachements qu'il faudra ultimement consentir faute de les effectuer d'ores et déjà de bon gré.

L'anticipation de sa propre mort

Après le départ des enfants, la retraite, la perte du conjoint, le déracinement, l'incapacité physique, après ces nombreuses pertes, la personne âgée anticipe sa propre mort et son cortège d'autres pertes : perte de la santé et de la capacité de fonctionner normalement dans la société, perte de la latitude face à l'avenir, perte de la possibilité d'être un-e partenaire sexuel-le compétent-e, perte de la capacité de répondre à ses propres besoins, perte de la vie et de soi dans la vie. Elle appréhende la mort et en anticipe le deuil et les principales tâches adaptationnelles inhérentes. L'importance de chaque tâche est relative selon la personnalité de l'individu, de la nature des incapacités physiques ou de la maladie, des circonstances environnementales.

Le moment est venu de mettre ordre à ses affaires, de composer avec sa propre perte (identité, corps, tout ce qu'elle est, tout ce qu'elle possède) et celle des proches ; le moment de planifier l'utilisation du temps qui reste, d'envisager la douleur future, les pertes sensorielles, motrices, cognitives, les changements dans son apparence, la perte de performance et de fonction, la perte d'identité. La personne doit envisager le fait de n'être plus personne alors que tous les apprentissages de la vie visaient à devenir quelqu'un, tâche difficile et qui demande du temps. L'évaluation de sa vie peut à ce moment être d'une grande utilité ; un sentiment d'accomplissement, de satisfaction pouvant réduire les regrets de quitter cette vie et permettre l'ultime dépassement : le trépas. La personne peut décider d'accélérer ou de ralentir le processus du mourir gardant ainsi le contrôle de sa vie jusqu'au bout, si cela importe pour elle (Rando, 1986).

Dernière étape de décision, de croissance, la mort paradoxalement emporte avec soi les rêves inachevés, les souvenirs, la personne elle-même. L'anticipation de la mort calme ou tumultueuse, pacifiante ou terrifiante, dépendra des caractéristiques personnelles de l'individu, de l'investissement affectif, psychologique, social, sexuel, spirituel dans la vie, de l'évaluation qu'il fait de cette dernière. On peut partir parce qu'il est temps, parce qu'on est allé au bout de soi, ou parce qu'on est déçu, déprimé et que la vie n'a pas de sens.

Liées à la croissance ou à certaines situations, les crises considérées ici en sont d'abord d'identité, de modifications de rôles, de grande tension, d'ajustement nécessaire. Elles sont vécues de façon différentielle par les individus selon l'âge, le sexe, la personnalité, la maturité, l'éducation, l'environnement. On peut penser que de la résolution saine de chacune d'elles dépendra un certain bien-être quand on ne peut pas parler de santé.

CHAPITRE 3

*Santé sexuelle
et vieillissement*

La santé, objet de tant de soucis quotidiens, a été prise en charge par la médecine scientifique qui a divisé le corps humain en spécialités médicales. Une autre médecine, globale ou holiste, rejoint les traditions anciennes qui considèrent l'être humain comme un système vital cohérent doté de mécanismes intégrés d'équilibre et de contrôle. La conscience écologique reconnaît que notre environnement influe directement sur notre santé et notre bien-être. Analyse et synthèse sont deux processus de connaissance qui contribuent à une meilleure perception de la santé et de la maladie.

La santé sexuelle, comme intégration des divers aspects de l'être sexué, nous fait considérer la sexualité comme étant une réalité humaine à plusieurs dimensions en interactions constantes : corporelle ou somatique, psycho-affective, socio-écologique et culturelle. Ces quatre dimensions en harmonie et équilibre dynamique caractérisent la santé sexuelle et nous servent à élaborer un mode d'évaluation de la santé sexuelle. Le vieillissement affecte la vie sexuelle des personnes tant au plan physique qu'au plan psychologique sans que ces changements privent les personnes âgées de l'habileté à exprimer leurs besoins sexuels et leur vitalité selon les modes appropriés.

La santé préoccupe au point d'être le premier élément de salutation : comment allez-vous ? Larousse (1987) définit la santé : « état de celui dont l'organisme fonctionne normalement en l'absence de maladie. » C'est une définition qui ne fait plus consensus car l'absence de maladie est un critère de santé trop restrictif pour rendre compte de la santé en général. Dans certaines expressions, par exemple, « santé de l'économie », « santé de l'entreprise », le terme santé ne fait pas référence à la santé proprement dite ; cet usage montre toutefois la richesse évocatrice de ce mot. Dans le domaine de la santé, deux principaux courants de pensée mobilisent les intervenants : la médecine dite scientifique et la médecine globale ou holiste.

Médecine scientifique

La médecine s'est profondément modifiée depuis plus d'un siècle en mettant en œuvre la méthode scientifique, c'est-à-dire en prônant comme objet d'étude des champs de plus en plus restreints ; c'est l'approche dite réductionniste qui ramène la complexité du réel à son unité la plus simple possible. Ainsi au lieu de considérer l'ensemble du corps humain, l'on étudiera telle partie (rein, foie) et à la limite la cellule et la molécule. De même la maladie, comme état d'une personne, sera considérée comme résultant de l'action d'un agent pathogène (virus, microbe) et c'est contre cet agent que se livrera la bataille médicale au risque d'oublier la personnalité du malade lui-même. La science postule que l'analyse cumulative des éléments du corps humain devrait permettre théoriquement de saisir toute la réalité humaine. Cette approche est appelée biomédicale car, en fait, cette médecine s'est surtout préoccupée de dégager les mécanismes biologiques d'une dysfonction corporelle par l'étude de la biologie cellulaire et de la biologie moléculaire. Dans cette perspective, les influences non biologiques sur les processus biologiques sont passées sous silence.

L'approche biomédicale de la santé a mené à une division territoriale du corps humain : un spécialiste pour le cœur, un spécialiste pour les poumons, un autre pour les pieds, etc.. Pour avoir accès à ces spécialistes tout équipés, il faut payer tribut (en sollicitant une référence) au « généraliste » qui semble bien démuni face aux technologies sophistiquées. Sur des bases scientifiques aussi étroites, l'art médical ne peut être efficace pour promouvoir un état de santé globale car il se veut surtout curatif. Sans nier le rôle de la prévention pour assurer la santé, on laissera cette tâche à d'autres, faute de temps, de connaissances, de moyens ou d'intérêt... Or les médecins, comme corps public, se sont enfermés dans un dilemme : incapables d'appréhender méthodologiquement l'ensemble des données relatives à la santé et à la maladie, ils ont toutefois affirmé qu'ils étaient les seuls qualifiés pour diagnostiquer ce qui constitue la maladie et pour ordonner ce qui est bon pour la santé du patient. Cette position de pouvoir, confirmée par la Loi Médicale au Québec, s'est exprimée parfois en ces termes : le corps appartient à la médecine... En fait, il y a toujours eu des médecins attentifs à leurs malades et d'autres préoccupés par des intérêts corporatifs ou par des intérêts personnels. Ce qui est surtout en cause dans cette approche, c'est le cadre conceptuel qui sépare le corps de l'esprit et qui privilégie l'aspect biologique comme facteur explicatif de la maladie. Aujourd'hui, les énormes sommes d'argent dépensées dans le système de santé apparaissent toujours insuffisantes pour les besoins des champs de spécialisation de plus en plus nombreux qui exigent une technologie fort coûteuse dont les résultats sur la santé publique demeurent aléatoires. Aussi y-a-t-il lieu de s'interroger sur la façon de concevoir la santé et les services de santé ?

Médecine globale ou holiste

L'holisme (du grec *holos* signifiant tout, tout entier) est une philosophie éclectique qui identifie ses sources aussi bien dans la tradition orientale que dans la médecine hippocratique. La vision chinoise ancienne de la santé présente les phénomènes naturels comme des manifestations d'une oscillation continue entre les deux pôles de la réalité que sont le yin (principe surtout féminin) et le yang (principe surtout masculin). Ces deux principes en équilibre dynamique forment l'ordre naturel des choses. Ainsi ce qui est bon ou sain n'est pas yin ou yang, mais l'équilibre des deux ; ce qui est mal ou nocif est le déséquilibre. Perdre et retrouver son équilibre constitue l'essence même de la vie. La santé est une façon d'être, un état dynamique qui implique une adaptation continuelle à un milieu de vie toujours changeant. La tradition hippocratique nous enseigne aussi que la santé est l'équilibre entre les diverses humeurs et Hippocrate privilégie une relation harmonieuse entre le médecin et son patient : des malades, bien que conscients de la gravité de leur état, retrouvent la santé simplement parce qu'ils ont la conviction d'avoir un bon médecin. « L'effet placebo » (du latin, je plairai), largement reconnu aujourd'hui, est pour une part attribuable à cette confiance que le patient a envers son médecin ou envers les autres professionnels qui assurent des soins de santé. Hippocrate, théoricien et praticien de la médecine, soutenait même que le corps humain pouvait tout naturellement se soigner lui-même et que ce processus se développait même sans l'intermédiaire d'un médecin car il reconnaissait la puissance de guérison de la nature (*vis medicatrix naturae*). Il exigeait du médecin qu'il ne nuise pas (*primum non nocere*) au processus naturel de guérison.

La conception holiste de la santé considère l'être humain comme un système vital cohérent et organisé, doté de mécanismes intégrés d'équilibre et de contrôle. Ce que l'on appelle la médecine holiste, c'est d'abord une réaction contre l'abus des médicaments, contre la spécialisation à outrance et contre le manque d'attention accordée au patient. La médecine holiste va mettre l'accent sur une alimentation saine, sur le développement d'habitudes alimentaires correspondant au besoin de chacun et sur un climat de respect mutuel entre le médecin et le patient. La santé implique des exercices physiques appropriés, un sommeil suffisant, du grand air et de la modération dans les habitudes de vie personnelle. De plus, l'approche holiste de la santé reconnaît les interactions du psychique, du mental, du spirituel et du somatique comme constitutives de l'existence humaine. Nous élaborerons un peu plus loin les diverses dimensions de la santé à propos de la santé sexuelle.

L'approche holiste veut considérer l'être humain comme un ensemble de systèmes intégrés (systèmes nerveux, sanguin, cardiaque, hormonal, sexuel, etc.) Nous constatons, dans une perspective historique, que l'état de santé général d'une population et l'accroissement de son espérance de vie sont rarement reliés à des interventions médicales spécifiques. Quel centenaire a déjà attribué à la médecine le secret de sa longévité ? Force est de constater que les « maladies de civilisation » nous renvoient à l'écologie : maladies cardio-vasculaires, cancers, arthrite, troubles respiratoires (emphysèmes, bronchites), dépressions... C'est donc en intervenant sur la qualité de l'environnement que l'on pourra agir sur la santé publique.

◤ Santé et écologie

La conscience écologique reconnaît que l'univers est notre maison commune et que notre environnement influe directement sur notre santé et notre bien-être. Environnement en termes de salubrité de l'air, de l'eau, de la terre et des aliments, certes, mais aussi en termes d'architecture, de conditions de travail, de relations humaines, de justice socio-économique, de culture et de valeur. L'inventaire des sources de pollution, que l'on relie maintenant directement à l'état de santé, nous renvoie l'image d'un monde où le sens de l'unité de la vie est voilé. De là à penser que c'est la façon de percevoir cette réalité qui est en cause... Le procès du scientisme, comme système de pensée qui a dominé le monde de la science, au cours des derniers siècles, nous le trouvons chez nombre d'auteurs qui mettent l'accent sur l'urgence d'un changement, par exemple, Marylin Ferguson (1980) dans « Les enfants du verseau », Kenneth R. Pelletier (1982) dans « La médecine holistique, médecine totale » et surtout Fritjof Capra (1983) dans « Le temps du changement ».

Le thème principal de cette exigence de changement, c'est la dénonciation de cette idéologie étroite qu'est le scientisme qui consiste à ne reconnaître comme connaissance valable que des données qui découlent de l'application rigoureuse de la méthode scientifique. Or la conception de la science que nous avons héritée de Bacon, Galilée, Descartes et Newton, c'est une pensée rationnelle et linéaire, coupée de l'expérience corporelle, concentrée dans l'esprit analytique dont la fonction est de différencier, de mesurer et de classifier ce qui est déjà fragmenté. Les « faits » ainsi étudiés sont soigneusement faits, délimités ou construits par les scientifiques eux-mêmes en vue de l'efficacité de la recherche. Ainsi, ces faits n'ont souvent qu'un rapport fort lointain avec la complexité de la réalité. Cette fragmentation de ce qui est étudié pour fin de rigueur scientifique se transpose sous nos yeux en disciplines académiques, matières scolaires, agences gouvernementales, services de santé et spécialités médicales où règnent les divisions et les subdivisions et où la compétition pour décrocher des crédits et des subventions fait partie des règles du jeu... de coudes. Il n'existe pas de science qui s'occuperait de la totalité de la réalité, de la totalité de la société ou de la totalité de l'être humain. Est-il possible alors que des solutions globales viennent des scientifiques traditionnels ainsi cantonnés dans des aires de rationalité restreinte ou réduits à scruter des portions de plus en plus infimes de ce qui doit être étudié ?

En contrepartie à ce type de rationalité scientifique, la tradition philosophique tant orientale qu'occidentale affirme qu'il y a un autre mode de connaissance de la réalité, dite connaissance intuitive, qui fait appel à un état de conscience élargi, le mot conscience signifiant alors science du savoir nécessaire aux fins poursuivies. Cette connaissance intuitive implique une approche différente de ce qui est à connaître car au lieu de l'analyse qui dissèque la réalité, la connaissance intuitive procède par vision globale ou synthétique. C'est pourquoi cette connaissance est parfois appelée écologique. La connaissance intuitive permet alors de percevoir un univers et ses composantes en équilibre naturel mais fragile, équilibre qu'il faut reconnaître et soutenir au lieu de le détruire comme l'a fait la science depuis trois siècles pour assurer la domination de l'homme sur la nature. C'est donc à une conversion d'attitude vis-à-vis la nature qu'invite l'écologie en préconisant le respect de la nature. L'ordre dynamique de l'univers se manifeste sous nos yeux par des cycles naturels de croissance, de maturité et de déclin, de naissance, de développement et de mort. En prendre connaissance à travers l'observation de la nature ou par le truchement des activités d'entretien, de soin et de service, c'est accéder à la conscience écologique, conscience qui rejoint les traditions spirituelles de valorisation des travaux justement nommés ordinaires car participant à l'ordre cosmique. Ainsi le jardinage est valorisé par les moines, tant bouddhiques que chrétiens, car il permet à l'homme d'être sensibilisé aux rythmes des saisons et donc de s'harmonier consciemment à l'ordre de la nature. Participer à la naissance, aux soins de santé d'un malade et à l'accompagnement d'un mourant, c'est également entrer dans l'ordre des cycles naturels.

◢ Analyse et synthèse

Dans le domaine de la santé, il serait plus approprié de considérer ces deux modes de connaissances comme étant complémentaires au lieu de les opposer radicalement. En effet, analyse et synthèse sont deux processus de connaissance qui peuvent contribuer à une meilleure perception de la santé et de la maladie. Nul doute que la technologie du spécialiste peut être utile, ne serait-ce que dans les cas d'urgence résultant d'accidents, et que l'approche holiste a le mérite d'une vision cohérente de l'ensemble des facteurs de santé, dont le principal est de faire prendre conscience à chacun qu'il est l'agent premier de sa propre santé. La formation des professionnels de la santé gagnerait dans cette perspective à développer le sens critique et le sens des limites, ce qui permettrait l'ouverture d'esprit et de cœur nécessaire à des collaborations concrètes et soutenues entre les divers intervenants dans le domaine de la santé pour le plus grand bénéfice de la personne qui requiert des soins.

Ce n'est pas là une vision toute récente de la santé. Déjà, en 1947, l'Organisation Mondiale de la Santé considérait le concept de santé comme un bien-être physique, mental et social et pas seulement comme l'absence de maladie ou d'infirmité. Et Ivan Illich (1976), dans son célèbre « *Némésis médicale* » qui traitait des maladies iatrogènes, maladies engendrées par la médecine et ses institutions, soulignait que le jour où l'environnement favorisera un comportement autonome, personnel et responsable, la santé sera à son maximum.

◤ Santé sexuelle

La santé sexuelle est une composante de l'état global de santé. La santé et la maladie sont des états relatifs, c'est-à-dire des états qui ne sont ni constants ni absolus, et qui doivent, par conséquent, être considérés comme un continuum qui va de l'extrême faiblesse à une condition physique optimale et idéale (Kozier, Du Gas, 1973). Nous postulons qu'une personne en santé sexuelle contribue à assurer sa santé intégrale de la même manière qu'une personne en santé cardiaque ou pulmonaire contribue à sa santé en général. Toutefois nous avons vu qu'il y avait deux attitudes des professionnels vis-à-vis la santé, soit une attitude inspirée de la médecine scientifique qui a une vision parcellaire du corps humain, dans ce cas-ci, cela consiste à réduire la santé sexuelle au bon état neurophysiologique des organes génitaux, soit une attitude dite holiste qui préconise une vision d'ensemble des diverses dimensions de la santé. C'est dans cette perspective holiste que nous envisageons la santé sexuelle et en conséquence, nous proposons un schéma d'évaluation de la santé sexuelle qui tienne compte explicitement de cette vision globale tout en faisant appel aux données scientifiques actuelles.

Selon l'Organisation Mondiale de la Santé (1975), « la santé sexuelle est l'intégration des aspects somatiques, affectifs, intellectuels et sociaux de l'être sexué, réalisée selon des modalités épanouissantes qui valorisent la personnalité, la communication et l'amour ». Cet organisme précise aussi les trois conditions fondamentales d'une bonne santé sexuelle : 1) Être capable de jouir, en ayant la pleine maîtrise, d'un comportement sexuel et reproducteur en harmonie avec une éthique sociale et personnelle. 2) Être exempt de sentiment de crainte, de honte et de culpabilité, de fausses croyances et autres facteurs psychologiques qui inhibent la réaction sexuelle et perturbent la relation sexuelle. 3) Être exempt de troubles, maladies et déficiences organiques qui interfèrent avec les fonctions sexuelles et reproductrices. Ce contenu du concept de santé sexuelle a été élaboré à Genève, entre 1972 et 1974, par un comité de spécialistes de divers pays. De passage au siège de l'OMS, en 1989, nous avons appris que des difficultés liées au partage des budgets dans le secteur de la santé avaient empêché la mise à jour de ce document de l'OMS et la poursuite des rencontres internationales sur ce sujet.

La notion de santé sexuelle nous amène à considérer la sexualité comme étant une réalité humaine à plusieurs facettes ou comportant plusieurs dimensions en interactions constantes : corporelle ou somatique, psycho-affective, socio-écologique et culturelle. Ce sont ces quatre dimensions que nous allons aborder en vue d'évaluer l'état de santé sexuelle d'une personne âgée présumant que la santé sexuelle résulte de l'harmonie et de l'équilibre dynamique entre ces diverses dimensions.

1. Dimension corporelle ou somatique

Il s'agit de faire appel aux connaissances actuelles relevant de la biologie pour vérifier l'appareil génital, les caractères sexuels primaires et les caractères sexuels secondaires, en tenant compte du sexe et de l'âge de la personne. Il importe de noter les résultats du dernier examen gynécologique ou urologique, en se référant, s'il y a lieu, au médecin traitant. Cet examen vise à s'assurer du bon fonctionnement de l'appareil génital en terme de capacité d'érection, de lubrification, de la fréquence des rapports génitaux, de douleurs ressenties et des craintes éventuelles. Il importe aussi d'identifier les maladies transmissibles sexuellement et les autres maladies actuelles ou passées qui peuvent, par elles-mêmes ou à cause des médicaments associés à ces maladies, affecter le fonctionnement génital: diabète, maladies cardiaques et pulmonaires, appareil locomoteur, hyper ou hypoglycémie, etc. Après la ménopause, on doit se préoccuper du dosage hormonal et des hormones de remplacement, œstrogènes et progestérones. Prendre la tension artérielle, noter la somatisation des émotions et s'enquérir des malaises, de la fatigue et de la dépression. En expliquant à la personne le sens de cette investigation, le professionnel fournira les informations susceptibles d'éclairer la personne sur les modifications qui peuvent être liées à l'âge, que nous aborderons plus loin dans ce chapitre, sans nécessairement rendre l'âge responsable des maladies considérées comme réversibles dans l'état actuel des services professionnels en santé.

2. Dimension psycho-affective

La santé sexuelle implique aussi l'intelligence, la volonté, la mémoire, l'affectivité et, en général, ce que l'on appelle le psychique et le mental. Investiguer les aspectifs cognitifs, c'est-à-dire la capacité d'identifier, d'exprimer et de faire connaître à l'autre ses sentiments, ses émotions, ses besoins, ses désirs, ses intérêts et son état de satisfaction. Comment la personne assume-t-elle actuellement son identité sexuelle : comment se sent-elle dans son « être homme » ou « être femme », compte tenu des modifications physiques qui peuvent affecter l'image corporelle et l'estime de soi ? Y a-t-il des comportements qui relèvent de la santé mentale, de la confusion, de l'altération de la capacité de concentration, du repli sur soi ou de la peur ? Dans quel registre se situent les rapports sexuels et érotiques : intimité, séduction, tendresse, communication, touchers affectueux, plaisir, amour ou au contraire, dans l'indifférence, l'anxiété, la contrainte, la routine, le manque de désir et de plaisir. La personne est-elle à l'aise dans son orientation sexuelle ou dans ses modes propres d'expression de la sexualité ? La personne a-t-elle vécu récemment un deuil ou des pertes de personnes significatives ? Cet examen doit tenir compte de la demande explicite de la personne qui consulte, comme « je ressens des douleurs » mais aussi scruter la demande implicite concernant la sexualité, par exemple : « est-ce que je suis normale » ? Si la personne âgée se sent respectée et accueillie dans un climat de confiance, elle comprendra que ce bilan de santé sexuelle vise à assurer son bien-être et qu'elle demeure entièrement libre quant à ses réponses. Un tel dévoilement se fait généralement par étapes quand s'instaure une bonne relation d'aide.

3. Dimension socio-écologique

Cette dimension concerne la place que la personne occupe dans la société et ses relations avec son milieu. Il s'agit de voir comment la personne se perçoit dans son monde. Les attentes de la société et la perception des autres influencent surtout lorsqu'elles sont intériorisées ou acceptées par la personne âgée elle-même. Comment la personne envisage-t-elle les rôles sexuels, sachant que les préjugés, les mythes et les stéréotypes qui circulent peuvent être très contraignants, ainsi l'âgisme, comme attitude toute faite de discrimination envers les personnes âgées, peut véhiculer l'idée que le sexe n'est plus de mise à cet âge et que cette personne devrait plutôt penser à sa fin prochaine... Les relations des personnes âgées avec leurs enfants et les autres membres de leur famille sont généralement significatives : y a-t-il là matière à préoccupations importantes ou à des pressions indues ? Les relations avec autrui et plus spécifiquement avec les autres personnes âgées

sont-elles harmonieuses ? Quel est l'état de santé et de disponibilité du conjoint ? Cette personne a-t-elle des relations significatives avec son entourage, y a-t-il des partenaires disponibles, des
loisirs, des activités physiques, sociales et culturelles ? La qualité
de l'environnement passe aussi par le logement et le chauffage,
l'alimentation, l'accès aux services sociaux, l'hygiène et un
milieu de vie stimulant. Reconnaît-on à cette personne le droit à
l'intimité et à des lieux propices à l'expression de sa sexualité ? La
personne souffre-t-elle d'isolement, de solitude, de craintes et
manifeste-t-elle des attitudes autodestructrices ? A-t-elle besoin
d'aide pour entrer en contact avec d'autres personnes ?

4. Dimensions culturelles

La notion de culture englobe tout ce qui est le produit de l'activité humaine créatrice, entre autres, la science, l'art, la philosophie, la politique, le droit, la morale et la religion. C'est le
domaine des valeurs sous toutes leurs formes, valeurs qui se sont
inscrites dans des traditions culturelles différentes au cours de
l'histoire selon les peuples, les lieux et les époques. Au plan de la
santé sexuelle, les valeurs ont beaucoup d'importance car elles
structurent les comportements mêmes les plus intimes. Les
valeurs morales se réfèrent au bien et au mal comme valeurs fondamentales qui régissent les conduites humaines selon le principe
général : il faut faire le bien et éviter le mal. Les valeurs sexuelles,
ce sont les critères ou les normes qui permettent à chacun de diriger et d'évaluer sa conduite sexuelle, par exemple : don de soi,
accueil de l'autre, respect de soi, autonomie, valorisation de soi,
partage, réconfort, comportement responsable, santé personnelle
et santé publique, maîtrise de soi, détente, expression personnelle, chaleur humaine, désir de plaire, solidarité, sens du devoir,
ou encore : « être bien avec... », « être bien dans sa peau », vivre
sa vie, transmettre la vie, célébrer la vie, se faire plaisir, faire plaisir, explorer ses possibilités, communiquer, répondre à ses
besoins, aimer, être aimé... Au sujet des valeurs, une personne
peut éprouver de la satisfaction et du contentement à vivre selon
ses convictions ou au contraire ressentir de la culpabilité, des

regrets, de la honte, du dégoût, du mépris et de la gêne. Il faut respecter sans équivoque les valeurs des gens, ce qui est d'ailleurs garanti formellement par les chartes des droits et des libertés de la personne au Québec et au Canada. Le professionnel peut aider la personne à clarifier ses valeurs et à faire voir les liens entre telle valeur et tel comportement ou telle attitude dans le domaine sexuel, par exemple, attitudes vis-à-vis l'auto-érotisme, les fantaisies, les rêves érotiques ou encore par rapport à des comportements sexuels jugés atypiques ou qui ne sont pas reconnus comme valables par l'entourage.

Les valeurs spirituelles sont souvent liées aux valeurs morales mais elles peuvent être envisagées à part car ce sont des valeurs qui concernent les aspirations personnelles, l'idéal, le sens de sa vie, le sens de la vie, le sens de la souffrance et de la mort ou sa place dans l'ordre cosmique. La personne qui interroge sa vie pour en découvrir l'unité et la finalité ou pour trouver matière à espérance peut avoir besoin d'aide car il s'agit d'une recherche légitime qui fait appel à la solidarité intergénérationnelle comme dans le cas des autres besoins. La liberté de conscience et la liberté religieuse ne signifient pas indifférence à des préoccupations spirituelles considérées comme profondément humaines. La santé sexuelle peut être affectée aussi bien positivement que négativement par le rapport d'une personne avec son système de valeurs morales et spirituelles. Aider une personne à clarifier ce rapport, ne serait-ce que par une écoute ouverte, c'est aussi une tâche professionnelle qui requiert compétence et intégrité. Le procédé de référence joue, ici comme ailleurs, son rôle de complémentarité et de suppléance.

Santé sexuelle et sexualité

La santé sexuelle est une catégorie synthèse qui se réfère à la fois à une conception de la santé et à une conception de la sexualité. Dans ce schéma d'évaluation de la santé sexuelle, le sens de la sexualité inclut la génitalité mais ne se limite pas à la génitalité. La sexualité comprend aussi les activités sensorielles et sensuelles,

les expressions affectives, l'acceptation de soi et de l'autre comme êtres sexués, ce qui implique ouverture et communication. La sensibilité tactile, les touchers affectueux, les caresses et les marques de tendresse verbales et non verbales font partie de la sexualité. Il fut un temps où l'accent était mis d'emblée sur la procréation comme fin de la sexualité. L'on considère aujourd'hui qu'il y a plusieurs modes d'expression de la sexualité qui peuvent légitimement ne pas être orientés vers la procréation. Cette perspective est importante pour les personnes âgées qui peuvent choisir de vivre leur sexualité à leur rythme, en termes de qualité et de quantité, qui peuvent aussi prendre congé de l'expression génitale selon les aléas de la vie et adopter alors le sexe par procuration, par exemple : télévision, lecture, gravures, souvenirs de bons moments, rêves et fantasmes ou se satisfaire de l'affection des leurs. Avec son partenaire, il est raisonnable de négocier de nouveaux modes d'expression de la sexualité, quand c'est nécessaire, pour vivre en harmonie et garder son équilibre. Selon l'âge, le goût, l'état de santé et les disponibilités, la santé sexuelle peut s'accommoder de la diminution des élans selon un choix libre et éclairé.

La décision libre concernant l'expression sexuelle appartient strictement à la personne et ses choix doivent être respectés sans manipulation. On peut toutefois faire l'hypothèse qu'il y a un bénéfice à l'expression de la sexualité sur les divers systèmes humains à cause de la résonance des stimulations sur l'ensemble de l'organisme humain en tenant compte toutefois de la polyvalence du terme sexualité avec ou sans expression génitale selon les choix assumés.

Vieillissement et sexualité

Du point de vue biologique, la santé sexuelle exige un système nerveux compétent, des organes génitaux intacts, un fonctionnement hormonal adéquat et un cœur et des poumons en état d'assurer une circulation sanguine suffisante pour assurer la congestion nécessaire des organes génitaux. Les sexologues et les cliniciens en gériâtrie ont noté une réduction physiologique de certains organes ou appareils de l'organisme humain avec l'avance en âge. L'appareil génital n'échappe pas à ces modifications qui accompagnent l'âge. Il en résulte donc sur le plan de l'expression génitale de la sexualité une baisse de tonus généralisée, une diminution de la force et de l'élasticité des tissus, un allongement du temps de réponse sexuelle. Ces changements, à un certain degré, affectent l'homme et la femme. Dans une relation de couple, les changements physiologiques de l'un des partenaires influencent inévitablement l'expérience sexuelle de l'autre. Les études en laboratoire chez l'homme ont révélé qu'il faut plus de temps pour parvenir à l'érection, laquelle n'est pas aussi complète ni aussi ferme. On note de plus que l'éjaculation prend plus de temps et qu'elle est moins puissante. L'orgasme de l'homme âgé est habituellement plus court, le pénis retournant rapidement à son état flacide. Après l'éjaculation, l'érection est plus lente à revenir, ce que l'on appelle l'allongement de la période réfractaire (Masters et Johnson, 1970; Zilbergeld, 1978; Weg, 1983, Porto, 1985).

Il y a de multiples facteurs psychologiques qui contribuent à l'involution de la puissance sexuelle de l'homme âgé. L'altération de l'émotivité masculine est habituellement occasionnée par la monotonie et la routine des relations sexuelles, les préoccupations de toutes sortes, la fatigue physique ou mentale et surtout la crainte de l'échec.

Chez la femme, l'on observe une lubrification vaginale réduite, un rétrécissement de l'ouverture du vagin et une atrophie des parois vaginales. L'expansion du vagin en volume et en longueur, à la suite d'une excitation sexuelle, retarde et est réduite durant la période de ménopause. Le clitoris ne subit aucune modification notable comme récepteur et transformateur des stimuli sexuels. L'orgasme est plus court, de même que la phase de résolution. L'activité sexuelle régulière influence positivement les réactions de la femme âgée. Le comportement sexuel est lié à la manière dont la femme perçoit son érotisme, son corps et sa personne. L'érotisme trouve sa source dans l'imaginaire et dans la vie fantasmatique qui ne sont nullement atténués par l'âge (Pasini, 1979). Ainsi, l'âge en lui-même n'entraîne pas chez la femme une réduction importante de sa capacité sexuelle. Ce qui limite sa sexualité relève davantage des facteurs sociaux et culturels que des contraintes physiologiques.

Il n'y a donc pas d'évidence scientifique qui permettrait d'affirmer que les changements physiologiques limitent l'habileté des personnes âgées à fonctionner sexuellement. Si la fréquence statistique des comportements sexuels diminue, il n'en demeure pas moins que le désir érotique persiste et reste très sensible aux stimulations directes et indirectes. Toutefois, le désir érotique peut être affecté par des facteurs psychologiques et également par l'environnement : ces facteurs sont parfois altérés ou négatifs quand on est âgé. Un contexte naturel et stimulant peut donc compenser la déficience spécifique qui accompagne le vieillissement et autoriser un comportement sexuel normal (Porto, 1985).

Mais la vigueur sexuelle et la santé sexuelle ne sauraient se mesurer au nombre d'orgasmes, à la fréquence des relations coïtales et à la diversité des partenaires. La qualité en ce domaine l'emporte sur la quantité. La mesure appropriée, c'est la satisfaction éprouvée en termes d'apparence corporelle, de relations affectives, de contentement par rapport à son identité sexuelle et à ses rôles sexuels, de capacité d'exprimer ses émotions heureuses ou malheureuses et enfin de communication, verbale ou non verbale, transparente, clairvoyante ou concordante avec son partenaire et ses proches. Vivre selon ses valeurs tout en maintenant sa capacité d'apprendre et sa volonté de changer ce qui n'est pas favorable à sa santé, c'est contribuer à sa santé comme toute personne responsable dotée d'autonomie.

◣ La santé à l'épreuve

La personne âgée doit savoir qu'en dépit des mythes et des stéréotypes véhiculés par les préjugés et l'ignorance, il est « normal » à 60 ans comme à 80 ans d'éprouver et d'exprimer des sentiments y compris au plan sexuel. L'âge n'élimine pas les besoins de contacts physiques, de caresses, d'attention, de tendresse, de relations chaleureuses, amicales et amoureuses, de complicité avec les personnes qu'on aime.

Cependant, la personne âgée est confrontée parfois à des situations qui menacent sa santé sexuelle : chirurgies mutilantes, affections arthritiques ou rhumatismales, cardiaques ou pulmonaires, maladies débilitantes comme le cancer, le diabète, la maladie d'Alzheimer, etc.. Ces maladies et ces affections réduisent soit l'apport nerveux ou sanguin nécessaire à la compétence de l'appareil génital, soit la mobilité qui facilite les rencontres. Ces situations portent souvent atteinte à l'image corporelle et à la perception de soi qui sont des éléments importants dans l'actualisation de la sexualité.

Compte tenu de la réduction physiologique de certains appareils ou organes, la personne âgée est amenée à absorber de nombreux médicaments dont certains – il faut interroger son médecin ou son pharmacien à ce sujet – peuvent avoir des effets sur la fonction sexuelle : sur le désir, l'intérêt, la capacité d'érection et d'éjaculation, le taux hormonal, etc.. S'ajoutent parfois la somnolence, l'affaissement, la perte des cheveux... Ce sont là autant d'effets secondaires qui peuvent avoir des répercussions non négligeables sur l'expression de la sexualité. En somme, tout ce qui modifie la fonction sexuelle, l'image et l'estime de soi est susceptible d'affecter la santé sexuelle. Les ressources professionnelles externes sont certes utiles pour cerner ces problèmes mais il faut maintenir que chaque personne a une certaine autorité sur sa santé et que les ressources externes sont d'autant plus utiles que la personne se prend en main et fait appel à son dynamisme vital et à ses ressources internes, ce que l'on appelle souvent « avoir un bon moral », attitude considérée comme le facteur clé de la guérison.

CHAPITRE **4**

*Santé
et sexualité*

L'augmentation considérable de l'espérance de vie au cours du XXe siècle fait que beaucoup de personnes vivent une bonne part de leur vie après leur période de fécondité. Le climatère désigne les changements physiologiques généraux survenant lors de la ménopause et de l'andropause. Le cap tourmenté de la cinquantaine s'accompagne de remises en question et parfois de modifications dans les comportements sexuels. L'entrée en retraite touche l'affectation du temps et des énergies mais l'âge chronologique n'est qu'un élément de la vitalité sexuelle. La sexualité après 60 ans nous oblige à considérer les lieux de vie, l'environnement socio-affectif, les opportunités de compagnonnage aussi bien que les changements dans les réactions sexuelles.

Trois facteurs influencent la santé sexuelle: les attitudes envers la sexualité, les modes de vie, et la polyvalence de la sexualité qui recouvre plusieurs couches de significations: le sexe d'identité, le sexe érotique, le sexe génital et le sexe d'orientation. La sexualité après 80 ans touche 4 % de la population. Pour une personne en relativement bonne santé, cet âge permet aussi la poursuite normale des activités sexuelles. Les bénéfices de l'activité sexuelle laissent voir que les personnes âgées ont avantage, si elles le désirent, à profiter de l'intimité sexuelle.

La vieillesse n'est pas une maladie même si l'avance en âge s'accompagne de certaines modifications dans notre corps qui soulignent, contre notre gré, les « outrages du temps ». La santé préoccupe plus particulièrement les personnes âgées, d'une part, parce qu'elles sont sans doute plus conscientes que le temps qui reste à vivre est précieux et qu'il importe d'être en santé pour en jouir convenablement, et d'autre part, parce que dans notre société on associe volontiers vieillesse et maladie en insistant lourdement, par exemple, sur le fait que les malades âgés occupent trop de lits d'hôpitaux, qu'ils consomment trop de médicaments ou qu'ils sont une charge sociale très lourde, sans prendre conscience de l'apport et sans souligner la contribution de ces personnes à notre statut socio-économique actuel. Il paraîtrait aussi approprié de s'interroger sur une médecine et une société qui s'acharnent à maintenir des vieillards en vie sans se préoccuper suffisamment de leur assurer une qualité de vie appropriée à leur état. «Nul ne meurt de l'âge» affirme le dicton pour souligner que l'âge ne peut être tenu seul responsable d'une dysfonction corporelle. Le vingtième siècle s'est appliqué à convertir en droits les besoins humains dits fondamentaux. Les chartes des droits et des libertés de la personne (Ottawa, 1981, Québec, 1982) traduisent la façon de se percevoir dans une société de droit. Toute personne a le droit de recevoir les soins appropriés à sa maladie selon les normes reconnues par les professionnels de la santé. À la limite cela peut se formuler ainsi : j'ai le droit à la santé, et vous, médecin, vous avez le devoir de me guérir.... sinon j'ai le droit de vous poursuivre en justice. Il s'agit là bien sûr d'une perception étriquée de la responsabilité de chacun vis-à-vis sa santé qui n'est pas entérinée par la corporation professionnelle des médecins...

Toutefois notre société de droit a permis de formuler des droits qui sont bénéfiques pour la santé globale d'une personne. Ainsi, les droits à l'intégrité personnelle et à la libre disposition de soi ont amené une dénonciation plus ferme et plus efficace des abus et des violences contre les enfants et les femmes, et aussi contre les travailleurs soumis à des conditions de production qui affectent sérieusement leur santé. La reconnaissance du droit à l'égalité s'énonce de diverses façons, par exemple : interdit de la discrimination liée au sexe, à l'âge, à l'orientation sexuelle, au statut civil, aux déficiences mentales ou physiques... Si les droits des enfants ont fait l'objet de déclarations formelles de la part des Nations Unies et de législations explicites par nombre de pays quant aux modes de protection de l'enfance, il reste, à l'autre bout de la vie, à insérer dans les lois les droits des personnes âgées en termes de logement, de revenu, de sécurité, de services appropriés à leur âge et à leur état de santé dans le respect de leur autonomie d'adultes âgés y compris au plan de leur intimité et de leur conduite sexuelle.

Les personnes âgées peuvent aussi prendre en main les divers éléments de cette politique de valorisation et de support des personnes aux différentes étapes de leur vieillesse. Des énoncés pertinents concernant la formulation des droits des personnes âgées circulent au Québec dans un certain nombre de lieux d'hébergement, par exemple, à Montréal, à la Résidence Yvon-Brunet, et dans les associations du troisième âge.

Le sexe, c'est la vie

Le sexe est une invention de la vie, il y a des milliards d'années, pour assurer sa survie par la transmission, de génération en génération, des caractères génétiques de l'espèce et des individus. La reproduction par division cellulaire est dès lors remplacée, pour les êtres vivants plus évolués, par le sexe qui est le processus qui fait des individus différents tout en transmettant le semblable par les gènes. Les êtres humains n'échappent pas à cette règle de vie et c'est pourquoi ils ont mis l'accent rationnellement sur la procréation comme fin de l'activité génitale des hommes et des femmes. La dureté des conditions de vie qui causait tant de morts d'enfants et d'adultes légitimait cette priorité accordée généralement à l'activité sexuelle. On a vu, au premier chapitre, que chez les Romains, il y avait à la vieillesse deux fois plus d'hommes que de femmes car beaucoup de femmes mouraient lors de l'accouchement. Les hommes âgés étaient amenés à se remarier à de toutes jeunes filles, comme seules épouses disponibles, ce qui a donné naissance au stéréotype du vieillard libidineux sexuellement orienté vers les jeunes alors que dans nos sociétés les personnes âgées s'unissent généralement à des partenaires de leur groupe d'âge.

L'augmentation considérable de l'espérance de vie au cours du XXe siècle fait en sorte que beaucoup de personnes vivent longtemps après leur période de fécondité : ce fait lié aussi au phénomène de la surpopulation incite à reconsidérer au plan moral et au plan social les finalités de l'activité sexuelle en mettant l'accent, par exemple, non seulement sur la transmission de la vie mais également sur la qualité de la vie tant socio-biologique que mentale et spirituelle. C'est sans doute un des sens de l'aphorisme qui affirme que la sexualité c'est quelque chose qui prend place plus souvent entre les oreilles qu'entre les cuisses. Le sexe, c'est la vie dans son déroulement complet aussi bien dans son origine que dans ses manifestations multiformes, car engendrer, c'est donner un genre, c'est-à-dire un mode particulier d'être dans le monde comme être sexué masculin ou féminin.

Climatère : ménopause et andropause

Le terme climatère désigne les changements physiologiques généraux qui se produisent lors de la transition entre la période féconde et la période inféconde de la vie adulte. Chez la femme, la ménopause marque spécifiquement la période de la cessation du cycle menstruel, ce qui se produit en moyenne vers 51 ans quoiqu'elle puisse survenir naturellement entre 35 et 55 ans. La préménopause, d'une durée d'environ sept ans, constitue la période de transition, caractérisée par l'irrégularité croissante de la durée du cycle menstruel et par des écoulements sanguins en dehors du cycle habituel. La ménopause, c'est la fin de la période de production des ovaires, ce n'est ni l'annonce de la mort, ni la fin de la sexualité. Après l'ablation chirurgicale des ovaires ou lors de la ménopause naturelle, l'administration d'œstrogène peut soulager les symptômes indésirables. Peut-on parler aussi d'un climatère masculin ? Oui, si l'on considère les changements physiologiques généraux qui accompagnent l'entrée dans la cinquantaine ou la soixantaine, non, si l'on veut établir un parallèle rigoureux entre ménopause et andropause. En effet, la ménopause signifie la fin de la période de fécondité biologique de la femme alors que l'andropause ne peut signifier la fin de la période de fécondité de l'homme qui peut se prolonger jusqu'à un âge avancé. Qu'il y ait aussi des changements hormonaux chez l'homme vieillissant, des changements de la relation hormonale entre l'hypophyse et les gonades, cela semble bien probable, mais chez l'homme ces changements n'interviennent pas à un moment chronologique bien déterminé comme chez la femme. Toutefois, des examens hormonaux, comme le rapportent Allgeier et Allgeier (1989), ont révélé qu'environ 15 % des hommes d'âge mûr présentent un vieillissement testiculaire qui s'accompagne de changements du système nerveux semblables à ceux qui caractérisent la ménopause. Ces hommes peuvent être soulagés par l'administration d'androgènes synthétiques. Il faut éviter de confondre ménopause et andropause avec les dysfonctions sexuelles (anorgasmie, impuissance, etc.) qui peuvent survenir à tout âge au cours de la vie, y compris au cours de l'âge avancé. Des études récentes montrent cependant qu'il n'y a aucune réduction de l'excitation sexuelle pendant la ménopause, et chez les hommes en bonne santé, la sécrétion d'androgènes demeure relativement constante jusqu'à 70 et même 80 ans (Allgeier et Allgeier, 1989).

Si nous traitons du climatère, ce n'est pas pour assimiler cette période de vie à la vieillesse comme telle mais bien parce que, dans notre culture, l'on parle volontiers de crise de l'âge mûr lors du passage du cap tourmenté de la cinquantaine, pour désigner les remises en question et les modifications de comportements qui marquent le mitan de la vie. Il s'agit alors de faire un bilan de sa vie au moment où l'on est conscient d'être au faîte de sa carrière ou de ses capacités personnelles tout en étant sensible à un environnement familier qui change : les enfants s'en vont chacun selon sa voie, ce qui modifie la vie familiale et, par le fait même, souvent la vie de couple. Le rythme des activités a tendance à se modifier car la fatigue apparaît plus rapidement et la peur de vieillir s'installe sournoisement quand elle est confortée par les préjugés concernant la vieillesse. Cet âge jette un certain regard sur le chemin parcouru et s'interroge sur l'avenir : serait-ce un second début ou seulement la fin des projets qui ont mobilisé jusqu'ici le meilleur des énergies personnelles ? Cette remise en plan de sa vie affecte aussi la vie sexuelle : va-t-on succomber à la routine, à l'indifférence ou procéder aux aménagements personnels qui conviennent mieux à un mode de vie qui émerge sans contour très précis car il n'y a pas toujours de vraies ruptures mais plutôt des signes annonciateurs de changements. Il y a crise quand ces changements deviennent impératifs et que le chemin à suivre n'est pas clairement perçu ou quand la personne refuse, volontairement ou non, les adaptations devenues nécessaires. Cette recherche d'un nouvel équilibre peut s'accompagner d'énergies qui se manifestent sans orientation précise ou d'une carence de forces vives que souligne la déprime dans certains cas. La recherche d'aventures sexuelles à cette période de la vie est parfois qualifiée de recherche de confirmation de soi et de ses capacités de séduction quand ce n'est pas simplement le désir de combler les carences d'une vie affective négligée ou qui a du mal à s'ajuster aux nouvelles réalités de cet âge. « Le démon du midi », selon l'expression d'autrefois pour désigner cette remise en question, a tendance à se manifester plus tardivement à cause de l'espérance de vie que nous promettent les statistiques : à la cinquantaine, il y a encore une trentaine d'années à l'horizon et donc du temps pour se reprendre en main et pour procéder aux changements qui s'imposent.

◣ Les retraités du sexe... et les autres

La prise de la retraite dans nos sociétés apparaît comme un tournant significatif dans la vie. Les gens s'y préparent de plus en plus car la retraite n'est plus marquée si vivement du stigmate de la déchéance personnelle et sociale : elle est souvent choisie et désirée quand les conditions de la pension de retraite le permettent. La préretraite est en train d'entrer dans nos mœurs et le milieu de la cinquantaine apparaît comme une période propice à cette décision, c'est en tout cas, ce que la publicité pour une compagnie d'assurance-vie, signe des temps, a choisi comme cible : « liberté 55 ». La retraite, même quand elle est choisie volontairement, marque toutefois une coupure importante entre la deuxième et la troisième étapes de la vie. Elle renvoie à une réorganisation du temps qui jusqu'ici était modulé par les exigences de la vie de travail, de la vie familiale, du repos et des loisirs. Que ferons-nous maintenant de tout ce temps qui nous appartient et que nous sommes seuls à pouvoir meubler ? La prise de la retraite implique aussi un nouveau partage des tâches et de l'espace à l'intérieur de la résidence. Être deux dans la même cuisine ou dans les mêmes locaux à longueur de jour ne va pas de soi car il faut tenir compte des habitudes acquises. Comment être pleinement chez-soi tout en reconnaissant le territoire et les franches coudées de l'autre ? Cette nouvelle situation appelle une revitalisation de la communication dans le couple et la famille.

Le travail procure des contacts obligés avec le monde extérieur et des liens humains tissés dans les aléas des relations de travail. Comment nouer de nouvelles relations en dehors du statut social que procure le travail ? Des retraités connaissent, dans un premier temps, une certaine euphorie liée au fait de se sentir libérés des obligations quotidiennes et ainsi de pouvoir, à leur gré, organiser leur temps : voyage, lecture, loisir, repos... Puis vient le temps où il ne suffit plus de se laisser porter par les illusions de « la belle vie » : comment organiser et faire fructifier ces bonnes années qui appartiennent aussi pleinement à la vie ? Comment se valoriser, se sentir utile, s'insérer dans un monde que l'on a soit trop désiré ou trop méprisé, soit trop embelli ou trop craint ? Fin de la retraite idéalisée et début réaliste de la retraite à vie, de la retraite comme mode de vie... active. Un humoriste pourrait dire : la retraite pour certaines personnes, c'est une vie facile avec des fins de mois difficiles. Le changement de statut économique traduit dans le quotidien les effets de la préparation à long terme de la retraite. Lors des changements socio-économiques, les personnes âgées peuvent manifester leur force sociale en intervenant dans la vie politique et en rendant effective la solidarité entre les générations. Ainsi, en 1985, ce pouvoir gris s'est manifesté avec efficacité en obtenant, par son action articulée, le retrait du projet canadien de loi fédérale visant à la désindexation des pensions de vieillesse.

Les questionnements et les remises en question qui accompagnent la prise de la retraite ne peuvent laisser de côté la sexualité, surtout le vécu sexuel d'un couple. Dans la perspective de la retraite abordée au paragraphe précédent, l'on pourra se demander en coulisse : cuisine à deux et lits simples ? Y a-t-il une retraite du sexe, c'est-à-dire un moment où il convient de cesser toute activité génitale ou d'être sexuellement inactif ? Cette question mérite d'être traitée sérieusement car elle affecte la vie intime de beaucoup de personnes. Elle renvoie cependant à des connaissances spécifiques concernant la vie sexuelle des personnes âgées. Il importe toutefois de préciser, au départ, que la catégorie des personnes âgées englobe les personnes de 60 ans et plus, ce qui veut dire beaucoup de gens différents en termes d'âge, de sexe, d'état de santé, de statut civil et d'intérêt. Pour mieux cerner ce sujet, nous traiterons des personnes âgées en les situant dans un groupe d'âge tout en étant conscient qu'au plan sexuel, il s'agit là d'une division arbitraire : la sexualité après 60 ans et la sexualité après 80 ans... montrent les hommes et les femmes de cet âge dans leur rapport avec la sexualité entendue au sens large. Cette division, tout en étant arbitraire, vise cependant à montrer qu'il y a lieu de tenir compte de l'âge comme d'un facteur significatif pour éviter toute généralisation abusive au sujet de la sexualité des personnes âgées. Mais l'âge chronologique n'est qu'un élément de la vitalité sexuelle. Cet élément même permet à un individu d'être très différent d'un autre à l'intérieur de cette catégorie ou de chevaucher les catégories qui ne sont nullement, en elles-mêmes, des obstacles à la libre expression de sa sexualité peu importe l'âge.

La sexualité après 60 ans

Un premier constat : les personnes âgées font nombre et elles se manifestent comme telles dans de nombreuses organisations sociales, comme l'Association des retraités et des préretraités, la Fédération des Clubs d'âge d'or du Québec, etc. Au Québec, comme ailleurs, la population vieillissante s'accroît considérablement. L'espérance de vie, de 79 ans pour les femmes et de 72 ans pour les hommes, tend à s'accroître et la majorité des personnes âgées se déclare en bonne santé même si 80 % des personnes de 65 ans et plus, en 1980, disaient souffrir d'au moins une maladie chronique (Béland, 1980). Elles sont aussi de plus en plus scolarisées. Au début du prochain siècle, il y aura un million de personnes retraitées, soit 12 % de la population québécoise. Au Canada, en 1901, une personne sur vingt était âgée de 65 ans et plus. Aujourd'hui, une personne sur dix a 65 ans et plus. Dans cinquante ans, on prévoit qu'une personne sur cinq aura cet âge, selon le Conseil National du Bien-Être Social (1984).

On ne saurait aborder la sexualité des personnes âgées sans tenir compte de leurs lieux de vie, de leur environnement et des opportunités de compagnonnage qui s'offrent à elles. Les besoins pressentis ou exprimés de différentes cohortes se distinguent, en effet, selon les événements vécus, les contraintes biologiques, la modification des rôles, l'hébergement, la capacité plus ou moins grande de se prendre en charge. Des personnes âgées du Québec, 92 % vivent chez elles, c'est dire que 8 % vivent dans des institutions spécialisées et elles ont en moyenne 82 ans. Toutefois, la population des gens de 80 ans et plus croissant en nombre, le pourcentage des personnes âgées dans les institutions va en augmentant ; cette situation appelle déjà un supplément de ressources collectives consacrées à ce groupe d'âge plus sujet aux maladies débilitantes. En 1981, 23,1 % des personnes de 65 ans et plus vivaient seules, 53,9 % en couple et 19,4 % demeuraient avec leur famille (Delisle, 1988). Le statut civil des personnes âgées se modifie aussi avec l'âge : dans le groupe d'hommes de 65-74 ans, 8,4 % étaient célibataires contre 80,1 % mariés, 9,0 % veufs et 2,5 % divorcés ; dans le groupe de femmes du même âge, 14,5 % célibataires, 47,5 % mariées, 36,8 % veuves et 2,5 % divorcées. Vie à domicile ou en centres spécialisés, état de santé satisfaisant ou moins satisfaisant, autonomie plus ou moins grande, statut marital varié, autant de conditions ou de situations qui influencent l'expression de la sexualité chez les personnes âgées. Les statistiques nous promettent, à la soixantaine, encore vingt ans de vie dont quinze en santé.

Il n'y a pas d'âge pour tomber en amour ou pour cesser d'être en amour. Nous pouvons constater toutefois la force des préjugés à ce sujet car la culture gréco-romaine a eu tendance à réserver l'amour et la sexualité à la jeunesse et à la prime beauté. Les films montrent volontiers les amours des corps jeunes et beaux même si des exceptions, comme « *Harold et Maude* » ou « *La vieille dame indigne* », émeuvent par leur sincérité et leur courage. Aussi ne faut-il pas se surprendre si des gens qui se sentent vieux se sentent aussi exclus du sexe. À la suite de Masters et Johnson (1966), l'on reconnaît volontiers que l'activité sexuelle, comme la forme physique, a besoin d'exercice pour se conserver. Dans le domaine sexuel aussi, le proverbe allemand peut s'appliquer : « Wer rastet, rostet », c'est le repos qui fait rouiller. **La soixantaine n'est pas une coupure obligée dans la vie sexuelle d'une personne en santé mais elle appelle un approfondissement de la nature et des manifestations de la sexualité trop souvent réduite à la génitalité et aux performances en terme de quantité de rela-**

tions sexuelles. C'est souvent aussi l'approche privilégiée des scientifiques car les comportements génitaux sont plus faciles à mesurer et à quantifier que les autres manifestations de la sexualité.

Les recherches de Kinsey ont mis en évidence la pluralité des comportements sexuels tout au cours de l'existence. Au sujet de la sexualité des personnes âgées, Kinsey (1948) a noté que sous certains aspects, le déclin physiologique commençait dès le début de l'adolescence. Ainsi, du point de vue statistique, la diminution des rapports sexuels pour l'homme est très graduelle, passant d'une fréquence hebdomadaire de 3.3 pour les célibataires et de 4.8 pour les hommes mariés âgés de 16 à 20 ans, à 1.8 par semaine pour les deux groupes à 50 ans, à 1.3 par semaine à 60 ans et à 0.9 par semaine à 70 ans. Selon ce pionnier américain de la recherche scientifique en sexualité humaine, la diminution des activités sexuelles de l'homme est partiellement, et peut-être primordialement, attribuable au déclin général des capacités physiques et physiologiques. Ce déclin peut aussi être affecté par la fatigue psychologique et la perte d'intérêt due à la routine. Les études plus récentes ont tendance à confirmer les affirmations de Kinsey tout en soulignant que la diminution des rapports sexuels est encore plus graduelle et la fréquence du coït un peu plus élevée chez les personnes âgées. Chez les femmes, Kinsey (1954) n'a pas trouvé de preuve de déclin important de leurs capacités sexuelles. À soixante ans, selon cette étude, 84 % des femmes avaient une certaine forme d'activité sexuelle avec une diminution nette du coït, attribuée à la progressive abstention des hommes, et une augmentation de l'auto-érotisme et des rêves érotiques avec orgasme. Même s'ils sont issus d'un petit échantillon de personnes âgées, les résultats de Kinsey indiquent que les personnes très actives sexuellement dans leurs jeunes années sont plus susceptibles de rester actives sexuellement dans leur grand âge quoique des exceptions, dont nous parlerons dans les prochains chapitres, témoignent de regain d'activité sexuelle au cours de l'âge avancé. Quand il y a diminution d'intérêt sexuel chez la femme sans pathologie physiologique, il y a lieu de se demander, au plan clinique, si cette diminution ne joue pas un rôle de protection au plan psychologique : la femme pourrait inhiber une libido qu'elle ne peut satisfaire à cause de l'absence de partenaire ou de l'état de santé du conjoint.

Les changements corporels qui interviennent après la soixantaine peuvent affecter l'image de soi ou la perception de soi. Ainsi la femme devient plus vulnérable à la perte de son pouvoir d'attraction de même que l'homme craint la perte de sa puissance sexuelle. Il s'agit là souvent d'un reflet du miroir qui n'affecte pas le désir. Est-ce que la perception que l'on a de soi est à l'image de ce que les préjugés sur l'âge véhiculent? La personne âgée peut se sentir bien dans son corps et son esprit et le manifester. Pourquoi devrait-elle épouser des jugements tout faits qui dévalorisent l'âge et qu'elle ne trouve pas fondés? Est-ce que l'attrait d'une personne est détruit par la couleur des cheveux ou l'apparition de rides? L'attraction sexuelle est dans le regard de l'autre. Dire que l'amour est aveugle, c'est dire que l'amour métamorphose l'autre selon son propre désir. L'on pourrait tout aussi bien dire que seul l'amour fait voir l'autre en profondeur car il sert de révélateur de sa richesse personnelle, ce qui rejaillit sur son apparence et donc sur son pouvoir d'attraction. Perdre l'amour, c'est percevoir l'autre autrement même si l'autre n'a pas changé. Le facteur principal semble être la disponibilité réelle ou ressentie au plan personnel comme au plan social de telle sorte qu'il y a des moments de la vie où l'on tombe plus souvent en amour, par exemple durant la jeunesse quand la disponibilité est pratiquement totale sans attache familiale, sans lien économique et social. Cette disponibilité plus ou moins grande advient aussi à d'autres moments de la vie, comme chacun peut s'en rendre compte, par exemple, lors d'un divorce, d'une séparation, de la perte d'un conjoint ou de la perte d'affection réelle ou ressentie comme telle. Alors le regard peut se porter sur l'autre qui peut aussi être disponible.... En somme, la séduction comme activité érotique loge à l'étage de l'imaginaire et des fantasmes qui ne sont pas affectés par l'âge du calendrier. À défaut de trouver l'éternelle jeunesse ou la fontaine de jouvence dans les gènes, l'on peut laisser libre cours à son imaginaire et prendre ainsi contact avec sa jeunesse permanente de cœur et d'esprit. Heureusement l'imaginaire s'enrichit et se développe, y compris après la retraite, ce qui est un puissant levier pour la créativité et la valorisation de soi.

Facteurs de santé sexuelle

Dans la soixantaine, le sexe n'est pas interdit par la nature et il reste possible d'avoir de bonnes relations sexuelles même si, comme nous l'avons noté en traitant de l'aspect physiologique de la santé sexuelle, les réactions sont plus lentes, ce qui peut même favoriser le prolongement et l'agrément de la relation coïtale. La santé sexuelle est en étroite corrélation avec l'état global de santé, c'est pourquoi il faut considérer trois facteurs qui peuvent affecter la santé sexuelle de la personne qui vieillit.

Attitudes envers la sexualité

Le premier facteur concerne les attitudes par rapport à la sexualité. Comme être sexué et social, nous vivons dans des sociétés et des cultures qui ont depuis des millénaires régi les rapports entre les hommes et les femmes, qui ont défini les rôles sexuels de l'homme et de la femme ainsi que les finalités et les modalités de l'activité sexuelle. Les normes culturelles qui concernent la vie sexuelle des personnes âgées sont donc héritées d'une histoire au cours de laquelle la lutte contre la maladie, les épidémies, les prédateurs, les intempéries, les catastrophes et les famines occupe d'emblée l'existence humaine. La sexualité visait par conséquent à assurer la perpétuation de l'espèce toujours menacée. Les derniers siècles ont vu une amélioration notable des conditions de vie, ce qui s'est traduit par une augmentation considérable de la population qui est passée d'un milliard au cours du XIXe siècle à plus de six milliards d'êtres humains à la fin du XXe siècle.

Les derniers siècles ont laissé se développer des idéologies plutôt restrictives dans le domaine sexuel. Ainsi le malthusianisme proposait la continence et des mariages tardifs comme solution au problème de surpopulation; le jansénisme, le puritanisme puis le victorianisme préconisaient un idéal moral élevé, de type fondamentaliste dirions-nous aujourd'hui, qui réduisait l'activité sexuelle proprement dite au devoir conjugal. Par contre, au milieu du XXᵉ siècle, l'idéologie de la libération sexuelle, en réaction contre le rigorisme moral, prêcha la sincérité, la spontanéité, la simplicité d'une existence sans interdit, la libre expression érotique et l'épanouissement personnel. L'amour est le pivot de cette éthique de la rencontre. La polyvalence du terme amour, à la fois *eros* et *agapê*, c'est-à-dire amour charnel et amour spirituel, permet de véhiculer plusieurs valeurs dans un raccourci pédagogique révélateur des caractéristiques de ce mouvement qui s'alimente à la fois dans la tradition chrétienne et dans la pensée orientale. Toutefois la sexualité dite libérée s'est rapidement ritualisée dans les échanges de couples et la recherche débridée du plaisir « *ici et maintenant* » à travers de multiples partenaires comme le montre le sociologue Guy Talese (1980) dans « *La femme du voisin* ». Ces idéologies relativement récentes n'ont pas tout à fait occulté la longue tradition de la morale sexuelle qui s'enracine dans les Livres Saints et la philosophie gréco-romaine. Cette tradition humaniste envisage la sexualité surtout sous l'aspect de la maîtrise de soi comme condition nécessaire à l'accomplissement de sa croissance morale et spirituelle. L'ascèse et le renoncement volontaire se présentent alors comme des voies royales pour cheminer vers l'idéal de perfection humaine qui est la sagesse et la poursuite du souverain bien. L'historien Paul Veyne (1988) remarque à propos du stoïcisme de Sénèque, à Rome, au début de notre ère : « La morale commune voulait que l'on fût chaste et c'était aussi l'intérêt du bonheur stoïque ; à aller au-delà du dessein de la nature qui est de ne faire l'amour que pour avoir des enfants, on perd sa sécurité, puisqu'on se rend esclave de ses désirs. »

Ainsi les attitudes des personnes âgées au sujet de leur vie sexuelle se sont constituées au cours d'une existence soumise aux influences de divers courants de pensée au plan moral. Toutefois la conduite morale étant une responsabilité personnelle, un certain nombre de gens âgés en viennent à se dire après réflexion sur ce sujet : « je suis assez vieux pour savoir quoi faire ». Ils entendent par là que le choix d'un comportement sexuel approprié à leur âge et à leur situation relève de leur autonomie personnelle et qu'ils peuvent assumer leurs choix en toute honnêteté. Mais ces choix peuvent être évalués et contestés par un entourage soumis aux normes rigides du conformisme. Une telle mentalité peut témoigner de la gêne, du mépris... ou de l'envie et exprimer son désaccord par une boutade négatrice : « La sexualité, ce n'est plus de votre âge, voyons donc ! » Dans un tel contexte, il est certes plus difficile d'interpréter le désir sexuel : est-ce un signe de santé et de vitalité ou le relent de quelque vice ancien ? L'intervention de tiers dans sa vie sexuelle peut favoriser le développement de la culpabilité qui affecte l'estime de soi et rend plus difficiles les communications affectives et érotiques. Ces pressions indues de l'entourage affectent généralement les femmes plus que les hommes à cause de la force des stéréotypes qui briment leur libre expression affective à l'âge avancé.

Mode de vie et sexualité

Le deuxième facteur de santé sexuelle à considérer touche le mode de vie de la personne âgée. On entend par mode de vie, la façon dont une personne répond à ses besoins fondamentaux ou vitaux. Ces besoins de base peuvent être présentés selon le schéma bien connu de Maslow (1954, 1962). Les besoins sont hiérarchisés par ordre de priorité décroissante de telle sorte qu'il faut avoir répondu au besoin numéro un, besoins physiologiques, pour avoir accès au besoin numéro deux, besoins de sécurité et ainsi de suite : 1) besoins physiologiques, 2) besoins de sécurité, 3) besoins d'appartenance et d'amour, 4) besoins d'estime, 5) besoins d'actualisation de soi (self-actualisation). Quand une personne est affamée, assoiffée ou en danger, elle répond d'abord à ces besoins-là. Puis d'autres besoins émergent... La satisfaction de ces besoins fondamentaux se traduit, pour Maslow, toutes choses étant égales par ailleurs, par un meilleur état de santé. Ainsi une personne qui est en sécurité, qui a le sentiment d'appartenance et qui est aimée sera normalement en meilleure santé qu'une autre personne qui est en sécurité, qui a le sentiment d'appartenance mais qui n'est pas aimée et qui est rejetée par son entourage. Maslow illustre cette théorie de la motivation et de la personnalité en décrivant des gens célèbres, dans l'histoire, comme Lincoln, Eleonor Roosevelt, Einstein, Schweitzer, mais aussi des gens de son entourage qu'il juge avoir atteint le stade de l'actualisation de soi, c'est-à-dire qui sont en voie de réaliser leurs potentialités. Ces personnes, qui sont dans la cinquième phase de réponse à leurs besoins, représentent les caractéristiques suivantes de l'espèce humaine saine : 1) Une perception plus claire et plus efficace de la réalité. 2) Une ouverture plus grande à l'expérience. 3) Une grande intégration, et une véritable unité de la personne. 4) Une grande spontanéité et une grande facilité d'expression ; une vitalité importante ; beaucoup d'attention. 5) Une individualité réelle ; une solide identité ; une autonomie personnelle assurée. 6) Une objectivité, un détachement et un dépassement de soi plus grands. 7) Une créativité retrouvée. 8) L'aptitude à faire le lien entre le concret et l'abstrait. 9) Une structure de caractère « démocratique ». 10) Une aptitude à aimer et à être aimé, etc..

L'explication de Maslow nous paraît intéressante surtout parce qu'elle fournit un moyen simple de cerner et d'évaluer les besoins des personnes âgées tout en laissant ouverte la porte qui mène à la réalisation de soi jusqu'à la fin de la vie. Assurer la qualité de vie des personnes âgées, c'est un objectif louable qui passe en priorité par des besoins de base à satisfaire. La santé sexuelle s'articulant sur la santé globale, il y a lieu de s'interroger sur la qualité des services qui permettent à la personne âgée de répondre d'abord à ses besoins physiologiques. Est-ce que le logement, le chauffage, les conditions d'hygiène, la nourriture et le sommeil sont adéquats ? Ainsi si l'alimentation est déficiente et qu'elle est cause d'anémie ou si elle est trop riche et trop copieuse pour le genre d'activité de la personne, il va y avoir des conséquences prévisibles sur l'activité sexuelle : une personne sans énergie ou obèse manquera d'entrain pour l'expression sexuelle. De même l'abus de l'alcool, des médicaments, de la cigarette pourra affecter le système nerveux et le système vasculaire, qui interviennent dans les relations sexuelles, ce qui réduira le désir et la capacité physique d'échanges sexuels. La personne âgée a besoin d'exercice et d'insertion sociale mais la sécurité d'une personne âgée devient plus préoccupante quand les possibilités de déplacements sont plus limitées, soit par un handicap physique, comme la difficulté de marcher sans soutien ou prothèse, soit par les conditions matérielles comme demeurer aux étages supérieurs ou devoir se servir d'un escalier extérieur dans une contrée au climat rigoureux et changeant. Ces situations deviennent des facteurs d'isolement et même de réclusion sans aide appropriée. Se promener dans un lieu public – transport en commun, trottoir, parc, lieux de loisir et de culture – peut aussi être source d'angoisse si la personne ne se sent pas en sécurité, si elle a peur d'être volée ou blessée, ce qui peut réduire considérablement l'accès pratique même aux services destinés aux personnes âgées et causer la privation de contacts stimulants avec d'autres personnes.

Les besoins d'appartenance et d'amour signifient que la personne âgée a besoin de se sentir insérée dans un univers familier, dans des institutions et des groupes au milieu desquels elle se considère naturellement à sa place et utile. C'est généralement dans ce milieu naturel qu'elle trouve l'amitié, l'amour, la tendresse dont elle a besoin et qu'elle peut partager avec les siens. La personne âgée aussi a besoin d'aimer et d'être aimée et elle peut normalement répondre à ses besoins. Or le danger qui menace la personne âgée, c'est le déracinement de son milieu pour des raisons économiques et familiales : loyer trop grand et trop cher, famille qui n'est plus disponible pour cause de maladie, de mort, de conflits ou d'éloignement. L'institutionnalisation, comme dernier recours, va-t-elle remédier à l'isolement, favoriser la constitution de nouveaux liens humains ou cautionner un repli sur soi et un enfermement où l'intimité et l'expression sexuelle sont interdites de fait sinon de droit ?

Les besoins d'estime renvoient à l'image de soi, à ses réalisations reconnues et aux manifestations actuelles de son vouloir-vivre. La personne âgée peut certes se valoriser par son passé, encore faut-il qu'elle rencontre l'oreille attentive et compréhensive qui sera capable d'entrer dans le monde de cette personne et non pas la ramener brutalement dans un présent douteux. Mais c'est surtout dans ses réalisations actuelles que grandit l'estime de soi : souligner le bon goût de l'habillement, la propreté, la délicatesse, la sérénité, l'altruisme, l'habileté dans tel domaine, les services rendues, le sens artistique, etc., quand il y a lieu, tout en reconnaissant que la personne âgée a, comme tout être humain, des désirs de mort, des tendances à la peur, à la défense, à la régression... et aussi des sautes d'humeur, des défauts, des défaillances ou des travers de caractère. Les rencontres et les échanges avec les personnes significatives qui renvoient une image positive à la personne âgée sont les signes visibles que la vie vaut la peine d'être vécue.

Enfin, les besoins d'actualisation de soi se manifestent dans le désir de se réaliser le plus pleinement possible, c'est-à-dire de mettre en œuvre ses capacités, ses qualités comme accomplissement de sa destinée dans l'acceptation de sa nature profonde et la mise en œuvre de toute son énergie personnelle. Cela se traduit, selon l'expression de Maslow, dans des expériences paroxystiques qui témoignent que cette réalisation de soi est possible au moins dans des moments privilégiés. C'est vers l'idéal que tend l'existence consciente et il faut éviter d'attendre ou d'exiger de toute personne âgée qu'elle l'ait atteint d'emblée. La sagesse, dont on aimerait couronner la personne âgée, se situe dans l'aire de l'idéal et, dans ce domaine comme dans les autres, l'idéal reste toujours à l'horizon dont le degré de proximité varie selon les individus et les situations qui ont permis de répondre à ses besoins humains. Cependant, compte tenu de son besoin d'actualisation de soi, la personne âgée ne doit pas être privée de la possibilité de ce cheminement et doit être encouragée à développer toutes ses potentialités et capacités comme être en croissance permanente ; la croissance étant l'ensemble des processus qui conduisent la personne vers la complète réalisation de soi sur les divers plans de l'existence humaine, il convient d'offrir aux personnes âgées une gamme de moyens appropriés à la créativité personnelle y compris ce qui favorise la perception du sens de leur existence.

Quand les besoins fondamentaux ne sont pas raisonnablement comblés, apparaît la maladie déficitaire qui témoigne de la privation de certaines satisfactions dont on a naturellement besoin. Lorsqu'on remédie à ces manques et à ces insatisfactions la maladie tend à disparaître. Aussi convient-il de faire l'inventaire des besoins vitaux en souffrance quand une personne âgée adopte des attitudes et des comportements de compensation où l'âge, en lui-même, n'est pas le principal facteur explicatif.

La sexualité polyvalente

Le troisième facteur à considérer dans la compréhension de la santé sexuelle après 60 ans, c'est la nature même de la sexualité et de ses diverses formes d'expression, ce qui permet d'envisager une vie sexuelle sur mesure qui tienne compte de l'âge. La notion de sexualité recouvre en fait plusieurs couches de significations : le sexe d'identité, le sexe érotique, le sexe génital et le sexe d'orientation.

La sexualité, comme *sexe d'identité*, signifie l'appartenance à un genre : être masculin ou être féminin, ce fait détermine pour chacun une certaine façon de se percevoir intérieurement et d'être perçu par les autres. Cette identité sexuelle marque les perceptions, les émotions, les stimulations, les attitudes, les attentes, les fantasmes et les comportements car elle se façonne dès la naissance par le développement biologique et par l'éducation. En effet, l'identité sexuelle n'est pas uniquement une donnée biologique reçue en héritage génétique, elle s'inscrit dans les modalités de l'existence personnelle et sociale comme le lieu de convergence des projections de soi et des attentes des autres. Être un homme ou être une femme désigne également une certaine façon d'être et de se situer par rapport aux modèles, aux rôles et aux idéaux de masculinité et de féminité qui sont portés par un milieu humain. En somme, l'identité sexuelle est la résultante de diverses composantes : génétique, hormonale, génitale, psychique, familiale, légale, sociale et personnelle. C'est une identité susceptible de se modifier tout au cours de l'existence individuelle selon la dynamique des éléments qui la constituent. Le vieillissement affecte l'identité de genre quand les changements corporels sont interprétés comme une atteinte à la façon de se percevoir comme homme ou comme femme. Aussi importe-t-il que la personne qui vieillit soigne son corps et son apparence extérieure pour garder l'estime de soi. La propreté, l'hygiène corporelle, l'habillement soigné, le bon usage des cosmétiques et des parfums tout comme la discrétion sur les incommodités du vieil âge facilitent en outre les rapports humains. Il est aussi indiqué que la personne âgée révise, s'il y a lieu, les notions parfois trop étroites de masculinité et de féminité en pensant que l'attrait et la séduction ne sont pas seulement l'apanage d'un groupe d'âge déterminé mais qu' au contraire, ils se modulent sur les diverses manières d'être pleinement soi-même à travers les âges de la vie. « Être et paraître » ne sont pas des réalités à opposer comme des entités philosophiques mais bien deux dimensions de la personne à composer harmonieusement selon la projection de soi désirée dans l'existence quotidienne.

Le notion de sexualité se réfère aussi au *sexe érotique* qui prend les caractéristiques reconnues dans une culture donnée comme : les baisers, les caresses, les attouchements, les productions symboliques et les objets sexuels. Les préoccupations érotiques s'affichent dans nos sociétés où pullulent les publications, les films, les vidéos de tout acabit, les produits prétendument aphrodisiaques qui visent soit à stimuler les expressions érotiques soit à suppléer à l'absence de partenaires. L'absence de désir, qui est une plainte sexuelle fréquente, chercherait un palliatif ou peut-être même un remède dans cet arsenal érotique. Érotisme et pornographie se côtoient, comme produits de consommation ; toutefois, entre l'érotisme comme vision globale et esthétique du corps humain plus ou moins nu et la pornographie comme focalisation réductrice et exploitatrice des parties génitales considérées comme objets sexuels, les distinctions ne parviennent à éclairer vivement ni les législateurs, ni les juges et ni les amateurs. Que le sexe érotique soit trop souvent assimilé à l'exploitation, cela ne doit pas faire oublier que l'érotisme est un ingrédient nécessaire à la vitalité sexuelle qui fait appel à l'imaginaire, à la rêverie mais aussi aux petits soins à apporter à sa personne et à son environnement immédiat. Favoriser la réduction du stress et de la fatigue par la détente et le repos, c'est une condition nécessaire à la tendresse et à l'érotisation. Les personnes qui savent se ménager des moments tendres au cours de la journée peuvent plus facilement passer du cœur à cœur au corps à corps comme témoignage de leur attrait mutuel et comme recherche du plaisir partagé qui est le sacrement des vivants...

La sexualité désigne le *sexe génital* quand elle se réfère aux relations coïtales, aux actes sexuels, aux manipulations des organes génitaux et aux jeux sexuels. L'expression génitale chez les personnes âgées peut prendre plusieurs formes en tenant compte de l'état de santé et de la disponibilité des partenaires. Mais la carrière sexuelle d'une personne est un élément important à considérer. Si une personne au cours de sa vie adulte a fait usage de sa génitalité sans enthousiasme, à son corps défendant, pourrait-on dire, il est possible que l'après-fécondité soit le moment choisi pour mettre fin à des activités considérées comme onéreuses et peu gratifiantes. Il convient, bien sûr, de respecter ce libre choix même si dans un couple, cela implique une négociation et un approfondissement de la communication dans le recherche de la sécurité affective et de l'harmonie entre les conjoints. L'on voit, à l'occasion, de ces retraités du sexe qui reprennent la vie active au plan sexuel sous l'influence de facteurs de modifications d'attitudes soit au plan cognitif, soit au plan social. Le sexe étant polyvalent, la santé sexuelle peut fort bien s'accommoder de l'absence d'expression génitale, pour un temps plus ou moins long, en autant que la sensualité, l'affectivité et le besoin de tendresse et d'intimité répondent aux besoins vitaux de la personne. Les personnes qui actualisent leur sexualité par des relations coïtales ont avantage à choisir le temps, le lieu et la position qui leur conviennent en faisant preuve de sensibilité et d'imagination car la routine est souvent l'ennemi mortel du désir de rapprochement physique. Pour certains, une relation coïtale entreprise le matin engendre moins de fatigue et facilite l'érection. Dans les cas d'arthrite, certaines positions plus appropriées peuvent être suggérées par un professionnel compétent. En somme, l'activité génitale d'une personne en santé a besoin surtout d'une personne intéressante et intéressée comme partenaire. Le renoncement temporaire ou définitif à l'expression de sa génitalité doit se faire dans la vigilance si l'on veut éviter la frustration, l'agressivité ou la déviance.

Enfin, la sexualité qualifie le *sexe d'orientation* qui concerne le choix du partenaire sexuel selon son orientation sexuelle. Ce n'est qu'au cours de la dernière décennie que la charte des droits et des libertés du Québec (1982) a statué qu'il est interdit d'exercer une discrimination sociale à l'égard d'une personne pour le seul motif de son orientation sexuelle. La société valorisant l'hétérosexualité, c'est l'orientation homosexuelle qui est surtout visée par la charte. Les personnes âgées sont en grande majorité d'orientation hétérosexuelle mais la recherche de partenaires de l'autre sexe devient parfois très problématique pour les femmes âgées, en particulier, qui ont au moins sept ans d'espérance de vie de plus que les hommes, ce qui fait qu'il y a beaucoup de veuves et de personnes seules chez les femmes de plus de 70 ans. Nous n'avons pas de solutions magiques à cette situation, même si nous constatons que certaines personnes âgées sont actives dans des lieux publics ou des centres d'achat à la recherche de l'âme sœur. Des personnes âgées font aussi usage de l'auto-érotisme comme moyen de se procurer la détente et le plaisir souhaités. Des contacts entre personnes du même sexe sont aussi observés dans les institutions mais il n'existe pas de données concluantes, à notre connaissance, à ce sujet. Il n'y a toutefois rien de répugnant dans le fait qu'une personne cherche à répondre à ses besoins naturels dans le cadre d'un consentement mutuel. Il est à espérer que l'ouverture que manifeste la charte soit aussi celle des personnes qui interviennent auprès des personnes âgées.

La sexualité après 80 ans

Il y a actuellement environ 4 % de la population qui a plus de 80 ans et ce nombre va augmenter au cours des prochaines décennies. Nous traitons de cette tranche d'âge à part même si les connaissances sont peu avancées au sujet de la sexualité de cette catégorie de personnes. À vrai dire il n'y a pas de coupure radicale dans le comportement sexuel des personnes après 80 ans car la sexualité est une pulsion comme les autres pulsions quoiqu'elle dépende de l'activité d'une structure anatomique spécifique dans le cerveau : le système limbique avec noyaux dans l'hypothalamus et dans la région pré-optique. La pulsion sexuelle est desservie par deux neurotransmetteurs spécifiques, un inhibiteur et un excitateur.

La pulsion sexuelle a des connections extensives neurologiques ou chimiques avec d'autres parties du cerveau, ce qui permet qu'elle soit intégrée dans l'ensemble de l'expérience d'un individu. Ainsi pour vivre activement sa sexualité, la personne doit avoir l'intégrité fonctionnelle des zones cérébrales qui peuvent conduire les impulsions motrices, sensitives et réflexes ; elle doit disposer, de plus, d'un système cardio-vasculaire et pulmonaire relativement compétents, d'une circulation adéquate dans la région génitale pour supporter la vaso-congestion, des hormones spécifiques qui influencent l'intégrité de la structure et de la fonction génitales et enfin, des organes génitaux en bon état. En somme, être en relative bonne santé et avoir un partenaire disponible sont les conditions minimales, à tout âge, si on le désire, pour avoir une relation sexuelle quand il n'y a pas d'obstacles extérieurs.

Les rapports de recherches sur la sexualité des personnes de plus de 80 ans sont peu nombreux, peu explicites sur la signification des termes désignant la sexualité, peu critiques sur la méthodologie employée et souvent répétitifs. Masters et Johnson (1968, 1971) ont observé des changements physiologiques dans les réactions sexuelles au cours de l'avance en âge mais ils concluent que ces modifications permettent une poursuite normale de l'activité sexuelle pour une personne en santé qui désire cette activité. Ces auteurs affirment que le déclin sexuel doit être attribué davantage aux changements normaux dans le cycle des réactions sexuelles qu'à l'incapacité proprement dite. Il y a lieu de faire une distinction pour ce groupe de personnes entre le **désir sexuel** et **l'activité sexuelle** : 20 % des sujets de 80 ans et plus seraient actifs sexuellement alors qu'environ 50 % ressentent un intérêt sexuel modéré. Porto (1985) rapporte que 48 % des hommes entre 75 et 92 ans ont encore une vie active au plan sexuel. Pompeo (1979) se réfère à des études qui affirment que 16 % des personnes de 78 à 83 ans et 10 % des personnes de 84 ans et plus ont des activités sexuelles. Plus d'hommes que de femmes déclarent avoir des activités sexuelles. Quant à l'intérêt sexuel, il se situe entre 30 % et 60 % chez les personnes de 78 à 83 ans, et entre 50 % et 60 % chez les personnes de 84 ans et plus.

La majorité des répondants à l'enquête de Starr-Weiner (1981) déclarent aimer le sexe, soit 93.4 % dans la tranche d'âge 80-91 ans. Cependant, 72 % des hommes de ce groupe d'âge reconnaissent qu'il est difficile d'obtenir une érection. Dans l'enquête menée par Brecher (1984) auprès des lecteurs d'une revue américaine s'adressant aux consommateurs, 38 femmes et 76 hommes âgés de 80 ans et plus ont répondu : 60 % des hommes et 30 % des femmes se disent sexuellement actifs. Parmi les hommes sexuellement actifs, plus de la moitié affirment qu'ils ont des rapports sexuels avec une épouse ou une partenaire et plus du tiers obtiennent l'orgasme au moins une fois sur deux. Ce rapport ajoute que 29 hommes affirment qu'ils se masturbent et 8 d'entre deux une fois par semaine ou davantage. Des 15 femmes sexuellement actives, 3 mentionnent avoir des rapports sexuels avec un époux ou un partenaire et atteindre toujours ou habituellement l'orgasme. Nous ferons état des données de notre propre recherche auprès des personnes âgées dans un prochain chapitre.

Bénéfices de l'activité sexuelle

L'orgasme est une réponse corporelle totale, pas seulement un événement pelvien (Masters et al., 1986). Les ondes cérébrales se modifient durant l'orgasme et les muscles se contractent dans différentes parties du corps. De plus, la rougeur sexuelle atteint son intensité et son étendue maximales au moment de l'orgasme. C'est dire que la relation coïtale ou oro-génitale comme la masturbation solitaire ou mutuelle constituent un exercice physique complet qui active la circulation de la tête aux pieds, stimule la respiration, excite les cellules réceptrices des sens et exige la participation de différents groupes de muscles : du cœur, des bras, des jambes, du ventre, des fesses, du périnée, etc. Ainsi l'activité sexuelle oblige l'octogénaire à se mouvoir, ce qui combat l'ankylose qui advient souvent à cet âge. Kaplan (1979) évoque même la possibilité que l'activité sexuelle favorise la libération d'endorphines ou hormones naturelles, ce qui cause l'euphorie et allège la douleur. Le métabolisme basal étant plus bas chez les personnes âgées et la frilosité plus grande, l'activation de la circulation lors de l'activité sexuelle procure un peu de réchauffement, au plan physique comme au plan psychologique, à la personne qui s'y adonne.

La proximité physique, l'accolade, le baiser et le toucher facilitent l'intimité tout en promouvant l'estime de soi chez la personne âgée qui se sent alors désirée et importante pour une autre personne. Chez nombre de personnes qui avancent en âge, l'intérêt se déplace graduellement de la sensation génitale intense à une expérience diffuse plus sensuelle et romantique. Le but de l'activité sexuelle n'est plus alors seulement la satisfaction génitale mais plutôt la satisfaction de la personne totale comme être porteur d'une histoire personnelle qui a marqué sa personnalité et ses sentiments. Après 80 ans, l'activité sexuelle, selon les modalités privilégiées, a donc un double bénéfice : physique et psychologique. Quand viennent les derniers jours de l'existence, l'expression de la sexualité demeure une affirmation importante de la vie qui reste ; elle prend alors la forme de la communication non verbale : touchers, caresses, embrassements, main dans la main. Ces contacts élémentaires sont très importants pour la personne qui ne peut plus s'exprimer verbalement car cela l'assure de la présence de l'autre même dans ses moments de défaillances et dans sa préparation à la mort.

Des études ont montré, il y a plusieurs décennies, que de tout jeunes enfants isolés dans des institutions sans chaleur humaine ont un taux de maladie et de mortalité plus élevé que les enfants qui ont des contacts humains (Spitz et Wolf, 1946). Il est aussi établi par la recherche (Townsend, 1963) que le vieillissement avec ses pertes de rôles sociaux amène l'isolement et la solitude chez des personnes âgées. Il y a souvent une propension, dans la famille comme dans les institutions, à traiter les personnes âgées comme l'on traite les jeunes adolescents au plan sexuel, c'est-à-dire par la surveillance et la surprotection. On peut raisonnablement soutenir que l'absence de relations interpersonnelles et le manque d'intimité s'accompagnent de maladies chez les personnes âgées, amènent des comportements maladaptés et devancent la mort, car l'intimité agit comme un facteur de médiation qui permet de s'adapter au stress. Quatre éléments, selon Fromm (1956), déterminent le succès de toutes les relations : la connaissance, le respect, le souci de l'autre et le sentiment de responsabilité. Nous pensons donc que les personnes qui interviennent auprès des personnes de grand âge, professionnels comme familiers, profiteraient d'une information qui permettrait de mieux évaluer les divers besoins des personnes âgées. Des films, des vidéos-témoignages, des publications traitant de la sexualité de ces personnes, disponibles sur les lieux de travail, pourraient servir de déclencheurs pour des échanges lors des rencontres de formation professionnelle ou des séances d'animation.

CHAPITRE 5

■ *Connaissances et attitudes sexuelles des personnes âgées*

Présentation succincte de la démarche méthodologique d'une étude exploratoire auprès de personnes âgées de 60 ans et plus, des détails concernant le choix des sujets de l'échantillonnage, des instruments utilisés, des thèmes et du déroulement des entrevues, du traitement des données et des résultats obtenus par l'intermédiaire du questionnaire ASKAS et d'une brève discussion. Les chapitres V1 et V11 présenteront les résultats obtenus suite aux entrevues.

◤ Démarche méthodologique

Cette étude exploratoire porte essentiellement sur le vécu sexuel des personnes âgées du Québec à travers les événements significatifs de leur vie sexuelle. Elle vise à identifier le vécu sexuel des personnes interrogées, leurs besoins dans ce domaine et les réponses qu'elles apportent à ces besoins, les valeurs sexuelles qu'elles privilégient pour elles et leur milieu, les connaissances qu'elles possèdent quant à la sexualité et au fonctionnement sexuel ; elle vise aussi à évaluer les événements déclencheurs de modifications d'attitudes et de comportements dans le vécu sexuel de ces personnes.

Cette étude à la fois quantitative et qualitative s'est faite à partir d'entrevues semi-structurées et enregistrées et d'un questionnaire portant sur les attitudes et les connaissances sexuelles. Les entrevues sont majoritairement individuelles bien que nous comptions quelques entrevues de couple où chacun des membres s'exprimait sur les thèmes proposés, faisait son récit de vie.

Sujets

Critères de l'échantillonnage: être une personne âgée de 60 ans et plus, se porter volontaire pour raconter son histoire de vie, suite à une présentation sommaire de la recherche par une personne dûment mandatée.

Notre échantillonnage se compose de sujets recrutés en quatre (4) temps soit au cours des années 1986, 1987, 1988 et janvier 1989. Ils sont majoritairement résidents du grand Montréal métropolitain et francophone (N=110).

Sur 110 sujets recrutés, il y a 41,91 % d'hommes et 58,18 % de femmes. La majorité des sujets sont veufs ou veuves (50,91 %) tandis que la deuxième catégorie la plus élevée est de 30,91 % des sujets qui sont mariés-es. Ils sont âgés majoritairement entre 66-74 ans : 36,36 % et la deuxième catégorie d'âge la plus importante se situe entre 75-80 ans : 27,27 %. Ils ont principalement des études de niveau primaire : 41,82 % et 29,09 % ont des études de niveau secondaire. La profession avant la retraite pour 44,55 % des sujets étaient dans la catégorie des cols bleus. L'âge de leur premier mariage est à 24,55 % dans les trois catégories d'âge suivante : entre 22-25, 26-30 et 31 et plus. Pour 80,91 % des sujets il n'y a pas eu de seconde noce. Parmi les sujets de cette étude, 80,00 % on eu des enfants de leur union. 66,36 % des sujets se déclarent en bonne santé. Ils sont de religion catholique à 98,18 % et 83,64 % se disent pratiquants. La majorité d'entre eux vivent dans des résidences privées : 68,08 % et 26,36 % vivent en foyers (Figures I à XXIII, inclusivement).

FIGURE I : Âge des répondant(e)s

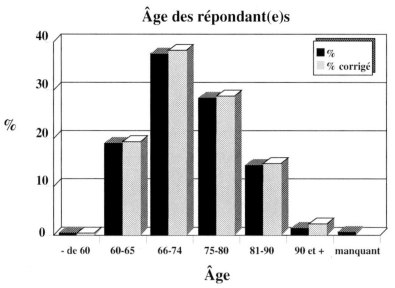

FIGURE II : Sexe des répondant(e)s

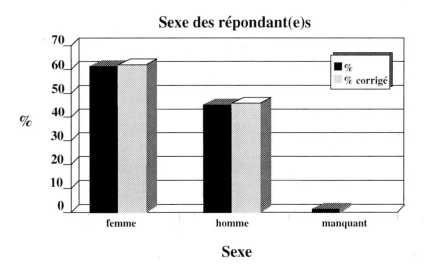

FIGURE III : État civil des répondant(e)s

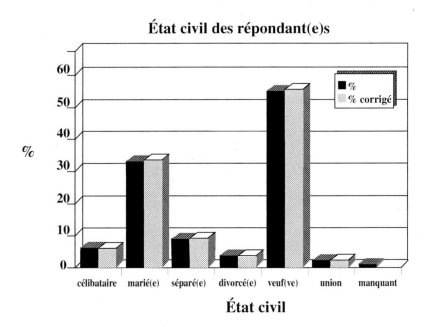

FIGURE IV : Âge du premier mariage

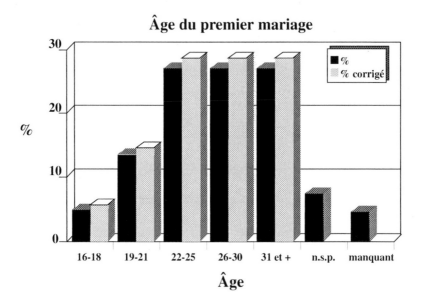

FIGURE V : Âge du second mariage

FIGURE VI : Nombre d'enfants biologiques

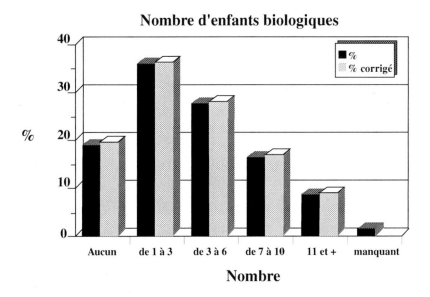

FIGURE VII : Nombre d'enfants adoptés

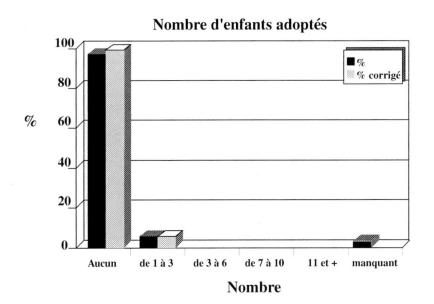

FIGURE VIII : Âge du plus vieux

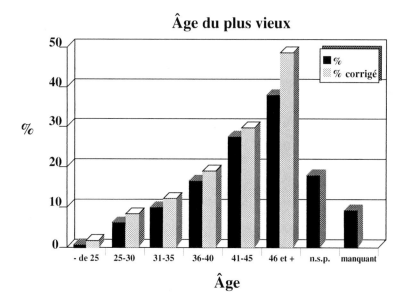

FIGURE IX : Âge du plus jeune

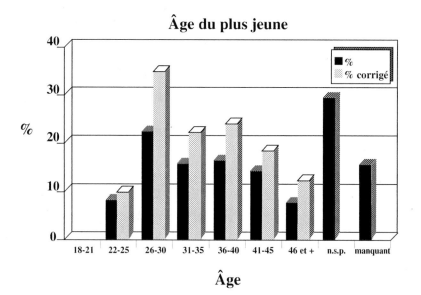

FIGURE X : Profession

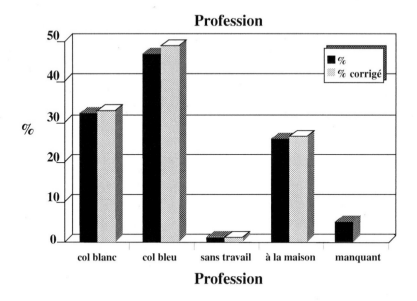

FIGURE XI : Profession du conjoint

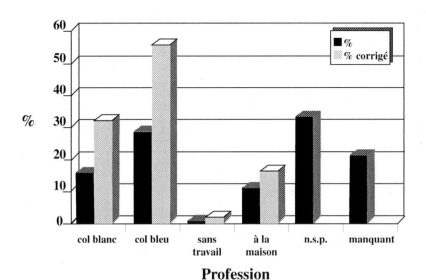

FIGURE XII : Âge du conjoint

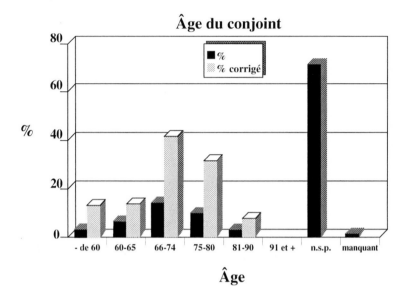

FIGURE XIII : Études

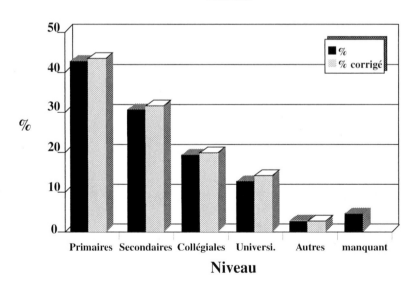

FIGURE XIV : Santé

Santé

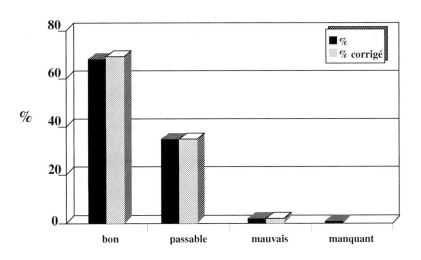

Santé

FIGURE XV : Santé du conjoint

Santé du conjoint

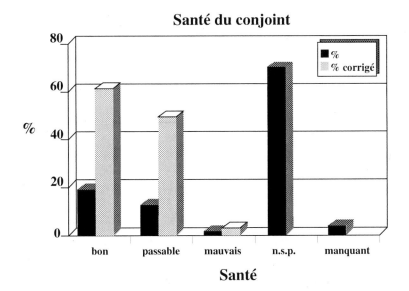

Santé

FIGURE XVI : Médicaments

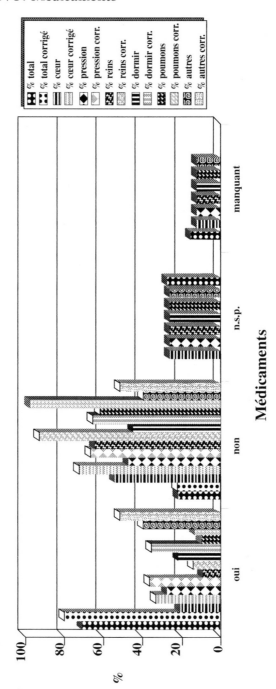

FIGURE XVII : Médicaments du conjoint

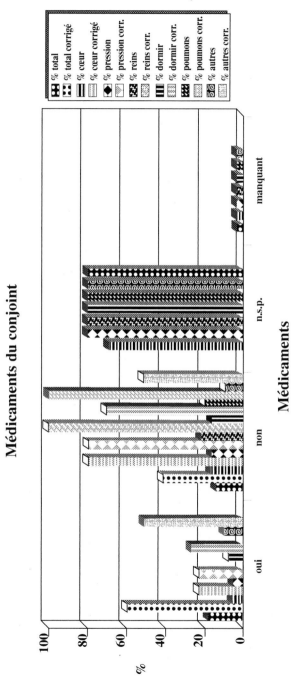

FIGURE XVIII : Handicap du conjoint

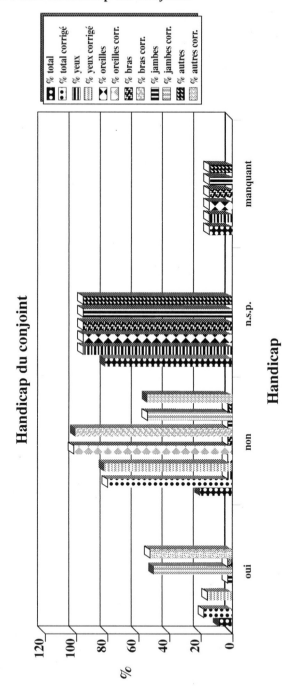

FIGURE XIX : Handicap

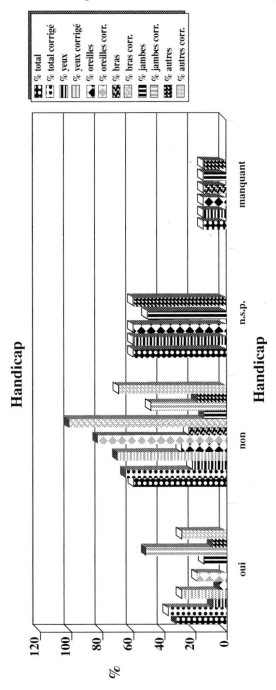

FIGURE XX : Religion

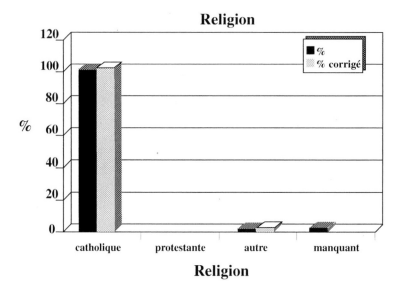

FIGURE XXI : Pratique

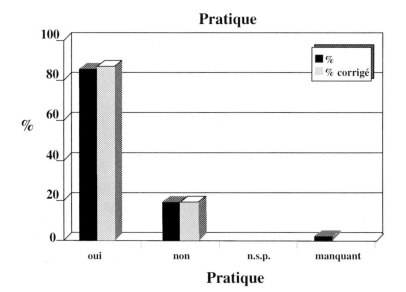

FIGURE XXII : Résidence

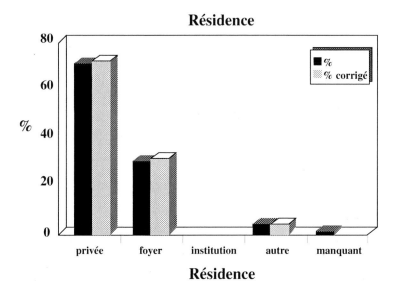

FIGURE XXIII : Clubs sociaux

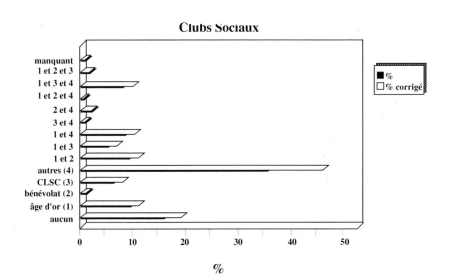

Instruments

Les instruments utilisés pour la cueillette des données de la présente recherche sont: un magnétophone pour enregistrer les histoires de vie, une feuille de **présentation sommaire de la recherche** (document 1), un **formulaire de consentement** pour enregistrement de l'entrevue (document 2), une **fiche signalétique** afin de recueillir des informations de base et des données démographiques (document 3), une **feuille-guide** regroupant les thèmes permettant de faire des entrevues semi-structurées (document 4), une feuille-relance (document 5) et enfin, un **questionnaire** mesurant les connaissances et les attitudes sexuelles des personnes âgées (document 6).

La feuille de présentation sommaire de la recherche (mise à jour, 1988) comprend six (6) sections expliquant l'objet de la recherche, la méthodologie, le sens de l'entrevue, la déontologie, les personnes mandatées pour effectuer les entrevues et l'équipe de chercheurs responsable de la recherche.

Le formulaire de consentement pour enregistrement, composé par les auteurs (1986), fut utilisé dans le but d'avoir un consentement libre et éclairé des personnes âgées.

La fiche signalétique (mise à jour, 1988) comprend vingt-deux (22) sections: l'âge, le sexe, l'état civil, l'âge du mariage, le nombre d'enfants s'il y a lieu, leur âge, le travail avant la retraite, la situation du, de la conjoint-e, les études, l'état de santé actuel ainsi que celui du, de la conjoint-e, l'absorption actuelle de médicaments ainsi que celle du, de la conjoint-e, l'existence d'un handicap ainsi que pour le, la conjoint-e, la religion et la pratique de celle-ci, le milieu de vie actuel et les activités actuelles au sein des clubs sociaux.

La feuille-guide (mise à jour, 1988) se compose de huit (8) catégories telles: la vie de jeunesse, la vie de couple, la vie de famille, la vie affective, émotive, sexuelle, la vie morale et religieuse, la vie en institution, les besoins actuels ainsi que les observations de l'intervieweur. Ces catégories constituent un point de départ pour recueillir le contenu des entrevues semi-structurées d'une durée d'une heure trente à deux heures.

Le questionnaire : « Aging Sexual Attitudes and Knowledge Scales-ASKAS » de l'auteur Charles B. White Ph.D. a été traduit par les auteurs (1987) de la présente étude par : « Échelle de connaissances et d'attitudes sexuelles des personnes âgées ». Ce questionnaire a été validé par l'auteur M. Charles B. White Ph.D. auprès d'une population similaire, américaine. Nous avons obtenu la permission de l'auteur de l'utiliser pour cette recherche. Ce questionnaire comprend soixante-et-une (61) questions à répondre par une échelle variant pour les trente-cinq (35) premières questions entre un (1) et trois (3). En ce qui a trait aux vingt-six (26) dernières questions l'échelle varie entre un (1) et sept (7).

Procédure

Cette recherche n'ayant pas été subventionnée, des intervieweurs ont été engagés par les auteurs de la recherche afin d'effectuer les entrevues. Ils sont au nombre de six (6). Les critères de sélection pour l'embauche des intervieweurs étaient : une capacité d'entrer en contact chaleureux avec les personnes âgées, être détenteur d'une formation en technique d'entrevue. Tous étaient en formation dans le but d'obtenir une maîtrise en sexologie.

Pour les intervieweurs, la première étape a consisté en une prise de contact téléphonique auprès de différentes institutions : C.L.S.C., Centre de Jour, Centre d'hébergement, résidences privées ou foyers, etc., afin d'obtenir de l'institution une autorisation de prendre rendez-vous avec les personnes âgées susceptibles d'être intéressées par la recherche. Lors de la rencontre avec un groupe de personnes ou avec la personne contactée, elles ont été informées des buts de la recherche (présentation de la feuille sommaire de la recherche). Ainsi, lors de ce premier contact, des informations sur le type d'entrevue, le temps alloué pour cette entrevue, la confidentialité des données, les droits dont ils disposent en tant que participants, de la possibilité qu'elles ont de se retirer de la recherche et de garder pour elles certaines données leur ont été transmises. Par la suite, elles ont été invitées à participer à une entrevue individuelle ou de couple qui portera, de façon générale, sur leur histoire de vie. L'intervieweur a pris des rendez-vous avec les personnes volontaires intéressées.

Au début de chaque entrevue, l'intervieweur a précisé que le magnétophone ne vise que des fins d'études et de recherches, que les enregistrements seront strictement confidentiels et que l'anonymat sera rigoureusement préservé. Ensuite, le formulaire de consentement était présenté et signé. La fiche signalétique était remplie par l'intervieweur notant les informations de bases et les informations démographiques. Cette étape complétée, la personne était alors invitée à s'exprimer sur les différentes étapes de sa vie telles que stipulées dans la feuille-guide (document 4). Les trente-deux (32) derniers sujets, sur une base expérimentale, ont eu à compléter le questionnaire sur les connaissances et les attitudes sexuelles des personnes âgées. Si les personnes préféraient que l'intervieweur complète pour elles le questionnaire, c'était possible ; ainsi, les questions et les réponses possibles étaient lues et expliquées une à une.

Traitement des données

La première étape a consisté à entendre chaque entrevue enregistrée sur bande magnétique, à en consigner le contenu par écrit pour ensuite en faire une analyse (voir chapitre V1).

La deuxième étape a été d'effectuer une analyse descriptive de la fiche signalétique, de corriger le questionnaire ASKAS selon les critères de corrections de l'auteur. Afin de pouvoir établir une relation entre nos données de la fiche signalétique et du questionnaire ASKAS, nous avons utilisé le cœfficient de corrélation (r) permettant de déterminer la proximité des résultats des deux variables mises en cause, avec la droite de régression. Les valeurs possibles du cœfficient de corrélation sont comprises entre −1 et 1 ; ce qui indique une relation parfaitement linéaire. Le cœfficient de détermination ou de variance expliquée (r^2) mesure, quant à lui, l'ajustement de la régression linéaire aux paires de valeurs données.

Les résultats

Corrélation entre attitudes et connaissances

En ce qui concerne la section du questionnaire sur les attitudes, elle a été complétée par 32 sujets.

En ce qui concerne la section du questionnaire sur les connaissances, elle a été complétée par 56 sujets.

Le cœfficient de corrélation (r) entre le score à la section du questionnaire sur les connaissances et le score à la section du questionnaire sur les attitudes est de −.52, avec un cœfficient de variance expliqué (r^2) de .27. Le nombre de sujets ayant répondu aux deux questionnaires est de 32. Un score faible sur l'échelle de connaissances indique un haut niveau de connaissances et un score faible sur l'échelle des attitudes indique une attitude plus permissive.

Donc, pour la population de cette étude, il semble qu'une attitude non permissive est négativement corrélée à une faible connaissance. Ce qui veut dire que **plus les sujets ont un niveau élevé de connaissances, moins ils sont permissifs et moins ils ont de connaissances, plus ils sont permissifs** (Voir Figure XXIV : Connaissances et attitudes).

Corrélation entre âge et attitudes

Le traitement statistique porte sur 31 sujets.

Le cœfficient de corrélation est de −.207 et le cœfficient de variance expliqué est de .043.

Il appert que plus l'âge augmente plus les sujets semblent permissifs. Cependant, le cœfficient de variance expliqué est plutôt faible.

Corrélation entre état civil et attitudes

Il est impossible d'établir une corrélation entre état civil et attitude, car il s'agit de variables nominales, et non de variables ordinales.

FIGURE XXIV : Connaissances et attitudes

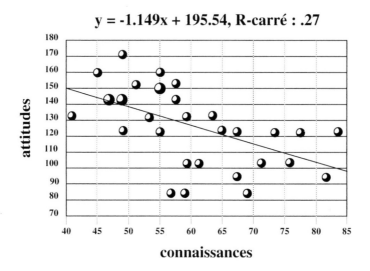

Corrélation entre nombre d'enfant(s) biologique(s) et attitudes

Le traitement statistique porte sur 31 sujets.

Le cœfficient de corrélation est de .187 et le cœfficient de variance expliqué est de .035.

Il semble que plus le nombre d'enfants augmente moins les sujets semblent permissifs. Cependant, le cœfficient de variance expliqué est plutôt faible.

Corrélation entre niveau d'études et attitudes

Le traitement statistique porte sur 30 sujets.

Le cœfficient de corrélation est de .196 et le cœfficient de variance expliqué est de .039.

Il ressort que plus le niveau d'études augmente moins les sujets semblent permissifs. Cependant, le cœfficient de variance expliqué est plutôt faible.

Corrélation entre lieu de résidence et attitudes

Le traitement statistique porte sur 30 sujets.

La valeur 1 a été arbitrairement attribuée à la résidence privée et la valeur 2 au foyer. La catégorie « institution » a été éliminée parce qu'il n'y avait aucun sujet dans cette catégorie et la catégorie « autre » a aussi été éliminée parce qu'il n'y avait que 3 sujets sur 110 dans cette catégorie, dont 1 seul avait rempli le questionnaire ASKAS.

À partir des valeurs arbitraires, nous retrouvons un cœfficient de corrélation de −.409 avec un cœfficient de variance expliqué de .167.

Donc, quand les sujets demeurent en résidence privée, ils sont plus restrictifs et quand ils demeurent en foyer, ils sont plus permissifs.

Corrélation entre âge et connaissances

Le traitement statistique porte sur 53 sujets.

Le cœfficient de corrélation est de .261 et le cœfficient de variance expliqué est de .068.

Il semble que plus l'âge augmente, moins les sujets ont de connaissances. Cependant, le cœfficient de variance expliqué est plutôt faible.

Corrélation entre état civil et connaissances

Il est impossible d'établir une corrélation entre état civil et connaissances, car il s'agit de variables nominales, et non de variables ordinales.

Corrélation entre nombre d'enfant(s) biologique(s) et connaissances

Le traitement statistique porte sur 53 sujets.

Le cœfficient de corrélation est de −.056 et le cœfficient de variance expliqué est de .003177.

Il n'y a pas de corrélation entre le nombre d'enfants biologiques et le niveau de connaissances.

Corrélation entre lieu de résidence et connaissances

Le traitement statistique porte sur 51 sujets.

La valeur 1 a été arbitrairement attribuée à la résidence privée et la valeur 2 au foyer. La catégorie « institution » a été éliminée parce qu'il n'y avait aucun sujet dans cette catégorie et la catégorie « autre » a aussi été éliminée parce qu'il n'y avait que 3 sujets sur 110 dans cette catégorie, dont 2 seulement avaient rempli le questionnaire ASKAS.

À partir des valeurs arbitraires, nous retrouvons un cœfficient de corrélation de .349 avec un cœfficient de variance expliqué de .122.

Donc, quand les sujets demeurent en résidence privée, ils ont plus de connaissances et quand ils demeurent en foyer, ils ont moins de connaissances.

Corrélation entre niveau d'études et connaissances

Le traitement statistique porte sur 51 sujets.

Le cœfficient de corrélation est de −.26 et le cœfficient de variance expliqué est de .067.

Il semble que plus le niveau d'études augmente plus les sujets ont des connaissances. Cependant, le cœfficient de variance expliqué est plutôt faible.

◢ Discussion

La discussion que nous voulons brève compte tenu de l'ampleur de cet ouvrage portera sur le choix des sujets, plus particulièrement sur le volontariat, sur le nombre des sujets, sur l'expérimentation de différents instruments et sur le résultat statistiquement significatif : plus les sujets ont un niveau élevé de connaissances, moins ils sont permissifs et moins ils ont de connaissances, plus ils sont permissifs.

Choix des sujets

Les raisons qui supportent notre choix de sujets volontaires sont multiples et interreliées : d'une part, cette étude avait pour but de recueillir le maximum d'informations sur la vie sexuelle des personnes actuellement âgées entre 60 et 95 ans. S'il est une sphère dont la personne, quel que soit son âge, fait « un jardin secret » c'est bien la sexualité et la façon dont elle la vit. Ceci est d'autant plus vrai quand on s'adresse à des personnes qui ont vécu leur enfance, leur adolescence, leurs fréquentations et le début de leur vie conjugale à une époque où on ne parlait du sexe ni dans la famille, ni à l'école, ni dans les médias si ce n'était pour prévenir, mettre en garde, dénoncer... Les personnes âgées rencontrées en entrevue ont grandi à cette époque et ont intégré les valeurs de cette époque. Leur demander de parler de sexualité et qui plus est, de leur sexualité exigeait le plus grand doigté, une relation de confiance bien établie, une garantie de confidentialité, une situation ou un contexte exempts de stress ; il est permis de penser que compte tenu du fait que la personne âgée se soumettait d'elle-même à l'expérience, le niveau de stress se trouvait réduit. Une autre raison favorisant l'utilisation exclusive de sujets volontaires relève du principe déontologique du respect de la personne laquelle ne doit être impliquée dans une expérimentation sans un consentement éclairé et doit retirer quelque bénéfice de la recherche.

Même si nous n'avons pas procédé à la cueillette d'histoires de vie sexuelle dans le but de permettre à la personne âgée un retour progressif à la conscience des expériences passées pour en établir un ordre cohérent et conclure qu'il eut été fort difficile d'agir autrement (Butler, 1963b).

Même si nous n'avions pas l'intention d'utiliser l'histoire de vie sexuelle dans un but thérapeutique pour la personne âgée concernée, cet exercice n'est pas sans effets; il suscite des prises de conscience, réveille de vieux problèmes et permet d'identifier certains besoins. Il oblige de la part des chercheurs un support, une certaine disponibilité pour répondre aux demandes d'aide.

La formule du volontariat, privilégiée au cours de cette étude, respectait la volonté des personnes âgées d'entrer dans un processus de remémorisation que l'on savait exigeant pour elles.

Nombre de sujets

L'étude de la sexualité des personnes âgées n'a été réalisée jusqu'ici que sur un nombre relativement restreint de personnes et quand le nombre est plus élevé la démarche méthodologique en est une d'enquête, de passation de questionnaires ou de tests, non pas d'entrevues ou de cueillette d'histoires de vie. Ainsi Kinsey (1948) n'a obtenu que 126 récits d'hommes de plus de soixante ans et 56 récits de femmes du même âge sur des données enregistrées de 5 000 hommes blancs et 5 593 femmes. Masters et Johnson (1968) fondent leurs données sur l'étude de 152 femmes âgées de 51 à 80 ans, et de seulement 39 sujets masculins âgés de 51 à 89 ans. Plus récemment, les rapports Hite sur la sexualité féminine (1977) puis masculine (1983) présentaient une attitude positive face à la sexualité des personnes de 60 ans et plus. Malheureusement, en ce qui concerne le groupe de femmes, l'échantillon des personnes de cet âge est mince et peu représentatif. Le rapport Hite sur la sexualité masculine présente un échantillon plus large : 772 répondants de 60 à 97 ans. Les conclusions indiquent qu'après 60 ans, la plupart des hommes peuvent avoir au moins autant de plaisir sexuel que lorsqu'ils étaient plus jeunes, même si leurs activités et leurs réactions sexuelles sont différentes et leurs orgasmes moins fréquents. L'enquête de Starr et Weiner (1981) menée auprès de 800 personnes, âgées de 60 à 91 ans (65 % de femmes et 35 % d'hommes), tend à nuancer les résultats de Kinsey en démontrant que la fréquence des activités sexuelles ne décline pas abruptement avec l'âge. Les réponses des interviewés rapportent une fréquence de 1,4 fois/semaine, ce qui est comparable aux résultats des 60 ans de Kinsey. L'enquête la plus récente, celle de Brecher (1984), comporte l'échantillon le plus étendu et le plus varié jusqu'à présent : 4 246 personnes âgées de 50 à 93 ans, dont 2 622 de 60 ans et plus. Il ressort de cette enquête que les gens âgés ne sont pas tous pareils quant à leurs comportements sexuels et quant à leurs attitudes face à l'expression de la sexualité. Ce que les histoires de vie confirment. Les changements observés de décennie en décennie et indiquant des déclins dans plusieurs aspects de la fonction sexuelle sont beaucoup plus souvent dus au vieillissement en soi qu'à un état de santé défaillant ou à d'autres facteurs (Badeau et Bergeron, 1989).

Considérant le choix méthodologique que nous avons fait, le nombre de personnes âgées rencontrées, sans être exhaustif, est respectable et satisfaisant. L'augmenter aurait changé, à notre avis, peu de choses puisqu'après un certain nombre d'entrevues, on constate qu' un degré de saturation quant au contenu est atteint.

Utilisation de différents instruments

Nous avons utilisé à la fois l'histoire de vie et le questionnaire ASKAS préparé, validé par Charles B. White portant sur les connaissances et les attitudes sexuelles. Le questionnaire avait été utilisé en pré et post-tests avec différents groupes : résidents de « Nursing Homes », personnes âgées fréquentant les centres communautaires, familles de personnes âgées, intervenants auprès de personnes âgées. Dans tous les cas, il s'est révélé valide et fidèle et on a observé après une intervention d'éducation sexuelle qu'une augmentation de connaissances sexuelles entraîne des attitudes plus permissives chez les sujets (White, 1982b). Après avoir essayé le questionnaire avec quelques personnes âgées présentant des caractéristiques d'âge et de scolarité similaires à celle de notre population, nous avons décidé de l'utiliser avec les deux derniers groupes de personnes âgées, voulant tester avec notre population l'accessibilité d'un pareil instrument, ajouter aux données qualitatives des entrevues des données quantitatives et

vérifier certaines corrélations. Plusieurs difficultés se sont présentées dans l'utilisation de ce questionnaire : l'entrevue ou l'histoire
de vie sexuelle étant exigeante en terme de temps et d'émotions
soulevées, les personnes âgées qui le passaient immédiatement
après l'entrevue ou éprouvaient de la fatigue ou refusaient de la
passer ou le remplissaient à moitié, ce qui explique le nombre de
répondants variable ; la partie connaissances du questionnaire a
exigé souventes fois des explications de la part de l'intervieweur,
explications pouvant influencer la validité des réponses du
répondant ; la partie attitudes prévoyait deux modalités de réponses : l'une vrai ou faux et l'autre une échelle graduée de 1 à 7 (type
Likert) où l'accord est manifesté par 1 et le désaccord par 7 pour
une partie tandis que pour l'autre partie, on utilisait l'échelle
inversée. Compte tenu du contexte déjà mentionné, du temps
dont disposait les personnes âgées en Centre de Jour ou en CLSC,
ces modalités de réponse apparaissaient très compliquées aux personnes âgées et les décourageaient de continuer. Pour obtenir des
résultats fiables, ce questionnaire, bien qu'intéressant, aurait
gagné à être présenté dans une autre rencontre que celle de
l'entrevue. À ce moment, les chercheurs doivent envisager le
double des coûts et prévoir des désistements de la part des sujets
participant à l'expérience. De plus, nous réalisons que le questionnaire ASKAS, tel qu'il se présente, est plus accessible à des
personnes de scolarité plus élevée que celle de nos répondants.
Nous restons persuadés que le meilleur instrument à utiliser avec
les personnes âgées demeure l'entrevue semi-structurée et particulièrement l'histoire ou le récit de vie parce que la personne
âgée aime raconter, parce qu'elle se souvient bien habituellement
des faits lointains, parce que l'histoire de vie tout en livrant un
contenu inestimable peut permettre à la personne qui la fait une
révision de vie intégratrice.

Corrélation connaissances et attitudes

Chez nos personnes âgées, plus le taux de connaissances sexuelles
est élevé, moins elles sont permissives. Nous arrivons à un résultat contraire à celui de White (1982b, 1981). Cependant, White
a toujours utilisé son instrument en pré-test et en post-test alors

qu' entre les deux mesures avait lieu une intervention d'éducation sexuelle. Ce qui n'est pas le cas au cours de cette étude
exploratoire. L'unique mesure prise réfère aux connaissances et
aux attitudes sexuelles actuelles des personnes âgées. La personne
peut avoir un cumul de connaissances factuelles concernant la
sexualité mais n'avoir pas intégré ces connaissances au point
qu'elles influencent positivement, c'est-à-dire vers la permissivité, attitudes et comportement. De plus, les attitudes se modifient dans le temps. Comme la mesure avait lieu immédiatement
après l'entrevue, on peut penser que l'impact de l'entrevue elle-
même eût été observable plus tard. Une personne âgée a
demandé une seconde rencontre pour éclaircir avec la sexologue
les sentiments et besoins ressentis suite à la première entrevue. À
l'instar des constatations de White, le cas de Madame D rapporté
au chapitre VII viendrait confirmer les effets possibles d'une
intervention d'éducation sexuelle chez les personnes âgées.

Kirby (1985) nous ramène à une vision plus réaliste de l'éducation à la sexualité en affirmant, suite à plusieurs recherches, que
l'augmentation des connaissances concernant la sexualité
n'entraîne pas ou entraîne peu de modifications sur le plan des
valeurs, des attitudes et des comportements sexuels. Nous pouvons utiliser son affirmation concernant les résultats obtenus
chez nos répondants âgés en ajoutant que ces derniers ont été
influencés et de façon marquée par l'éducation reçue qui reflétait
pour une bonne part les directives et les valeurs véhiculées par la
religion catholique de leur temps, valeurs axées sur le sacrifice, le
sexe procréatif, la disponibilité au conjoint (en ce qui concerne
les femmes), et les conséquences sur terre et dans l'au-delà d'une
sexualité non contrôlée. Cette empreinte, pour certains, est permanente, aucune connaissance si bien transmise qu'elle soit ne
parviendra à la modifier, à l'effacer. De plus, plusieurs de nos
répondants vivent une période de privation par rapport à la
sexualité ne disposant pas d'un-e partenaire sexuel-le qui leur
convienne, et ne se permettant pas l'auto-érotisme, trop souvent
assimilé à une action défendue ou nocive. Ils sont influencés également par les idées véhiculées par la société sur la sexualité, la
personne âgée et la sexualité des personnes âgées même si on peut

penser que nos sujets sont ouverts aux questions sexuelles puisqu'ils ont accepté d'être rencontrés. Nos répondants sont aussi influencés par tout ce qu'ils entendent sur les maladies transmissibles sexuellement dont le Sida; l'expression de la sexualité est bien souvent associée à la peur. La femme de 72 ans à qui on demandait si elle aimerait rencontrer sexuellement un homme, répond : « J'ai bien trop peur d'attraper le sida ». Pour ces raisons et d'autres qui tiennent à la personnalité des individus, à leurs perceptions de la sexualité, aux conditions de vie, aux milieux de vie, à des facteurs internes ou externes, le taux élevé de connaissances sexuelles chez nos répondants ne va pas de pair avec une attitude sexuelle permissive.

L'intervention auprès de la population âgée qui viserait une modification des attitudes et des comportements vers la permissivité devrait offrir plus que des connaissances factuelles, elle devrait amorcer une réflexion sur les valeurs, la conception de la sexualité; elle devrait favoriser l'intégration des connaissances par l'utilisation de méthodes appropriées en tenant compte des capacités d'apprentissage de la clientèle âgée et de ses conditions de vie. Elle devrait, de plus, compter avec la maturation dans le temps, lequel se fait de plus en plus court chez les personnes âgées.

Nous sommes conscients que cette discussion n'est que partielle par rapport aux résultats recueillis, nous comptons sur les chapitres V1 et V11 pour vous faire connaître davantage nos personnes âgées volontaires.

Nous invitons le lecteur intéressé à retrouver les documents ayant servi à la recherche, la représentation graphique des caractéristiques des répondants de même que la représentation graphique de certains résultats en annexe.

CHAPITRE **6**

*La vie sexuelle
des personnes âgées :
analyse d'entrevues*

Par le biais d'une entrevue semi-structurée doublée d'une histoire de vie, cent dix personnes âgées de 60 à 94 ans ont parlé des étapes de leur vie sexuelle depuis l'enfance jusqu'à maintenant en passant par l'éducation sexuelle reçue, l'éducation sexuelle donnée, les fréquentations, la vie conjugale, la retraite. Nous avons retenu pour fin d'analyse quatre-vingt de ces histoires de vie. Le contenu livré a été organisé autour des thèmes principaux des entrevues et analysé en regroupant les personnes de la même décennie et du même sexe. Un regard synthèse permet de mettre en évidence les similitudes et les différences dans le déroulement de ces quatre-vingt vies.

L'entrevue semi-structurée doublée d'une histoire de vie s'est révélée un outil de choix permettant de recueillir auprès des personnes âgées un matériel abondant et riche dont l'exploitation n'est qu'à ses débuts.

Ainsi nous avons, par l'intermédiaire d'étudiants gradués, réalisé au cours des dernières années cent dix entrevues d'hommes et de femmes dont l'âge varie entre 60 et 94 ans. Ces entrevues avaient pour objectif de connaître le déroulement de la vie sexuelle des personnes âgées, d'identifier à travers leurs récits des facteurs de modifications d'attitudes et de comportements sexuels.

Le présent chapitre s'attarde au premier volet de l'objectif présenté et analyse par groupe d'âge et de sexe le contenu de quatre-vingts entrevues. Les trente entrevues laissées de côté l'ont été en raison de problèmes techniques tels : magnétophone défectueux, contenu non audible, interruption soudaine de l'entrevue à cause d'un changement obligé d'activité pour la personne âgée interviewée... en raison de problèmes de contenu : concentration sur un autre sujet que celui de l'entrevue et saturation au niveau du matériel livré. Le corpus constitué du matériel audio et transcrit une première fois pour chacun des répondants a été organisé autour des thèmes principaux des entrevues et analysé quantitativement et qualitativement par catégorie, par groupe d'âge et par sexe, sans effectuer de traitement statistique cependant.

Les catégories retenues sont les suivantes :

– relation avec les parents : avec le père, avec la mère,
– éducation sexuelle reçue et modalités,

- fréquentations : âge, durée, modalités,
- nuit de noces – première relation sexuelle avec le conjoint : contexte, impressions,
- venue des enfants – expression de la sexualité : modifications,
- éducation sexuelle donnée : sujets, modalités,
- vie conjugale et sexuelle : début, mitan, aujourd'hui,
- attitude face au vieillissement et à la vieillesse : aménagements, peurs.

Ainsi, nous procéderons à l'analyse en considérant d'abord les répondants de 60 à 70 ans exclusivement, dans l'ordre suivant : les hommes, les femmes ; puis, les répondants de 70 à 80 ans exclusivement en respectant le même ordre et enfin, les répondants de 80 ans et plus, toujours en respectant le même ordre. L'analyse, tout en n'étant pas exhaustive, permet toutefois d'appréhender globalement et de façon instructive notre échantillon.

Répondants de 60 ans à 70 ans

Les hommes

Nous avons retenu, pour fin d'analyse, les entrevues réalisées auprès de dix hommes dans cette tranche d'âge. Cinq sont mariés, deux sont veufs et trois sont célibataires. Huit vivent à domicile et deux en centre d'accueil. Huit jouissent d'une bonne santé tandis que deux répondants affirment que la leur est passable. Trois répondants ont fait des études universitaires, l'un d'eux a fait des études collégiales, quant aux six autres, ils sont allés certains à l'école primaire et certains même à l'école secondaire.

Relations avec les parents

Avec le père

Quatre répondants parlent d'une relation positive avec leur père, ils l'expriment dans ces termes : « je m'arrangeais bien avec », « il était sévère quand il le fallait », « il était bon, affectueux ».

Quatre répondants gardent un souvenir négatif de la relation avec leur père : « il n'avait pas d'amour ou d'affection », « il était froid », « il était sévère, loin des émotions », « c'était l'autorité suprême »...

Pour l'un d'eux, le père travaille toujours, il est le grand absent.

Deux répondants perdent leur père alors qu'ils sont encore enfants ou jeunes adolescents.

Avec la mère

Six répondants ont eu une relation positive avec leur mère : ils s'arrangent bien avec elle, elle est compréhensive, très bonne, généreuse, affectueuse, tendre, elle manifeste beaucoup d'amour.

Deux répondants déplorent une relation dépourvue d'affection : « femme très autoritaire », « gentille mais pas affectueuse comme une vraie mère ».

Éducation sexuelle reçue

La plupart des répondants de cette tranche d'âge n'ont reçu aucune éducation sexuelle explicite à la maison. On ne parle pas de sexualité ou quand on le fait c'est pour mettre en garde, pour dire que les parties génitales (le sexe) et l'usage qu'on en fait est laid, tabou, péché, sauf dans le cadre du mariage.

Les répondants ont été instruits ou se sont instruits à travers les jeux sexuels entre garçons du même âge, les lectures, l'initiation par une fille ou un garçon plus âgés, ou à travers l'observation des animaux ou l'observation discrète des comportements sexuels des adultes avoisinants. Ils dégageront des informations recueillies des messages contradictoires ou pour le moins obscurs :

– la masturbation est une activité ou normale, ou coupable, ou honteuse ;

– approcher les filles, c'est dangereux. Une grossesse et/ou une maladie vénérienne peut en résulter ;

– la masturbation n'est pas digne d'un vrai homme ;

- les petites filles, c'est juste un embarras ;
- il faut s'occuper pour ne pas avoir de mauvaises pensées ;
- si tu peux te retenir, tu peux entrer dans les ordres ; « si tu ne peux te retenir, c'est le mariage. »

Fréquentations

Les répondants de cette tranche d'âge commencent à regarder les filles, à les fréquenter entre 17 et 21 ans (moyenne d'âge : 19 ans). Peu d'entre eux auront des relations sexuelles complètes avant le mariage avec leur future épouse ; il y aura des attouchements, des baisers, mais rien d'autre. S'ils ont des relations sexuelles, c'est avec des filles ou des copines occasionnelles et à ce moment ils utilisent le retrait. Ils vivent la peur de la grossesse et des responsabilités subséquentes face à la mère et l'enfant, la peur des « maladies ». Les pulsions sont fortes et si le répondant ne peut se retenir, on lui recommande de se marier.

Nuit de noces – Première relation sexuelle avec la conjointe

La nuit de noces, pour ceux qui n'avaient pas eu de relations sexuelles avec leur femme avant le mariage, se déroule bien, dans le contentement réciproque ; la bonne volonté et l'abandon suppléent, dans certains cas, à l'expérience sauf dans un cas où la femme est menstruée et le conjoint n'en était pas prévenu – alors les distances sont gardées : pas de baiser, pas de relation. Le répondant parle de cette nuit-là comme d'un combat. C'est un mauvais départ dont la vie sexuelle ultérieure risque de se ressentir.

Venue des enfants et expression de la sexualité

La venue des enfants n'occasionne pas de changements marqués dans l'expression de la sexualité conjugale – sauf que l'un d'eux se dit « frustré d'avoir autant (6) d'enfants et un autre affirme que d'avoir assisté à l'accouchement de son premier enfant l'aidait à se retenir pendant les périodes fertiles de sa femme.

Éducation sexuelle donnée

Aucun répondant n'affirme avoir fait de l'information ou de l'éducation sexuelle explicite à ses enfants.

Vie conjugale et sexuelle

Nous avons tenté de cueillir des informations sur l'évolution de la vie conjugale et sexuelle depuis le début du mariage des répondants jusqu'à aujourd'hui. L'itinéraire pour chacun est particulier bien que la ferveur sexuelle des premiers jours ait tendance à prendre, au fur et à mesure des années, le visage de la stabilité, de la tendresse, d'une grande amitié quand ce n'est pas de la fadeur, ou de la froideur. Pour quelques-uns, les relations extra-maritales ont été désirées et/ou concrétisées – ou bien encore, la profession, la « gang » venaient distraire de la relation de couple ; l'un d'eux, en parlant des relations sexuelles, les qualifie d'abord de merveilleuses, puis de nonchalantes, enfin de froides, d'où désinvestissement et culpabilité. Un autre parle de déception liée au manque de désir de sa femme mais aussi à l'éjaculation rapide, puis à la tromperie de sa femme ; l'un d'eux affirme que la relation a été au beau fixe tout au long de la vie, c'est cependant un rare cas. Plusieurs répondants affirment que la ménopause de la conjointe, loin de déranger, a permis de vivre leur sexualité sans le stress d'une nouvelle grossesse. Même dans les cas où la sexualité dans son expression génitale s'est affadie, les répondants maintiennent qu'il vaut mieux continuer avec leur épouse que de chercher satisfaction ailleurs. La sexualité, dans son expression génitale, perd de son importance et de son acuité avec les années. La fréquence des relations sexuelles pour certains en a été affectée.

Attitude face au vieillissement et à la vieillesse

Les répondants n'ont pas peur de la vieillesse pourvu qu'ils demeurent autonomes, actifs, séduisants. « Ça ne m'intéresse pas de voir vivre les autres à travers une fenêtre, je veux être du même côté de la fenêtre qu'eux » dira l'un d'eux. Pour certains, la sexualité n'est plus aussi importante qu'avant. Il faut entendre sans doute que l'expression génitale de la sexualité n'est plus aussi importante qu'avant, même si la « nature qui n'est pas infirme » (sic) libère autrement la tension sexuelle : « pollutions nocturnes » ; et même s'il en a le goût, le répondant rationalise, fait appel à ses peurs, s'interdit pour toutes sortes de raisons l'acte sexuel. Pour d'autres répondants, l'expression génitale de la sexualité demeure importante mais la conjointe, elle, la considère comme un vice et ne veut pas y participer. Plusieurs répondants se disent heureux d'avoir des enfants et des petits-enfants qui les aident à rester jeunes.

Les femmes

Nous avons retenu, pour fin d'analyse, les entrevues réalisées auprès de 17 femmes dans ce groupe d'âge. Six sont mariées, neuf sont veuves, deux sont divorcées. Treize vivent à domicile, trois vivent en foyer et une en centre d'accueil. Onze répondantes se disent en bonne santé et six ont une santé qualifiée de passable. Une seule répondante a une formation universitaire, quatre ont une formation collégiale, les douze autres sont allées à l'école primaire, certaines à l'école secondaire.

Relation avec les parents

Avec le père

Dix répondantes qualifient de positive la relation qu'elles ont eue avec leur père. Elles parlent d'un père juste, sensible, autoritaire mais généreux, bon, franc, honnête, plein d'idées, organisateur, chaleureux, père idole.

Pour une répondante, son père ne parle pas beaucoup, il est renfermé. Trois répondantes n'ont pas connu leur père parce qu'il était constamment malade ou absent. Deux répondantes ne fournissent pas d'information quant à la relation à leur père.

Quatre répondantes perdent leur père alors qu'elles sont encore enfants ou adolescentes.

Avec la mère

Pour huit répondantes, elles gardent un bon souvenir de leur mère, elles la voient comme étant bonne, intelligente, proche d'elles, ouverte, aimante, joyeuse, bonne vivante.

Quatre répondantes qualifient leur mère de sévère, froide, autoritaire, toujours prête à donner des commandements en terme de « ne pas ».

Trois répondantes parlent de leur mère comme étant très occupée, n'ayant pas le temps ou ne prenant pas le temps de leur manifester de l'affection.

Une répondante ne fournit pas d'information spécifique sur le sujet.

Trois répondantes perdent leur mère alors qu'elles sont encore enfants ou adolescentes.

Éducation sexuelle reçue

Les répondantes affirment n'avoir eu aucune éducation sexuelle explicite de la part des parents si ce n'est un peu d'informations concernant les menstruations et encore là, le jour de leur apparition ou peu de temps avant qu'elles ne surviennent. Dans certains cas, les menstruations sont présentées comme une calamité : « Pauvre petite fille, je le savais que ça allait t'arriver ! » ou comme une maladie : ces jours-là, faire attention, « ne pas se mettre les mains à l'eau froide, ne pas prendre de bain... ». Quatre répondantes sont informées au sujet des menstruations par une sœur plus jeune ou plus âgée qui, elle, a déjà eu ses menstruations. Pour le reste des questions concernant la sexualité : le corps et ses « lieux de plaisir », les mystères de l'amour et de la vie, les répondantes trouvent des réponses dans l'observation des comportements des adultes et des animaux, dans l'exploration de leur corps, dans l'expérimentation sur leur corps ou sur celui de copines, dans les lectures. Elles apprennent aussi par l'exploitation sexuelle (gardée sous silence) dont elles sont l'objet de la part de maîtres de maison où elles travaillaient, c'est le cas de deux d'entre elles.

Presque toujours la sexualité (le sexe) est présentée comme quelque chose de péché, de tabou. Au point qu'on camoufle même sous les dehors d'un accident, d'une fracture, l'accouchement de la mère, « elle s'est cassée une jambe » dirait-on si elle doit s'absenter quelques jours. La répondante qui rapporte ce fait l'a vécu comme un affront à son intelligence.

Fréquentations

Les fréquentations commencent généralement plus tôt pour les répondantes (vers l'âge de 16 ans en moyenne) que pour les répondants du même groupe d'âge. Le garçon est présenté par un frère, un ami de la famille, un voisin ou encore la fille le connaît depuis un certain nombre d'années comme voisin, compagnon d'école, employé de la famille. Elles se déroulent en général, plus souvent qu'autrement, au domicile familial au vu et au su des parents et de la fratrie, ou encore en groupe. Il y a échange de baisers, d'attouchements mais habituellement pas de relations sexuelles coïtales avant le mariage, sauf dans cinq cas. Pour une répondante, la relation sexuelle occasionna une grossesse qu'elle mena à terme. L'enfant fut ultérieurement adopté par une sœur de la répondante, ce qui lui a permis, comme elle l'affirme, de l'avoir à l'œil. Le sexe (expression génitale de la sexualité) est considéré comme dangereux et péché et celle qui se le permet hors mariage est identifiée comme « guidoune » ou « traînée ».

Nuit de noces – Première relation sexuelle avec le conjoint

Le voyage de noces a lieu souventes fois chez des parents, ce qui peut, on le devine aisément, réduire l'intimité des nouveaux mariés, intimité si nécessaire aux premières relations sexuelles, quand c'est le cas. Huit répondantes parlent de cette nuit de noces comme ayant été une expérience plus ou moins heureuse ou pas heureuse du tout, elles l'expriment en ces termes :"je suis indifférente le jour des noces », « je suis menstruée ce jour-là, c'est décevant », « je suis très gênée », « je n'ai pas beaucoup de jouissances », « je ne savais pas que je pouvais avoir du plaisir », « je me suis donnée comme les autres, ça été difficile », « la relation n'est pas réussie du premier coup, on manque de connaissances et mon mari est éjaculateur précoce ».

Par ailleurs, quelques-unes parlent de cette nuit comme d'un « sommet » : « les pulsions sont au paroxysme », « il y a recherche d'un orgasme simultané », « c'est un très beau souvenir », « mon mari me demandait des choses que je ne connaissais pas avant : cunnilingus et fellation ; j'étais prête à faire bien des choses dans la ferveur du mariage ». Une répondante exprime son inconfort quant au sexe oral demandé par le conjoint.

Venue des enfants et expression de la sexualité

La venue des enfants, sauf une exception, est accueillie avec joie et ne modifie pas l'expression de la sexualité chez les conjoints. Pour une répondante, la perte de deux enfants à terme et quelques avortements spontanés auraient occasionné quelques craintes et ralenti les élans ; il en est de même dans le cas d'une autre répondante ayant donné naissance à un enfant mongol. Deux répondantes parlent de la reprise attendue, désirée des activités sexuelles, quarante jours après la naissance d'un enfant.

Éducation sexuelle donnée

Six répondantes affirment avoir fait de l'éducation ou de l'information sexuelles explicites dans la mesure de leurs connaissances, particulièrement à l'arrivée des menstruations chez les filles ou au début des fréquentations. L'éducation ou l'information sexuelles passaient très souvent par l'éducation morale « ce qui est bien, ce qui est mal », par une invitation à la responsabilité. Pour le reste, elles se fient au rôle d'éducateurs ou d'informateurs sexuels des livres, des ami-e-s, des expériences sexuelles personnelles.

Vie conjugale et sexuelle

La vie conjugale débute sous de bons auspices pour neuf des répondantes ; les conjoints se conviennent bien, elles prennent plaisir aux relations sexuelles coïtales, elles obtiennent l'orgasme fréquemment, elles aiment leur mari et répondent à ses demandes ;

pour les autres, les débuts sont marqués par les relations extra-maritales du conjoint, par la jalousie, par le manque de préparation à la relation sexuelle, le manque de délicatesse, par la perte répétée d'enfants ou de grossesses en cours, par la gêne ou la trop grande pudeur. Deux répondantes affirment n'avoir jamais vu leur mari nu et une répondante ne s'est jamais déshabillée devant son conjoint.

Les changements dans la vie conjugale à son mitan sont occasionnés par l'abandon du conjoint (dans 2 cas), par son alcoolisme (1 cas), ou son impuissance (2 cas), par les problèmes ménopausiques des répondantes, l'absorption de contraceptifs oraux, la maladie de l'un ou l'autre conjoints.

Aujourd'hui, pour celles dont le mari vit avec elles, la vie sexuelle génitale a perdu en quantité pas nécessairement en qualité, même si ça peut être le cas pour deux répondantes dont les problèmes de communication sont liés à l'expérience antérieure non « métabolisée » ou assimilée, au handicap ou à la routine.

Pour celles dont le mari est décédé ou parti, elles disent rencontrer des amis occasionnellement, avoir des activités sexuelles coïtales quand elles en ont le goût, et profiter de leur liberté.

Attitude face au vieillissement et à la vieillesse

Neuf répondantes entrevoient positivement le vieillissement et la vieillesse ; quant aux autres, elles ne s'expriment pas clairement sur ce sujet. Vieillir ne dérange pas dans la mesure où on demeure autonome. Sept répondantes disent accepter les changements corporels liés au vieillissement même si elles ne manquent pas une occasion de les camoufler. La sexualité, de l'avis des répondantes, peut se vivre aussi longtemps que la personne ou les personnes sont d'accord pour la vivre. Deux répondantes se remarieraient si elles trouvaient l'homme désiré ; une seule dit utiliser la masturbation quand elle en ressent le besoin bien que plusieurs autres disent connaître la masturbation et ses effets mais ne pas ressentir le besoin de l'utiliser.

Répondants de 70 à 80 ans

Les hommes

Nous avons retenu, pour fin d'analyse, les entrevues réalisées auprès de huit hommes dans cette tranche d'âge. Cinq sont mariés dont deux en secondes noces, deux sont séparés et un est veuf. Quatre répondants vivent à domicile et quatre en foyer pour personnes âgées ou en Centre d'Accueil. Six répondants jouissent d'une bonne santé tandis que deux disent avoir une santé passable. Un répondant a fait des études universitaires, un des études collégiales, un des études secondaires, enfin cinq des études primaires du premier ou du deuxième cycles. Tous les répondants se disent catholiques pratiquants.

Relation avec les parents

Quatre répondants qualifient de bonne, même d'idéale la relation existant entre le père et la mère, quant aux autres ils n'en parlent pas de façon claire.

Avec le père

Quand on examine plus spécifiquement la relation de chacun des répondants avec son père, quatre répondants la qualifient de très bonne ou de bonne et l'expriment ainsi : « mon père était bon comme la vie ... », « j'étais très proche de lui » et quatre s'accordent à dire que leur père était sévère ou très sévère, qu'il ne manifestait aucune tendresse ou chaleur.

Avec la mère

Quant à la relation avec leur mère respective, les répondants en parlent surtout en termes de sanctions, de discipline. « Elle n'avait pas le temps pour la tendresse et l'amour » dira l'un d'eux.

Éducation sexuelle reçue

Aucun répondant de cette catégorie d'âge n'a bénéficié d'une éducation sexuelle à la maison. L'un d'eux affirme que lors de son mariage il ne connaissait pas la différence entre un garçon et une fille. L'école n'a pas, à l'instar de la famille, fourni ni information, ni éducation sexuelles. Les répondants ont appris à travers les jeux sexuels : jeu du docteur « rien d'excitant, rien de sexuel, on se tâtait, elle me lavait le grelot » ; ils ont appris également à travers les échanges verbaux (discussion au sujet des filles) et non verbaux (masturbation de groupe) entre copains et à travers l'expérience personnelle.

Fréquentations

Quatre répondants affirment avoir « beaucoup sorti » avant le mariage et les fréquentations dans ces cas se déroulaient sans surveillance. Ils ont eu des relations sexuelles pré-maritales ou avec leur future épouse ou avec une autre femme, quelques années avant le mariage. Tous les stratèges sont bons, l'un d'eux va même porter un faux nom quand il fréquente telle fille parce qu'il sort déjà avec quelqu'un d'autre ; un autre fréquente occasionnellement une maison de passe. Quant aux quatre autres, ils ont vécu des fréquentations sous surveillance comme il convenait généralement au temps de leur jeunesse, au cours desquelles les baisers et les attouchements avaient lieu en cachette.

Nuit de noces – première relation avec la conjointe (quand c'est le cas)

La nuit de noces s'est bien déroulée tant pour ceux qui n'avaient pas eu de relations sexuelles pré-maritales que pour les autres à l'exception d'un répondant dont l'épouse était menstruée ce jour-là et il n'en avait pas été prévenu par son épouse. Le père de cette dernière avertit le nouveau marié de ne pas faire de voyage de noces, car il ne pourrait pas avoir de relations sexuelles avec sa femme à cause de la période menstruelle.

Venue des enfants – expression de la sexualité

Selon les répondants, la venue des enfants n'occasionna pas de changements dans l'expression de la sexualité.

Éducation sexuelle donnée

Aucun répondant n'a procédé explicitement à l'information, à l'éducation sexuelles explicites des enfants. Il manque de mots, il se fie sur les livres ou sur les copains pour le faire.

Vie conjugale et sexuelle

Il est difficile sur ce point de tracer un portrait global tant l'histoire conjugale de chaque répondant est particulière. On peut affirmer toutefois que dans l'ensemble le début de cette vie est heureux, satisfaisant même si certaines restrictions sont liées au lieu de vie : le couple habite les cinq premières années chez les parents du conjoint ou de la conjointe ; restrictions liées aux fausses croyances : on ne doit pas faire l'amour pendant les menstruations, femme souillée-souillante, objectif de reproduction moins réalisable.

Après un début heureux, selon chacun des répondants, le mitan de la vie conjugale a pris des tangentes diversifiées : un homme parle de la relation que l'on peut soupçonner d'homosexuelle de sa femme avec une femme séparée, le privant, lui, de relations sexuelles avec sa conjointe pendant dix-sept ans et auxquelles relations il supplée par la masturbation deux fois par quinzaine. Il en obtient la permission de son médecin, ajoute-t-il. Un autre répondant évoque le moment de l'opération de son épouse comme le moment de l'interruption des relations sexuelles coïtales cédant la place pour lui à la masturbation. Non seulement la sexualité conjugale a été perturbée mais toute la vie du couple l'a été : »ma femme me tient responsable de tout, elle chicane tout le temps, elle est très négative » puis « je parle si peu à la maison que quand j'arrive pour parler, je ne trouve plus mes mots ». Deux autres répondants relient à des malaises chez eux (problèmes respiratoires, difficulté érectile) ou chez la partenaire (descente de la

vessie, fatigue ménopausique) une baisse de la fréquence des relations sexuelles par peur de faire mal, de manquer de souffle ou de
puissance érectile. Trois autres répondants évoquent l'un l'alcoolisme et les relations extra-maritales de son épouse, l'autre
l'influence nocive d'une parente sur son épouse : « au retour
d'âge, il vaut mieux faire chambre à part » (il se masturbera
depuis l'âge de 50 à 80 ans) et un troisième la jalousie de son
épouse comme cause ou facteur déclenchant de la séparation, du
divorce, de l'affadissement de la relation conjugale. Un répondant affirme qu'il lui suffisait "de se retourner vers elle (sa femme)
pour perdre ses moyens». Il sera privé de sexualité de couple pendant 25-30 ans.

Aujourd'hui, pour nos répondants, l'expression de la sexualité
prend d'autres visages teintés d'abstention, de déception, de retenue, de rassasiement : « après deux opérations pour la prostate,
maintenant c'est rien que dans la tête », « depuis 15 ans, ça ne
m'intéresse plus parce que j'ai été échaudé », « on s'habitue à ne
pas en avoir en vieillissant », « j'avais un jeu de cartes avec des
photos de filles nues, c'est stimulant, je l'ai jeté, c'était trop ten-
tant ». Visages teintés aussi d'espoir ou d'une certaine satisfaction : « je me remarierais ou je prendrais une femme différente de
ma femme », « j'ai une amie actuellement, elle est très importante
pour moi ».

Attitudes face au vieillissement et à la vieillesse

Quatre répondants résument leur attitude face au vieillissement
en disant qu'ils ont confiance dans la vie, les biens matériels sont
importants dans la mesure où ils favorisent l'autonomie ; la mort
ne fait pas peur mais la maladie, la souffrance sont à craindre.
Deux répondants affirment que la tendresse est importante quand
on avance en âge, elle supplée aux contacts intimes maintenant
rares ou absents. Les changements corporels dans la mesure où ils
ne sont pas débilitants n'affectent pas nos répondants. Ce qui
affecte le plus un de nos répondants, c'est de se savoir « au faîte de
la montagne, on sait qu'on va débouler bientôt ». L'un d'eux
regrette d'être resté dans une situation conjugale difficile tandis
que les autres se disent satisfaits de leur vie.

Les femmes

Nous avons retenu, pour fin d'analyse, les entrevues réalisées avec vingt-deux femmes dans cette tranche d'âge. Seize sont veuves, deux sont mariées, deux sont séparées et deux sont célibataires. Quinze répondantes ont fait des études primaires de premier et de second cycles, quatre ont fait des études secondaires, deux des études collégiales et une des études universitaires de premier cycle. Huit répondantes affirment que leur santé est bonne tandis que treize la disent passable et une, mauvaise. Toutes se présentent comme catholiques pratiquantes. Quatorze vivent à domicile tandis que huit habitent en foyer pour personnes âgées ou en centre d'accueil.

Relations avec les parents

Pour la moitié des répondantes la relation entre les deux parents est bonne, elles l'expriment ainsi : « les deux parents s'aimaient et se manifestaient de l'affection », « je garde de bons souvenirs de mes parents », « à la maison, on était bien heureux », « entre les parents, il y avait une bonne entente ». L'autre moitié des répondantes ne s'expriment pas clairement sur la relation entre leurs deux parents.

Avec le père

Pour la moitié des répondantes de ce groupe d'âge, leur père, quand elles font appel à leurs souvenirs, était très sévère ou sévère, quatre répondantes ont peu connu leur père, ce dernier étant mort alors qu'elles étaient enfants ou adolescentes, ou encore parce que ce dernier travaillait à l'extérieur et que ses apparitions à la maison étaient rares. Pour trois répondantes, le père dont elles se rappellent était bon, proche d'elles, compréhensif, gai, sincère, très travaillant. Les autres répondantes omettent de qualifier leur relation avec leur père.

Avec la mère

Sept répondantes gardent de leur mère un souvenir heureux : « elle était bonne et douce, réprimandait quand c'était nécessaire »,

« elle était adroite et travaillante (...) je sentais son amour », « elle était très bonne et donnait de la tendresse », « elle était tolérante et bonne éducatrice », « elle était bien enjouée, douce, persévérante ». L'une d'elles dira qu'elle était proche de sa mère mais pas assez proche cependant pour parler de ses choses intimes. Cinq répondantes perdent leur mère alors qu'elles sont enfants ou adolescentes; une autre a vécu depuis l'âge de six ans avec le spectre du suicide de sa mère. Sa mère possessive, dépressive en parle souvent. Cette répondante dit avoir été la mère de sa mère et avoir éprouvé du soulagement quand effectivement sa mère s'est suicidée. Une autre affirme avoir vécu avec la peur de sa mère qu'elle qualifie de très sévère, de trop sévère.

Éducation sexuelle reçue

Aucune répondante de cette catégorie d'âge n'a reçu une information ou une éducation sexuelles. À l'exception de deux, aucune n'a été prévenue des menstruations, de leur fréquence, de leur inscription dans l'évolution normale de la fille ou de la femme. Pour quatre répondantes, leur apparition est sujet d'inquiétude vive : peur de mourir par exemple. L'une d'elles raconte que lorsque sa sœur a été menstruée "le sang coulait à terre », elle pensait que sa sœur allait mourir. Elle ne se souvient pas qu'à ce moment on l'ait rassurée. Parfois, une information brève est fournie lors de l'événement, information assaisonnée d'avertissement et de comportements non verbaux éloquents, comme le rapporte cette répondante pensionnaire chez les sœurs lors de sa ménarche : « faut jamais aller avec un homme, quand vous commencez ça, vous ne pouvez pas vous arrêter » lui dit la sœur en lui tendant les linges à utiliser. Bien souvent, la jeune fille menstruée s'imagine qu'elle est la seule à qui pareille chose arrive, elle garde le secret, se cache pendant ses périodes, trouve ça écœurant à cause des odeurs.

Les répondantes se sont informées ou se sont donné de l'éducation sexuelle en jouant au père et à la mère, en se caressant entre filles, en écoutant les conversations des grandes personnes, en observant les comportements des animaux de la ferme, en discutant des choses sexuelles avec des compagnes à l'école. Cinq répondantes avouent s'être masturbées étant enfant, parfois jusqu'à l'obtention de l'orgasme.

Fréquentations

Les fréquentations commencent tôt autour de 16-17-18 ans, elles durent entre 18 et 36 mois, elles se déroulent à la maison sous surveillance, ou bien en groupes, les baisers et quelques attouchements non compromettants sont permis. La plupart des répondantes, à l'exception d'une seule, n'ont pas eu de relations sexuelles pré-maritales, les principes religieux et moraux l'interdisant. L'une d'elles affirme n'avoir jamais vu de pénis avant le mariage. Et pour celle qui a eu une relation sexuelle pré-maritale, ce ne fut pas l'expérience heureuse attendue « elle a eu mal, a saigné, elle se sentait tendue, inconfortable ». L'ami fréquenté est souvent une connaissance : ami d'un frère, parent d'une amie, employeur, etc.

Nuit de noces – première relation avec le conjoint

Dix répondantes parlent de leur nuit de noces comme ayant été une bonne expérience : « ça m'a plu », « ça bien été », « ça été à peu près comme je me l'imaginais », « du plaisir, un thrill », « bien tranquillement, une bonne entente », « relations sexuelles très satisfaisantes, avec orgasme ». Elles attribuent le succès de cette nuit à la connaissance, la gentillesse, la délicatesse, la discrétion, la patience du conjoint. L'expérience fut moins heureuse pour quelques autres, elles parlent de peur, de gêne, de scrupule, de douleur, d'une véritable crise de nerfs retardant la consommation du mariage : « se faire dévierger, madame, c'est quelque chose ». Pour celle qui a eu des relations sexuelles pré-maritales, elle affirme que son conjoint et elle se sont sentis libérés pour être tout simplement amoureux.

Venue des enfants – expression de la sexualité

Pour trois répondantes seulement, la venue des enfants a pu modifier l'expression de leur sexualité soit en terme de trouver une façon de faire l'amour sans danger de grossesse, soit qu'une relation sexuelle soit interrompue par les pleurs du bébé, soit qu'une baisse de fréquence des relations sexuelles survienne pendant la grossesse ou immédiatement après une naissance.

Éducation sexuelle donnée

Dix-sept répondantes n'ont donné aucune information ou éducation sexuelles explicites à leurs enfants. Deux affirment s'être fiées sur l'école pour le faire. Deux répondantes attendaient les questions de l'enfant et quand il les posait, elles répondaient au meilleur de leur connaissance. Une répondante dit avoir éduqué son garçon à respecter les filles, une autre a averti sa fille de ne pas « partir en famille » pendant que son mari a expliqué aux garçons, on ne sait pas trop quoi. Enfin, une répondante a permis à sa fille d'avoir des relations sexuelles à la maison même si elle n'était pas heureuse de la situation.

Vie conjugale et sexuelle

Le début de la vie de couple est satisfaisant pour seize répondantes, ou parce que le mari est très raisonnable, pas exigeant sur le plan de la sexualité, ou parce qu'il prépare bien son épouse ou parce qu'il s'organise pour qu'elle soit satisfaite, ou parce qu'il y a entente entre les conjoints. La fréquence des relations varie de 1 à 3 fois par semaine. Quatre répondantes seulement parlent de plaisir, de jouissances, d'orgasme pour dire que ça n'allait pas de soi, ou qu'elles sont parvenues à jouir par masturbation ou après plusieurs années de mariage. Pour les autres répondantes, le début de la vie conjugale est assombri par l'alcoolisme du conjoint, sa rudesse, ses relations extra-maritales et incestueuses (1 cas), sa jalousie, par la crainte d'une grossesse.

La vie conjugale et sexuelle poursuit son cours sans encombres ou problèmes particuliers pour onze répondantes. La ménopause n'a pas été cause de modifications sur le plan de l'expression de la sexualité sauf que pour l'une d'elles la crainte de la grossesse étant disparue, elle s'abandonna plus facilement. Six répondantes, entre 40 et 55 ans, auront subi une hystérectomie. Elles ne relèvent aucune conséquence fâcheuse à l'intervention. Dans deux couples, le mari éprouva des problèmes d'impuissance, et alors c'est lui qui décida de mettre un terme aux relations sexuelles même si l'épouse eut préféré poursuivre. Dans un autre couple, la relation s'est détériorée après 30 ans de vie conjugale et pour la revigorer, le mari suggéra des échanges de couples, ce à quoi la femme consentit même si elle en avait peu le goût et même si elle y prenait peu de plaisir. Les échanges durèrent peu et n'apportèrent pas les résultats escomptés sur la relation conjugale. Pour deux répondantes, la vie conjugale et sexuelle a subi les contrecoups de l'alcoolisme du conjoint « même quand le mari est en brosse, c'est le bon Dieu » dit un curé à l'une d'elles, « et il faut l'accueillir comme tel ». Deux répondantes perdent leur mari alors qu'elles sont dans la cinquantaine. Six répondantes soulignent l'importance de la fidélité dans leur couple.

Aujourd'hui, six répondantes disent pouvoir se passer facilement de la sexualité, « du sexe » et que la liberté qu'elles chérissent en vaut le prix. Parfois, elles voudraient un homme de compagnie mais sans que ce ne soit trop compromettant. Toutes les répondantes ne partagent pas cependant cette attitude face à l'autre sexe ; l'une d'elles dira qu'elle « aimerait rencontrer quelqu'un de délicat pour elle », une autre qu'elle « regarde les beaux hommes, il faut bien que j'aie quelque chose un peu », une autre qu'elle « a eu de belles aventures, qu'elle aimerait encore faire l'amour » même si elle « sent un petit ralenti depuis l'âge de 71 ans », quand elle voit un homme beau, elle a le goût de faire l'amour avec, elle n'a pas mis la sexualité de côté à 75 ans ; une autre affirme qu'elle cherche un homme « capable encore » ; une autre qu'elle a parfois le goût, même à son âge, 1 fois par mois, mais qu'elle ne peut jamais en parler à son mari impuissant ; « plus on vieillit, ajoute une autre, plus on s'approche ; on s'apprécie beaucoup, (on ne veut) pas l'amour charnel comme quand on était jeune, surtout la tendresse ». Deux autres répondantes se contentent de vivre l'une avec ses bons souvenirs, l'autre avec ses regrets de n'avoir pas fait suffisamment plaisir à son mari. Une troisième se prive de recevoir un ami à la maison à cause de ses enfants adultes.

Attitude face au vieillissement et à la vieillesse

Neuf répondantes se disent affectées par les changements physiologiques et corporels liés au vieillissement, « avoir un moins beau corps, c'est parfois gênant », mais elles camouflent, l'une d'elles ajoutera parce que c'est important pour les enfants (adultes). Quatre répondantes diront qu'elles s'acceptent telles qu'elles sont. Six répondantes affirment leur confiance dans la vie, trois leur peur de la mort, « je ne peux porter de bijoux au cou ou dormir ma porte de chambre fermée, j'étouffe », et deux la peur de perdre leur autonomie. La solitude est difficile à vivre pour cinq répondantes. Deux répondantes se souhaitent de rencontrer l'homme qui romprait leur solitude et avec qui elles pourraient vivre leur sexualité tandis qu'une autre, célibataire et handicapée, qualifie de « dégueulasses » les relations entre une femme et un homme âgés.

 # Répondants de 80 ans et plus

Les hommes

Pour fin d'analyse, nous avons retenu les entrevues réalisées auprès de neuf hommes dont les âges varient entre 80 et 94 ans, deux répondants ont au-delà de 90 ans. Six sont veufs, deux sont mariés et un est séparé. Six se disent en bonne santé, deux ayant une santé passable et un, une mauvaise santé. Deux répondants ont fait des études universitaires de 3ᵉ cycle, deux ont fait des études secondaires et cinq des études primaires. Quatre vivent à domicile et quatre en foyer pour personnes âgées ou en centre d'accueil.

Relations avec les parents

Un seul répondant signale que la relation entre les deux parents en était une d'affection.

Avec le père

Deux répondants parlent de leur père comme étant un homme travaillant et courageux, ce qui ne nous apprend rien sur la relation du père avec son fils, un répondant parle de son père « timide et affectueux » tandis qu'un autre voit le sien comme étant très sévère et pas très affectueux. Aucun ne qualifie la relation avec son père.

Avec la mère

Les répondants, quand ils parlent de leur mère, la présentent comme bonne, très bonne, chaleureuse, franche, travaillante. L'un d'eux souligne qu'il l'aimait beaucoup mais « pas au point d'avoir des relations sexuelles avec elle cependant ». Aucun commentaire négatif dans leur témoignage sur la relation mère-fils.

Éducation sexuelle reçue

Les répondants sont unanimes au sujet de l'absence d'information ou d'éducation sexuelles explicites reçues dans leur enfance ou leur adolescence. Ils apprennent en jouant au docteur : l'un d'eux se rappelle d'avoir été puni pour avoir baissé la culotte d'une cousine ; ils apprennent aussi par l'expérience personnelle : masturbation de groupe par exemple ou avances sexuelles d'adultes, par la lecture, l'observation des comportements affectueux des parents et les comportements sexuels des animaux de la ferme.

Fréquentations

L'âge des fréquentations varie beaucoup pour les répondants de ce groupe d'âge (18 ans, 20 ans, 31 ans) et pour quatre d'entre eux elles se prolongent jusqu'à 5-7-12 ans avant le mariage. À l'exception d'un répondant qui veille sagement à la maison sous surveillance et obtient des baisers en cachette, les autres parlent de « fréquentations pleines de désir, de demi-satisfactions », « d'aventures et de relations sexuelles avec plusieurs femmes avant le mariage mais pas avec la future épouse », de touchers et de projets d'avenir. Un seul affirme avoir eu des relations sexuelles pré-maritales avec sa future épouse.

Nuit de noces – première relation avec la conjointe

L'appréciation de cette nuit ou de la première relation passe de « ma femme jouissait complètement », « ma femme a aimé ça », à « pas trop pire », « ça s'est bien passé », « pas un succès ». Un répondant souligne que les conjoints se voyaient complètement nus pour la première fois, un autre que son épouse enceinte de 3-4 mois n'avait pas beaucoup de réactions.

Venue des enfants – expression de la sexualité

Aucune modification dans l'expression de la sexualité, liée à la venue des enfants, n'est signalée sauf dans un cas où les conjoints font chambre à part, sur la demande du mari, après le troisième enfant. Un répondant marié n'a pas eu d'enfant.

Éducation sexuelle donnée

Aucune éducation sexuelle explicite n'est faite sauf dans un cas où le père affirme parler de sexualité avec ses enfants, « ne pas les questionner sur leur vie intime cependant et ne pas autoriser de relations sexuelles dans sa maison ».

Vie conjugale et sexuelle

La vie conjugale et sexuelle connaît un début heureux pour sept répondants, ils l'expriment de différentes façons : « appétits sexuels semblables, satisfaction sexuelle parfaite », « j'ai fait l'amour tous les jours depuis mon mariage jusqu'à l'âge de 75 ans, quand ma femme est morte », « on s'entendait très bien », « la relation de couple a toujours été bien encourageante au début ». Les deux répondants dont l'appréciation de leur vie conjugale et sexuelle diffère attribuent ce mauvais départ l'un à une maladie transmissible sexuellement affectant les deux partenaires et dont le mari était le premier porteur, l'autre à un différend entre les conjoints au sujet de l'éducation des enfants.

Le mitan de la vie conjugale et sexuelle se déroule harmonieusement pour ceux dont le début fut harmonieux. Pour les autres, les difficultés se sont maintenues et accentuées:» séparation après 33 ans de vie conjugale », «relations extra-maritales attisant la jalousie foncière de la conjointe».

Aujourd'hui, après que l'épouse a subi une hystérectomie ou qu'elle est décédée, après que la maladie a frappé, les répondants ont des projets différents: vivre une nouvelle relation avec une femme de son âge ou plus jeune, «regarder les belles femmes et s'en contenter, compte tenu que le désir est là mais qu'on n'a pas de pouvoir (puissance sexuelle)», vivre de ses bons souvenirs et rêver à sa femme en s'émerveillant des érections que les rêves provoquent même à 90 ans, cultiver soigneusement son autonomie. Un seul répondant parle de sa vie conjugale actuelle comme «d'un enfer sur la terre», enfer lié à la jalousie et au caractère paranoïaque de son épouse mais il «apprécie encore les bons moments en vieillissant».

Attitude face au vieillissement et à la vieillesse

Retraités à 65, 70 ou 80 ans, nos répondants se sentent bien, ont confiance dans la vie, évaluent positivement leurs réalisations passées. Un seul a d'abord vécu sa retraite comme une «amputation sociale» pour ensuite se resaisir et déclarer n'avoir « pas assez de temps pour faire tout ce qu'il a à faire ». Un répondant aime toujours regarder un beau corps et dit « se retenir », un autre se trouve orgueilleux dans le soin qu'il prend de son apparence physique. Enfin, les répondants n'ont pas peur de la mort, ils ont peur de la maladie et de la dépendance qu'elle entraîne.

Les femmes

Nous avons retenu, pour fin d'analyse, les entrevues réalisées auprès de quatorze femmes de 80 ans et plus; onze sont veuves, deux sont mariées, une est célibataire; deux ont une formation collégiale, sept ont une formation secondaire et cinq, une formation primaire. Huit répondantes disent avoir une bonne santé et six, une santé passable. Trois vivent à domicile tandis que les autres vivent en foyer pour personnes âgées ou en centre d'accueil.

Toutes les répondantes se disent catholiques pratiquantes dont une « à gros grains ».

Relations avec les parents

Quatre répondantes qualifient la relation entre les parents de bonne ou de très bonne. Les autres ne la qualifient pas spécifiquement.

Avec le père

Trois répondantes seulement évaluent positivement la relation avec leur père : « très bon diable », « aimait beaucoup ses enfants, était très présent », « très délicat, bonne éducation, beaucoup de tendresse ». Pour les autres, le père est distant, orgueilleux, incapable de caresse, très sévère, vaniteux.

Avec la mère

La majorité des répondantes ont perçu leur mère comme proche, bonne, aimante, « belle, grande, formidable », « femme de principes mais capable d'affection ». Deux perdent leur mère alors qu'elles ont respectivement 5 ans et 8 ans.

Éducation sexuelle reçue

Aucune répondante n'a reçu une information ou une éducation sexuelles explicites, ou parce que la mère était trop gênée au sujet de la sexualité ou parce qu'on ne parlait pas de ces choses-là, « la religion l'interdisait ». Quand survient la première menstruation, l'adolescente se débrouille seule, est informée par une sœur aînée ou se fait dire seulement « c'est normal » alors qu'elle se croit malade. Aucune n'affirme s'être masturbée étant enfant ou adolescente.

Fréquentations

Les fréquentations commencent à 15-16-18-20 ans et durent 3 ou 4 ans. Elles se déroulent habituellement en présence d'un chaperon (père, sœur, miroir) ou en groupe. Une seule répondante affirme avoir eu des relations sexuelles pré-maritales même si une autre a fait plusieurs fois du « parking » avant le mariage. Les premières rencontres ont lieu lors d'un « party », de visite à l'église pour les vêpres ou lors d'un cours de musique donné par une répondante. Un garçon vient de Los Angeles pour marier une fille qui l'est déjà et tombe amoureux fou d'une de nos répondantes. Une autre, célibataire, a toujours voulu rester célibataire : « dans le mariage, il y a trop d'abus pour le sexe, trop d'enfants », elle n'a jamais regretté son célibat même si aucune demande en mariage ne lui a été adressée. Une autre « a eu bien des cavaliers, ça faisait plaisir de pogner » et une autre invite un garçon sur lequel elle a l'œil.

Nuit de noces – première relation avec le conjoint

La plupart des répondantes ne sont pas informées au sujet de la défloration, de la relation sexuelle coïtale, trois ont séjourné chez des parents de l'un ou de l'autre conjoints au cours de leur voyage de noces et ont reporté la première relation même si l'intérêt sexuel était là. Les impressions recueillies au sujet de cette nuit présentent des intensités variées : « c'était beau, ça bien été », « pas pire, aujourd'hui il y a un noviciat, on ne peut blâmer ça », « j'aime l'homme et j'aime qu'on m'aime, cette nuit-là mon mari a d'abord un problème d'érection lié à sa gêne, mais ensuite il réussit ». Le succès de la relation est, à deux reprises, attribué à la délicatesse, au savoir-faire, à la patience du conjoint.

Venue des enfants – expression de la sexualité

À l'exception d'une répondante qui n'a plus eu de jouissance après la naissance des enfants, les autres n'ont connu aucune modification à l'expression de leur sexualité liée à la venue des enfants.

Éducation sexuelle donnée

Deux répondantes ont fait l'information ou l'éducation sexuelles explicites de leurs enfants soit en répondant aux questions posées, soit en mettant en garde des relations sexuelles pré-maritales, soit « en disant la vérité même s'il était difficile de la dire ». Les autres n'ayant pas reçu d'éducation sexuelle n'en donnent pas, elles sont gênées ou se croient incompétentes.

Vie conjugale et sexuelle

La moitié des répondantes a connu un début de vie conjugale et sexuelle assez heureux : « fréquence sexuelle de deux fois par semaine, quand le mari a son plaisir, ça arrête là, jouissances avant le début des grossesses », « mari affectueux mais pas à l'excès », "a aimé beaucoup son mari toute sa vie, prenant tous les enfants que le bon Dieu envoyait », « la vie de couple allait bien mais pas autant de satisfactions qu'elle pensait en avoir ». Une répondante se marie une première fois pour répondre au désir de ses parents avec un homme violent et joueur, il la quitte alors qu'elle a un bébé naissant ; elle connaît une deuxième union beaucoup plus heureuse, son mari était « un ange ». Une autre ne voit presque jamais son mari qui voyage beaucoup, elle s'ennuie. Trois répondantes soulignent que la fidélité conjugale est très importante. La ménopause survenue naturellement ou suite à une intervention chirurgicale n'occasionne pas de problèmes particuliers dans la vie de couple et dans la vie sexuelle.

L'expression de la sexualité dans la relation sexuelle coïtale s'arrête pour sept répondantes avec la mort du conjoint, elles n'ont pas pensé se re-marier ou n'ont pas trouvé l'homme qui leur aurait plu. Une répondante affirme son besoin de sexe : « mon médecin me conseille de trouver quelqu'un, je me masturbe ; je garde l'œil ouvert, je me remarierais si je trouvais un homme qui me convienne. Si l'oreille te pique, que tu la grattes, ça te fait du bien, le sexe, c'est comme ça ». Une autre affirme que les plus belles années de leur vie conjugale ont été les dix dernières : « on vivait l'un pour l'autre, je rêve beaucoup à mon mari et dans mes rêves, je lui touche, il me manque physiquement » et une autre : « on a toujours besoin d'affection en vieillissant, autant besoin que jeune, mais pas pour la même raison ».

Attitude face au vieillissement et à la vieillesse

Même si les répondantes trouvent difficile de vieillir, de rider, de se mouvoir moins facilement, même si la séduction demeure importante, aucune d'elles ne panique devant son corps qui se modifie : »il faut s'adapter au jour le jour », prendre soin de son visage, de sa présentation physique, s'occuper de toute sa personne. « Mais il n'y a pas juste le corps là-dedans, il est important de meubler autant son esprit que son corps ». L'une d'elles pour qui vieillir est plus difficile exprime : « tu te prends à deux mains pour arriver à finir ta vie ». Aucune d'elles ne souffre de solitude pourvu qu'elle ne dure pas trop longtemps. Aucune, sauf une exception, ne dit craindre la mort.

◤ Regard synthèse

Si nous regardons parallèlement, en les comparant, les données recueillies pour les répondants des trois groupes d'âge, nous remarquons que dans le même groupe et proportionnellement, plus de femmes ont perdu leur conjoint que d'hommes, leur conjointe (gr. de 60 à 70 ans excl. Veufs : 20 % ; veuves : 52 %), (gr. de 70 à 80 ans excl. Veufs :12.5 % ; veuves : 72 %), gr. de 80 ans et plus, veufs : 60 % ; veuves : 78 %).

Proportionnellement, plus d'hommes que de femmes vivent à domicile dans le premier et le dernier groupes (gr. de 60 à 70 ans excl. H : 80 % ; F : 76 %), (gr. de 80 ans et plus, H : 44 % ; F : 21 %). On peut formuler l'hypothèse que tant et aussi longtemps que la conjointe est vivante, le couple peut tenir maison ; l'hypothèse est plus faible quand on considère le dernier groupe, car même sans conjointe, 4 % des hommes continuent de vivre à domicile.

Toujours proportionnellement et comparativement, sur les quatre-vingts entrevues retenues pour fin d'analyse, les femmes des trois groupes d'âge sont moins nombreuses que les hommes à se déclarer en bonne santé particulièrement de 70 à 80 ans exclusivement (gr. de 60 à 70 ans excl. H : 80 % ; F : 64 %), (gr. de

70 à 80 ans excl. H: 75 %; F: 36 %), (gr. de 80 ans et plus, H: 66 %; F: 57 %). On peut penser que les hommes qui vivent « vieux » sont en meilleure santé que les femmes du même âge ou du moins se perçoivent-ils en meilleure santé que les femmes du même âge.

Dans cet échantillon de quatre-vingts personnes (27 hommes, 53 femmes) proportionnellement et comparativement, les personnes qui ont eu la chance de faire des études universitaires sont généralement des hommes, particulièrement dans le groupe de 60 à 70 ans exclusivement.

Nous reprendrons, dans les paragraphes suivants, chacune des catégories retenues lors de l'analyse des entrevues pour en considérer parallèlement et comparativement les données recueillies.

Relation avec les parents

D'après les données recueillies et l'échantillon restreint que nous avons, il est impossible d'affirmer que la relation de l'homme avec l'un ou l'autre parent (exemple : meilleure relation avec la mère), que la relation de la femme avec l'un ou l'autre parent, est constamment meilleure ou moins bonne, sauf pour le groupe de 60 à 70 ans exclusivement où la relation avec la mère est perçue plus positivement que la relation avec le père par les hommes et que la relation avec le père est perçue plus positivement que la relation avec la mère par les femmes; généralement la relation avec la mère que l'on dit bonne, compréhensive, proche, affectueuse, travaillante est perçue plus positive que la relation avec le père, trop sévère, distant, orgueilleux, absent.

Éducation sexuelle reçue

Sauf exception, aucun répondant (homme ou femme) des trois groupes d'âge n'a reçu d'information ou d'éducation sexuelles explicites si ce n'est une information brève parfois alarmante, moralisante, toujours instrumentale concernant la menstruation, aux seules filles et au moment où la ménarche survient.

L'information et l'éducation sexuelles viennent des pairs, de la fratrie, des livres, de l'observation des comportements sexuels des animaux, des comportements amoureux verbaux et non verbaux des adultes, des avances d'adultes, de l'exploration corporelle réciproque dans les jeux sexuels, de l'expérimentation personnelle.

Fréquentations

Selon nos répondants des trois groupes d'âge, les fréquentations commencent généralement plus tôt pour les femmes que pour les hommes et elles durent moins longtemps pour elles que pour eux. Elles se déroulent habituellement à la maison paternelle sous surveillance (père, frère, sœur, miroir). Les baisers ou les attouchements, quand ils ont lieu, se prennent en cachette. Quand la surveillance est moins assidue, c'est la plupart du temps en faveur des hommes et les répondants ayant eu des relations sexuelles pré-maritales sont plus souvent des hommes qui « couchent » avec des filles occasionnelles plutôt qu'avec leur future épouse.

Nuit de noces – Première relation sexuelle avec la conjointe ou le conjoint

Les hommes des trois groupes font une évaluation positive ou plus ou moins positive de cette nuit ou de cette première relation. Ils l'expriment le plus souvent en soulignant les impressions de leur conjointe plutôt que les leurs. Le désagrément important relevé par quelques répondants, c'est « la menstruation de la femme » cette nuit-là, important particulièrement quand ils n'en étaient pas informés préalablement.

Les femmes, quand elles donnent leurs impressions sur cette nuit, se disent satisfaites ; du moins, c'est vrai pour environ 50 % d'entre elles. Quand cette nuit fut un succès, elles l'attribuent habituellement à la délicatesse, la patience, le savoir-faire du conjoint. Les femmes soulignent comme désagrément majeur le fait d'avoir séjourné chez des parents de l'un ou l'autre conjoint pendant leur voyage de noces, et d'avoir manqué de connaissances sur les événements qui allaient se dérouler.

Venue des enfants – Expression de la sexualité

À l'exception d'un seul dont l'éducation des enfants a été sujet de discorde et a occasionné la décision prise par lui de faire chambre à part, les hommes des trois groupes ne relèvent aucune modification dans l'expression de la sexualité liée à la venue des enfants.

Quant aux femmes, les modifications, s'il y en a, sont attribuées au fait d'avoir perdu des enfants en cours de grossesse ou à terme (1 cas), d'avoir donné naissance à un enfant handicapé (1 cas), à la peur d'être enceinte à nouveau et trop tôt, à l'interruption des relations sexuelles par les pleurs d'un bébé.

Éducation sexuelle donnée

À l'exception d'un seul, aucun homme n' a fait d'information ou d'éducation sexuelles explicites à ses enfants. Les répondantes âgées entre 60 et 70 ans exclusivement sont plus nombreuses (35 %) à avoir procédé à l'information ou à l'éducation sexuelles de leurs enfants, particulièrement de leurs filles et en regard de la menstruation. Celles des deux autres groupes d'âge (à 13 ou 14 %) en ont fait surtout en répondant aux questions posées sur le sujet ou en mettant en garde des relations sexuelles pré-maritales.

Vie conjugale et sexuelle

Les hommes de 60 à 70 ans exclusivement, plus que les femmes du même âge, affirment avoir eu un début de vie conjugale et sexuelle heureux. Les femmes sont plus modérées dans leur appréciation ; quand le départ est plus ou moins réussi, les hommes et les femmes attribuent cette demi-réussite aux relations extra-maritales de l'un ou l'autre conjoint, à la jalousie, au manque de préparation à la relation sexuelle, au manque de désir, à l'éjaculation rapide, à la peur de grossesses répétées.

Le mitan de la vie de couple et de la vie sexuelle prend souvent le visage de la stabilité, de la tendresse, de l'amitié quand ce n'est pas de l'affadissement et de la froideur. Des amoureux constants dans leur amour et dans leurs activités sexuelles, on en compte mais peu. Problèmes ménopausiques, handicap, impuissance, alcoolisme entraînent une modification dans la qualité de la relation amoureuse, dans la quantité et la qualité des relations sexuelles. Même dans ces conditions, les hommes pour la plupart mariés et vivant avec leur conjointe (80 %) maintiennent qu'il vaut mieux aujourd'hui continuer avec leur épouse que de chercher satisfaction ailleurs. Les femmes dont le mari est vivant et avec elles partagent aussi cette opinion ; quant aux autres (52 %) elles disent profiter de leur liberté dans les rencontres qu'elles font et dans la solitude qu'elles vivent.

Début également heureux et satisfaisant chez les répondants et répondantes de 70 à 80 ans exclusivement, début rarement assombri par des conditions de vie où l'intimité est restreinte, par les fausses croyances, par les défauts de caractère du conjoint ou de la conjointe, par la tromperie ou la jalousie.

Au mitan de la vie, des problèmes de santé, de routine, d'alcoolisme, entraînent des modifications dans la vie conjugale et sexuelle. Dans cette tranche d'âge 27 % des femmes (6 sur 22) ont subi une hystérectomie. Sauf dans un cas d'impuissance et un cas d'hystérectomie, on ne parle pas d'interruption de relations sexuelles coïtales.

Aujourd'hui, chez les hommes, l'expression de la sexualité prend davantage un visage teinté d'abstention, de retenue, de rassasiement. Et tandis que 6 répondantes (27 %) disent pouvoir se passer « du sexe », plusieurs autres expriment le goût de rencontrer un homme qui leur convienne et d'entretenir des relations intimes avec lui.

Quelques-unes vivent de leurs regrets, de leurs souvenirs et laissent leurs enfants adultes exercer un contrôle sur leur vie.

Chez les répondants de 80 ans et plus, alors que les hommes, à l'exception de deux, disent avoir connu un début de vie conjugale et sexuelle heureux, la moitié des répondantes peuvent faire la même affirmation.

Le mitan de la vie n'est pas marqué d'événements particuliers dans un cas comme dans l'autre, événements venant modifier la vie conjugale et sexuelle. La ménopause naturelle ou chirurgicale n'a pas d'effets nocifs sur l'expression de la sexualité dans l'un ou l'autre groupes des répondants.

Tandis que la moitié des répondantes de 80 ans et plus ont cessé d'avoir des relations sexuelles coïtales avec la mort de leur conjoint, l'autre moitié affirme avoir encore besoin de « sexe » et d'affection.

Pour les hommes de 80 ans et plus, l'expression de la sexualité se traduit dans les regards portés sur les jeunes femmes, dans les rêves, les bons souvenirs, et pourrait se résumer comme suit : « Le désir est toujours là mais je n'ai pas de pouvoir » (puissance sexuelle).

Tout au long de ces témoignages de vie conjugale et sexuelle bien remplie, les répondants (hommes ou femmes) parlent peu de satisfactions, de plaisir, d'orgasme. Ce qui reflète une attitude de leur temps, c'est-à-dire du début du siècle (1900-1910-1920-1930). On vit une sexualité axée sur la procréation et pour la femme sur la disponibilité au conjoint, sexualité trop souvent de devoir. Hommes comme femmes, privés de relations sexuelles coïtales et dont la libido exige, suppléent par la masturbation mais plus souvent qu'autrement sur le conseil d'un professionnel.

On parle également peu des rêves éveillés, des fantasmes attisant le désir, agrémentant la relation sexuelle ou y suppléant. L'horreur des mauvaises pensées dont il faut s'accuser au confessionnal est très présente. Enfin, nous avons été frappés, dans quelques témoignages, des efforts tentés pour rompre la routine : relations orales-génitales, échanges de couples, relations extra-maritales. La liberté avec laquelle les répondants en ont parlé laissent entrevoir chez eux une évolution dans les attitudes sexuelles, et peut-être une perception de la sexualité comme partie intégrante de la personne humaine en changements constants.

Attitude face au vieillissement et à la vieillesse

Les hommes des trois groupes d'âge n'ont pas peur du vieillissement ou de la vieillesse dans la mesure où ils demeurent actifs, séduisants, autonomes. Chez les hommes de 60 à 70 ans exclusivement, alors que l'expression génitale de la sexualité n'est plus aussi importante que dans l'âge mûr ou la jeunesse pour certains, elle l'est encore autant pour d'autres.

La moitié des hommes de 70 à 80 ans exclusivement affirment leur confiance dans la vie, les changements corporels dans la mesure où ils préservent l'autonomie sont sinon acceptés du moins tolérés. Un quart des répondants (2 sur 8) parlent de la tendresse comme suppléant aux contacts intimes rares ou absents.

Les répondants de 80 ans et plus affirment également leur confiance dans la vie. L'expression génitale de la sexualité, quand elle est présente, est aménagée selon les capacités érectiles restantes, sinon elle cède la place aux soins que l'homme prend de son corps et aux regards indiscrets sur des corps plus jeunes. Les répondants des trois groupes craignent par-dessus tout l'infirmité, la maladie portant atteinte à leur autonomie. Ils disent ne pas craindre la mort.

Le souci de sauvegarder leur autonomie est partagée par les répondantes des trois groupes d'âge. Entre 40 % et 60 % des répondantes, selon les âges, disent accepter ou regretter les changements physiques liés au vieillissement mais même quand elles disent les accepter, elles ne manquent pas une occasion de les camoufler.

La solitude est difficile à vivre surtout pour les répondantes de 70 à 80 ans exclusivement. Plus jeunes, elles peuvent encore espérer rencontrer un nouveau partenaire ; plus vieilles, elles en ont fait leur deuil mais entre 70 et 80 ans exclusivement, elles s'aperçoivent que même si elles désirent rencontrer un homme qui leur convienne, les chances que cela se produise sont plutôt faibles. Quatre répondantes sur l'ensemble (53 F) affirment leur peur de la mort.

Les répondants (hommes ou femmes) dont les témoignages ont été retenus traduisent, à leur manière, les besoins, les satisfactions, les appréhensions, les difficultés et peut-être bien la **longue marche vers l'intégrité** des gens de leur âge.

CHAPITRE **7**

*La sexualité vécue
de personnes âgées*

Quatre histoires de vie illustrent les changements qui peuvent s'opérer dans la vie d'une personne sous la motion de facteurs spécifiques. L'aspect cognitif ou l'accès à de nouvelles connaissances joue un rôle significatif dans ces changements. Le fait que des modifications d'attitudes et de comportements sexuels adviennent à l'âge avancé montre que la croissance humaine et la vitalité sexuelle peuvent durer toute la vie.

Le vécu sexuel des personnes âgées s'enracine pour une large part dans l'expérience de vie de ces personnes mais il y a place aussi pour des modifications et des innovations dans les attitudes et les comportements sexuels sous la motion d'un certain nombre de facteurs que nous voulons illustrer. Nous présentons quatre histoires de vie authentiques, modifiées uniquement pour préserver l'anonymat de ces personnes qui ont si généreusement collaboré à notre recherche sur la sexualité après 60 ans.

Monsieur A, 80 ans

Aîné d'une famille de 14 enfants, Monsieur A garde un bon souvenir de son enfance. Il retient de sa mère, au tempérament très riche, la chaleur et la franchise parfois explosive dans la communication. Son père, timide et affectueux, lui a donné le goût de la lecture et la capacité d'exprimer ses émotions d'une façon non verbale. Son père aimait faire la lecture à haute voix et il s'arrêtait parfois pour laisser couler ses larmes. Monsieur A avoue : « Moi aussi, je pleure souvent, encore aujourd'hui. »

Monsieur A n'a pas reçu d'éducation sexuelle explicite ; ses seules références d'information étaient les fréquentes grossesses de sa mère qu'il devait constater, comme aîné parfois obligé d'aller quérir le médecin, mais il ignorait tout de l'accouchement. Il a fait l'expérience de certaines familiarités entre enfants en jouant au docteur. Il se souvient d'avoir baissé les petites culottes de sa cousine, ce qui lui a valu une mémorable fessée de sa mère qui lui a dit : « faut pas se faire prendre... » Vers l'âge de dix ans, il prend goût à la lecture, il dévore les livres. Il attribue à ses livres les premières masturbations pratiquées à l'adolescence, mais elles n'étaient pas reliées à la femme puisqu'il était toujours alors avec des « gangs de gars ».

Les éducateurs de Monsieur A ont noté son bon talent et l'ont encouragé à poursuivre ses études collégiales, le cours classique d'alors. C'est le curé de la paroisse qui a payé pour ses études. Au grand séminaire, où il s'orienta avec ferveur, il est jugé comme n'ayant pas la vocation à cause d'une « incompatibilité de caractère avec le sacerdoce. » Il fit alors des études en sciences humaines tout en cherchant d'autres avenues vers la prêtrise, par exemple, en essayant, sans succès, de se faire accepter dans un autre diocèse. Ces refus liés à une première amourette vite terminée avec une jeune fille, relation d'amitié seulement, lui causèrent alors une dépression qui a duré quelques mois.

À vingt ans, lors d'une soirée familiale, il rencontra celle qui sera son épouse. Elle a alors quatre ans de plus que lui. Les fréquentations dureront six ans. Il se rappelle que ces fréquentations étaient pleines de désir mais qu'elles n'apportaient que des demi-satisfactions. Les attouchements spontanés les conduisaient souvent à la confesse. Sa fiancée se masturbait avant le mariage : elle lui avait avoué qu'elle avait des satisfactions qu'elle provoquait. Ils se sont vus nus, la première fois « au complet », lors de leur nuit de noces. Cette première nuit attendue avec impatience, même dépourvue de crainte, ne fut pas un succès : « On se voulait vraiment, on avait déjà eu des attouchements, mais on ne connaissait pas les techniques. » Avec le temps, ils se découvrirent des appétits sexuels communs. « Si au moins ça durait dix minutes » soupirait sa jeune épouse. Durant sa vie maritale, il ne sollicite pas son épouse au plan sexuel mais il répond volontiers à ses avances : « Moi, je n'ai jamais été capable de demander ou de requérir, j'avais l'appétit, elle s'en rendait compte... car pour les hommes c'est visible, mais je ne sollicitais pas. » Père de quatre enfants, il se définit comme essentiellement monogame. Il attribue à la timidité et à la loyauté le fait d'avoir évité les aventures extra-maritales au cours d'une vie professionnelle très active au plan socio-économique.

Monsieur A a toujours été austère et pratiquant. Il ne touchait pas ses jeunes enfants mais il communiquait franchement avec eux. S'il se permettait volontiers des échanges affectueux avec son épouse, il ne le faisait jamais devant les enfants : « j'avoue que j'étais d'une pudibonderie remarquable et que je le suis encore aujourd'hui. » Il a eu avec son épouse une bonne entente sexuelle même si, au plan de l'intimité, il constate que son épouse et lui n'étaient pas sur la même longueur d'ondes au plan de la formation et des intérêts familiaux et sociaux. « Ma femme était moins intéressée que moi à l'intellectualisme que je poussais un peu trop fort. Je crois que je n'ai pas rendu ma femme aussi heureuse que j'aurais peut-être pu la rendre ; pourquoi ? je ne le sais pas. Ce n'est pas par autoritarisme, ce n'est pas ça... je ne sais pas. » Peut-être à cause des expériences différentes de ce qui rend heureux. Il note que sa vie de famille a comporté des moments de grandes joies, surtout à l'occasion des fêtes : anniversaires, jours fériés. Il recevait à la maison les amis de ses enfants et leurs amis de couple. Son épouse était une remarquable cuisinière, capable de recevoir en un tournemain des invités de marque, même à l'improviste. Il ne parlait pas généralement des difficultés de son travail avec son épouse, et s'il le faisait, elle détournait la conversation. En fait, il préférait ne pas revivre les difficultés une deuxième fois en les racontant. Comme grand-papa, il n'est pas aussi intime avec ses petits-enfants qu'il le voudrait, surtout avec ses petites-filles, « par pudibonderie ». Avec ses enfants, il dit qu'il a toujours respecté la façon dont quelqu'un cherche son bonheur, même s'il reconnaît avoir fait montre de plus de politesse que de cordialité avec le compagnon de sa fille divorcée.

Lors de sa retraite à 60 ans, il vit « une amputation sociale et une mésadaptation à mon inutilité économico-sociale : je rencontrais sur la rue des personnes que je connaissais et je leur mentais pour ne pas dire que je faisais rien... puis je me suis acclimaté. » Il est alors confronté à une épouse malade qui a besoin de soins continus. « J'ai renoncé à tous mes contacts extérieurs, je me suis centré sur elle, c'était mon centre d'intérêt, pour essayer de l'aider. Mais je me suis aperçu, un moment donné, que je lui imposais des consignes et que je ne répondais pas à ses besoins, je répondais à ce que je pensais être son besoin. » Il se sent malhabile devant les récriminations de son épouse devenue dépendante : « je voudrais avoir la conscience automatique du besoin de l'autre, non du mien. » Il cherche conseil auprès d'un professionnel de la santé qui lui conseille de s'initier aux techniques infirmières dans un hôpital : « j'ai été capable après cela de me mettre à la place de l'autre un peu plus. »

Après le décès de son épouse, il est sollicité pour travailler avec des personnes âgées. Il rencontre alors une intervenante, plus jeune que lui de 30 ans, « qui pouvait être ma fille », qui l'amène petit à petit à partager son temps libre, son repas, son cœur et son lit. « Actuellement, je suis complètement différent de l'homme que j'étais il y a trois ans car une femme m'a rencontré et m'a séduit. » Il se demande « s'il ne souffre pas d'andropause retardée ou s'il n'a pas réveillé le démon du midi assoupi. » Il pense qu'il s'agit de quelque chose d'incestueux compte tenu de son âge et de celui de son amante. « Je ne comprends pas encore sa façon de se conduire, je ne comprends pas encore sa motivation, ce qui m'étonne encore, ce qui me scandalise encore... » Il demande conseil à un psychiatre qui le rassure sur sa capacité sexuelle et sur l'à-propos de sa liaison amoureuse. Il discute de sa différence d'âge avec sa partenaire. Il témoigne de son insécurité concernant le rapprochement sexuel avec une femme beaucoup plus jeune et même de son impuissance sexuelle au début de leur liaison. « Il a fallu que je lise, que le médecin m'aide et que mon amie m'aide aussi au plan physique, moral et intellectuel. J'emploierai un mot qui peut garocher bien des choses mais tout de même, il a fallu que je lutte. » Il se dit convaincu qu'elle pourrait avoir meilleure satisfaction avec un autre homme plus jeune, mais elle l'assure que « c'est compensé et que j'en suis très contente ». Il est conscient de ses limites physiques et dit qu'il « serait prêt à disparaître du paysage pour qu'elle se réalise, car je l'aime cette femme-là. » Il se reproche certaine jalousie qui le diminue par rapport à l'opinion qu'il avait de lui-même : « cela m'a étonné car je ne croyais pas que cela puisse m'arriver. Jalousie et imagination, c'est très proche l'une de l'autre. » Il constate qu'il a beaucoup appris au sujet des femmes avec sa partenaire actuelle, en particulier, il a pris conscience de la lourdeur de la triple tâche féminine : travail, famille, nécessité de plaire. Il avoue qu'il ne s'est jamais pensé comme étant un être aimable, « dans le sens qu'on puisse m'aimer », mais il a pourtant « un appétit incroyable d'être aimé ». Il aime toucher avec la main, il considère ces marques d'affection, érotiques ou non, comme très importantes : « j'aime à les pratiquer et, pour moi, j'en ai jamais reçu assez. » Le fait d'avoir rencontré une femme plus jeune, « d'une autre génération », a modifié sa perception des autres, a augmenté son seuil de tolérance et sa souplesse. « Mon scrupule, c'est fini. Ce n'est pas platonique, notre relation ! » Il a surmonté sa solitude, l'isolation et la maladie, maintenant il constate qu'il n'a plus assez de temps pour tout faire, il aimerait bien reculer les frontières mais il doit constater que son temps est beaucoup plus court que celui de sa compagne pour faire ce qu'il veut faire : « si je meurs demain matin, j'aimerais avoir profité de tout ce qui est possible de profiter. Je ne connais pas de limite. Ma monogamie, c'est ma frontière que je ne désire pas franchir. » Son agir sexuel s'est modifié : avec son épouse, ils s'étaient renseignés mais ils se refusaient les relations oro-génitales. Ce n'est plus le cas présentement. « Si vous me posez la question : es-tu heureux ? je répondrai : oui, je suis heureux. Bien sûr la satisfaction sexuelle se promène sur une échelle avec des hauts et des bas. Ainsi l'orgasme est plus ou moins réussi, plus ou moins intense, mais il me procure une détente...“

À 80 ans, Monsieur A affirme : « je suis un jeune, mais il y a un vieux qui m'accompagne, depuis le début de ma retraite, dont je ne peux pas me défaire. Je ne l'accepte pas mais je fais quand même des compromis pour vivre avec lui. J'ai une excellente imagination, mais elle commence à se limiter et je n'aime pas ça. » Il se propose de se documenter sur les fantasmes car il n'aime pas l'idée de la répétition sexuelle sans fantaisie ni dimension esthétique. Il s'étonne de ne ressentir ni remords, ni culpabilité dans sa nouvelle relation : « ces sentiments-là sont disparus pour le moment.“ Il s'est même excusé de ses attitudes rigides passées vis-à-vis ses enfants divorcés qui ont vécu en union libre. « Je suis très sévère pour moi-même et je tiens à mon honnêteté. » Monsieur A veut rester autonome tant que cela sera possible car il a une grande peur de la dépendance. Il conseille aux personnes de son âge « de ne pas lâcher » : la sexualité est un élément de communication qui devrait être privilégié. « Que les vieux couples continuent donc leur exploration, ils ne se connaissent même pas ! » Il souhaite que les personnes âgées s'intéressent à tout : « une personne n'a pas le droit d'arrêter d'apprendre. » À propos des jeunes, il observe : « j'ai peur que les jeunes ne se servent pas de leur sexualité avec autant d'imagination qu'ils le devraient. J'ai peur de cela. Avec le résultat qu'ils peuvent se priver dans leur vie d'un ressort inouï, quelque chose comme un centre d'énergie qu'on peut traduire par la fiction du septième ciel. »

Monsieur B, 77 ans

La mère de Monsieur B est décédée en lui donnant naissance. Il avait déjà une sœur de cinq ans son aînée. Il fut alors adopté, ainsi que sa sœur, par sa tante avec qui il vécut jusqu'à l'âge de dix-sept ans. Cette tante, divorcée pour cause de jalousie de son mari, fut pour lui une « supermère que je ressens comme telle encore aujourd'hui ». Il s'est senti aimé par sa tante et ses cinq cousines plus âgées. Son père venait le voir tous les mois et payait les frais de pension à sa tante. Il n'a pas reçu d'éducation sexuelle proprement dite. Il jouait au docteur avec ses cousines, en se tâtant, mais il n'y avait rien de sexuel. À sept ans, lors de sa toilette, « ma tante me lavait le gorlot et si mon gorlot raidissait un peu, elle disait : aye, petit cochon ! » Jeune, il a entendu parler de masturbation, il a essayé mais cela n'a pas marché : « j'avais des rêves mouillés, mais j'étais réellement innocent. » À 17 ans, il va vivre chez son père.

Vers 18 ans, « je me sentais plus en sécurité avec les filles qu'avec les garçons. Au travail, il y avait un peu de jalousie de la part des autres gars car, dans mon innocence, je recevais facilement des filles des confidences sans contenu sexuel. » À vingt ans, lors des danses, il a commencé à flirter, ce fut le début de ses désirs sexuels : « je suis devenu plus viril, je raidissais... ça disparaissait, je ne me comprenais pas. » Il se définit toutefois comme séden-taire, « genre maison », homme fidèle qui n'aime pas voler de branche en branche... Il a eu à quelques occasions des demandes de femmes mariées, par exemple des sœurs de ses amies, qui « voulaient avoir des relations sexuelles avec moi. C'est curieux ça ! Et moi ça me disait rien, je fuyais à cause des troubles pos-sibles, j'aimais mieux la paix. » Avant son mariage, il a eu des relations sexuelles, durant les fins de semaine, avec une fille déjà expérimentée, toujours en cachette à l'hôtel, pendant quatre ou cinq ans. Elle ne voulait pas le marier car il ne gagnait pas assez d'argent. Elle faisait un meilleur salaire. Elle était sincère dans son corps et ses mouvements : « elle était naturelle, quand la nature se faisait sentir, elle le laissait paraître. »

Au début de ses trente ans, il s'engage dans les Forces Armées et a peu d'activités sexuelles. Il rencontre sa future épouse par hasard lors d'un match sportif ; les fréquentations ne durent que quelques mois et il se marie à l'âge de 37 ans. Pour lui amour et amitié, c'est la même chose : « je n'ai pas jamais eu un gros bang, comme tomber en amour. » Son épouse, du même âge que lui, aimait sincèrement sa famille, elle travaillait à l'extérieur. La vie à deux paraît facile à un homme habitué à la discipline de l'armée : « savoir écouter, savoir se taire. » Monsieur B se définit comme quelqu'un qui n'était pas très fort sur le sexe durant sa vie adulte, mais qui n'a pas eu de difficultés sexuelles jusqu'au moment de la retraite. Il n'a pas pensé avoir des enfants. Il a connu une bonne entente avec sa femme, chacun étant soucieux de comprendre l'autre et de faire plaisir à l'autre : « si tu commen-ces un acte, il faut aller jusqu'au bout » lui disait sa femme. Le dia-logue, la sincérité et la fidélité sont des éléments qui caractérisent l'harmonie de son mariage, en plus du souci de faire le budget à deux pour éviter les dettes : « savoir mettre les cartes sur la table ». Son épouse meurt subitement alors qu'il a 60 ans. Ce qu'il a trouvé le plus dur, au début de son veuvage, c'est d'être seul. Il remarque que ses amis, en couple, cherchent à l'éviter comme per-sonne seule, par exemple pour jouer aux cartes. Il se sent de trop.

Sa sœur lui demande d'aller visiter une amie à l'hôpital où il ren-contre une autre visiteuse avec qui il noue des relations amicales puis après quelques mois, il lui demande si elle voudrait vivre avec lui. Elle dit non. Alors, il lui propose le mariage, et elle accepte. La sexualité va bien au début de son mariage puis vient une maladie des poumons caractéristique des gros fumeurs qui l'obligera après 65 ans à prendre sa retraite : « l'hiver, quand je sors dehors, mes poumons se glacent. » Comme son épouse apporte un café lors de l'entrevue, il préfère ne pas parler de sa vie actuelle. Les jongleries sur le sens de la vie et des rapports humains prennent le dessus.

Monsieur B dit qu'il avait peur de la mort à 30 ans : « quand le prédicateur parlait de la mort, mes membres tremblaient, je me frictionnais. » Aujourd'hui, il n'a plus peur de la mort. « J'ai perdu mes griffes : plus on tient à la vie, plus on a peur de la mort. » Il regrette de ne pas avoir eu une meilleure éducation quand il en avait la possibilité : il est retourné chez son père car il était trop dissipé chez sa tante. Une formation plus poussée lui aurait permis, lui semble-t-il, de mieux comprendre la vie, la nature des gens, des pays, de mieux profiter des voyages, et surtout de lire avec plus de profit. Dans l'ensemble, « je trouve que le Bon Dieu a été très bon pour moi, je n'ai pas eu trop de misère. Mes regrets, c'est d'avoir fait du mal à mon prochain, quelques fois, comme dire des bêtises sans mauvaises intentions. C'est fait, c'est fait. On vit dans le présent, non dans le passé. »

Il pense que les femmes ont aujourd'hui plus d'avantages que les hommes. Il n'aime pas la femme qui porte des pantalons : « j'aimerais voir la femme féminine comme elle était, c'était plus sexé. Que j'aimais donc ça, à la campagne, à Pâques, par exemple, voir une femme habillée avec un beau manteau de fourrure, de beaux souliers sans caoutchouc, ça lui faisait une belle patte, ça c'était beau et attirant. Aujourd'hui, il faut aller dans les grands hôtels pour voir ça un peu. » Il déplore que les hommes ne savent pas se comprendre entre eux comme les femmes entre elles. Les femmes de sa vie furent des femmes au grand cœur. Il trouve difficile de faire plaisir aux autres car chacun est centré sur lui-même : « par exemple, quand il s'agit des jeux de cartes, ce sont des petits vieux égoïstes qui s'affrontent. » Monsieur B dit qu'il se désintéresse de la vie ; « avant j'étais pour la justice, je me battais pour ça mais aujourd'hui, je laisse tout aller pour ne pas avoir de trouble. Je veux le moins de tracas possible, c'est pourquoi je ne parle pas de politique. Entendre les plaintes des autres, autant rester chez-soi. Mais cela n'est pas une belle vie, c'est une vie d'ermite, c'est ennuyant en diable ! »

Madame C, 71 ans

Ses parents demeuraient sur une ferme. Le grand-père et la grand-mère vivaient aussi avec sa famille. Son père, renfermé sur lui-même, parlait peu. Sa mère manifestait beaucoup d'affection, suscitait la confiance des enfants et travaillait beaucoup y compris dans les champs ; c'était la grand-mère qui avait soin des enfants, qui les berçait... Madame C est parmi les derniers des 12 enfants. Ses parents n'étaient pas sévères au point qu'elle aurait aimé plus de sévérité car, lors de l'adolescence, tous les jeunes étaient très libres, ils pouvaient sortir comme ils voulaient et revenir à n'importe quelle heure de la soirée. Elle fréquenta peu l'école, qui était située à une distance de plus de trois kilomètres de la ferme, distance que les enfants parcouraient à pied, même en hiver.

À l'âge de 9 ans, elle travaillait déjà pour aider sa famille qui n'était pas riche. Son premier travail, ce fut d'aider une mère de nombreux enfants qui venait de donner naissance à des jumeaux. « C'est moi qui lavais les bébés, qui leur donnais à manger et qui prenais soin de la dame. Je faisais même les tourtières et les chaudronnées de patates. J'ai travaillé, pendant toute ma jeunesse, dans plusieurs familles à tour de rôle au gré des naissances. Le pire dans tout cela, c'était d'endurer les bonshommes qui s'essayaient sur moi, même à 9 ans, car je paraissais grande. Je ne me laissais pas faire, les menaçant de le dire à leur femme. Les parents ne parlaient pas de sexualité et les enfants ne savaient pas comment se faisaient les bébés ; on disait pour expliquer l'accouchement : ta mère s'est cassée une jambe. » Elle racontait à sa mère ce qui la tracassait dans son travail et celle-ci lui répondait : « c'est du bon monde. » Madame C dit qu'elle n'a pas vraiment été traumatisée par ses expériences de harcèlement sexuel car elle a appris tôt à se défendre. Lors de ses premières menstruations, elle ignorait tout et sa belle-sœur, puis sa mère, lui ont dit qu'elle était grande fille et qu'elle devait désormais faire attention en sortant avec les garçons. À l'âge de 15 ans, elle savait ce qu'était la sexualité.

Elle a eu quelques petites sorties avec les garçons puis à 17 ans, elle rencontre un homme de 29 ans. Au début, elle n'est pas amoureuse puis elle sent qu'elle l'aime et l'adore et c'est réciproque. Ils ne sortent ensemble que le soir et il cherche à l'entraîner en dehors de son milieu. Elle apprend après un certain temps qu'il est marié. Toutefois leur relation continue comme avant car le divorce n'est pas possible alors : « nous n'étions pas du même monde car lui avait des parents qui faisaient partie de l'élite. » À 20 ans, elle devient enceinte. Au septième mois de grossesse, elle va voir le curé qui lui signe une recommandation pour la « Miséricorde de Montréal ». Les parents ne s'en sont pas aperçus et ne l'ont jamais su. Le père de l'enfant n'a pas pris ses responsabilités, elle en fut déçue et cessa de le revoir. « Je ne me suis pas senti si mal que ça, j'étais jeune et je l'ai donné dès sa naissance à ma tante mariée qui m'avait offert de s'en occuper. Sans cela, je l'aurais tout de même gardé. J'allais le visiter souvent, j'allais passer l'été chez ma tante et j'en prenais soin mais il était très bien là. Quand ma tante est morte, elle m'a fait promettre de lui dire que j'étais sa mère. C'est ce que j'ai fait en lui disant aussi qui était son père. Mon fils était alors adulte et il est allé voir son père qui vivait toujours avec son épouse. »

Quelques années plus tard, elle va travailler en ville et rencontre son futur mari. Quand il la demande en mariage, elle lui dit qu'elle a déjà un enfant. Il lui répond que ça ne le dérange pas du tout : jamais il n'est revenu là-dessus au cours de leur vie commune. Puis commence le deuxième conflit mondial, elle et son mari travaillent tous deux dans des industries d'outils de guerre. À la fin du conflit, elle continue à travailler dans des entreprises militaires. En ce temps-là, il fallait donner un bon montant d'argent au propriétaire pour avoir un logement sans compter le loyer régulier : ils se trouvent heureusement un petit loyer pas trop loin de leur travail. Après dix ans de mariage, elle donne naissance à une fille, puis neuf ans après à un garçon. « Mon mari, je l'aimais, mais pas autant que mon premier amant marié. Mais je l'aimais réellement, j'avais un bon mari et je n'ai jamais manqué de rien. Du côté sexuel, il faisait aussi bien que l'autre, vraiment je n'ai pas un mot à dire. » Elle fait faire des études sérieuses à sa fille et elle lui fournit tout ce qu'il faut pour son confort. Son fils aussi a poursuivi de bonnes études que Madame C lui a payées car elle travaillait toujours. « Je n'ai pas eu à être sévère pour mes enfants car ils n'étaient pas dissipés, ils étaient seulement exigeants pour leurs besoins. » Son mari était d'accord pour qu'elle travaille car cela permettait d'assurer une plus grande sécurité financière à la famille.

Madame C a eu l'occasion de sortir seule sans se laisser aller à de grandes aventures. « J'ai su par d'autres que mon mari n'était pas toujours fidèle, mais je n'étais pas jalouse. Je n'aimais pas ça, je lui ai dit mais je ne faisais pas de crise terrible. » Son mari et elle ont consacré beaucoup d'énergie pour leurs enfants, même quand ceux-ci furent mariés. Son mari souffrait d'une maladie de cœur et il mourut à la fin de la cinquantaine. Sa fille a bien mal pris la mort de son père, ce qui amena Madame C à adopter une attitude réaliste. Elle dit que c'est plus dur maintenant que lors du décès car, en ce temps-là, elle avait beaucoup de préoccupations. Aujourd'hui, elle n'aime pas le commérage dans les clubs pour personnes âgées. Elle pense que si son mari vivait, ils auraient fait plus de voyages ; elle peut voyager maintenant, mais cela ne la tente pas réellement.

La ménopause, dans la cinquantaine, n'a pas été un événement marquant dans sa vie. Après la mort de son mari, elle rencontre un homme qu'elle fréquente durant un an : « il faisait bien l'amour. » Ce Monsieur avait toutefois une autre femme qu'il rencontrait, qu'il aimait aussi et qui possédait une maison. Comme cette femme lui donnait sa maison, il l'a mariée. Depuis trois ans, Madame C voit assez régulièrement un homme d'origine étrangère d'une trentaine d'années plus jeune qu'elle. Il fait bien l'amour et elle trouve qu'il est comme un enfant : « je suis sa mère car j'ai des enfants plus vieux que lui ! Mais ça me fait bien plaisir quand il m'appelle, même si les difficultés de langue sont assez grandes. Je lui dis toujours : pourquoi ne rencontres-tu pas une jeune ? Il dit que c'est moi qu'il préfère. Mais comme il est bien jeune pour moi, je n'aime pas que les autres le voient. S'il appelle quand ça ne me tente pas, je lui dis que j'ai de la visite... »

« Dans ma vie, je n'ai aimé qu'un seul homme. Je ne sais pas si je me remarierais car les hommes âgés en forme sont très difficiles à trouver. » Elle a eu quelques rencontres avec des hommes par le truchement d'une agence de rencontre mais ce ne fut pas un suc- cès... surtout à cause de leur état de santé. « Je veux bien sortir avec quelqu'un qui est bien portant, mais je ne désire pas être une garde-malade. Après 70 ans, si tu veux avoir de la sexualité, il faut que tu prennes un jeune. »

« Je trouve que j'ai fait une belle vie, sauf que j'aurais aimé que mon mari vive plus longtemps. J'aime mon logement avec ses vieux meubles. » Elle trouve que la vie des jeunes d'aujourd'hui, « c'est pas si pire car les jeunes ont plus de liberté et ont accès aux moyens contraceptifs, alors qu'autrefois les crèches étaient pleines. » Elle se préoccupe des maladies transmissibles sexuellement, mais elle ne se protège pas lors des relations sexuelles avec son jeune amant : « il dit qu'il n'a pas d'autres femmes, il travaille tout le temps, il est propre, on en parle souvent. » Est-ce que le sida lui fait peur ? « Pas vraiment, à mon âge, mourir de cela ou mourir d'autre chose, je sais que je vais mourir, la mort ne me fait pas peur. » Elle n'a plus autant d'intérêt à la vie, elle constate qu'elle se désinté- resse de bien des choses, par exemple, elle s'inquiète moins pour ses enfants : « en vieillissant, je me désintéresse de la vie quoique j'aide volontiers les gens, par exemple, en faisant la cuisine, en raccommodant le linge pour d'autres. » La cause de ce désintéres- sement ? Peut-être l'absence de trouble, car les troubles, ça fait par- tie de la vie active. Elle aime marcher et visiter les environs. « J'ai l'esprit large, je ne suis pas bornée, les conseils que je donnerais aux jeunes, c'est d'être honnête, de ne pas faire d'affaires croches. »

Madame D, 70 ans

Le texte qui suit a été écrit par Madame D elle-même dans le cadre d'une recherche effectuée sur les difficultés sexuelles des personnes âgées (Penafiel, 1988). Nous remercions bien cordialement cette dame pour son autorisation de reproduire cette biographie sexuelle empreinte de simplicité et de sérénité.

De ma naissance à mon mariage

Je suis née huit ans après un frère et trois sœurs après la Première Guerre mondiale. Un matin, vers l'âge de trois ans, alors que je dormais dans la chambre de mes parents, mon sommeil fut interrompu par des chuchotements et des bruits inconnus. Debout dans mon berceau, j'aperçus mes parents qui s'agitaient beaucoup sous les couvertures. Ai-je posé une question indiscrète ou semblée apeurée, toujours est-il que j'ai entendu ma mère qui disait à mon père : arrête, arrête, c'est assez ! Ces paroles et leurs mouvements sont demeurés très précis dans ma mémoire. Ce fut le premier souvenir de mon existence.

Au cours de cette journée, j'ai voulu savoir si Papa avait fait du mal à Maman. Elle m'a caressée et a fait passer le tout comme étant un rêve que j'avais dû faire. Peu de temps après, on avait aménagé une chambre pour moi seule. On a souvent dit que j'étais farouche avec Papa. Pourtant, il n'a jamais été sévère envers moi. Lorsque j'ai voulu savoir où j'étais avant d'être là, ma mère m'a dit que je venais des sauvages et, d'après ma sœur aînée, je venais des limbes. Ces deux réponses différentes m'ont tracassée, déçue.

J'aimais beaucoup mon frère qui avait treize ans de plus que moi. On riait beaucoup ensemble, il prenait plaisir à me taquiner. Au cours d'un après-midi, alors que nos parents allaient faire des achats, il me fit asseoir sur le bord de la table de cuisine après avoir baissé ma petite culotte. Il ouvrit mes lèvres, regarda mon sexe mais sans plus et me fit promettre de ne rien dire à personne. J'avais peut-être quatre ans et, en petite espiègle que j'étais, dès que ma mère fut de retour, je m'empressai de dire : A... a... et au même moment, mon frère faisait : chut ! Ma mère sembla s'interroger et moi de répondre : je voulais le faire fâcher... A-t-elle eu des doutes ? Puisqu'il ne m'a jamais plus gardée. Pour ma part, je ne me souviens pas d'avoir rappelé ce fait.

Quatre ans plus tard, il s'est marié et, dix mois après, ils avaient un bébé. Ma belle-sœur le nourrissait aux seins mais elle prenait bien soin que je n'y vois rien. Mais en cachette, je nourrissais sèchement ma poupée chérie. Seule ou avec des petites amies, jouant à la mère, nous grossissions nos seins avec des foulards ou des mouchoirs. À qui mieux, mieux !

Vers l'âge de neuf ou dix ans, à l'école mixte, j'aimais prendre place à côté d'un garçon. Très sage durant les cours, je profitais des récréations pour frôler mes copains. J'étais bien avertie par ma mère de ne pas m'exciter. Ce terme signifiait de ne pas montrer mon sexe et de ne pas regarder celui des autres. Impossible de m'exciter car la maîtresse d'école était ma sœur qui avait quinze ans de plus que moi, et elle me surveillait avec grande attention.

C'est aux contacts de mes copains qui, eux, osaient parler des mystères de la vie, et je vous fais grâce des termes qu'ils employaient, que j'ai éliminé les limbes et les sauvages. D'ailleurs, je prenais connaissance du comportement des animaux de la ferme.

Trois mois après mon douzième anniversaire, je me retrouvai, un beau matin, dans des draps tachés de sang. Complètement ignorante de cette cause, angoissée, ayant mal au ventre, je n'osais pas me rendre au petit déjeuner. Je croyais que c'était une punition pour des gestes que certains garçons faisaient sur moi. Quelques-uns aimaient, disaient-ils, se crosser en prenant les filles par l'arrière. Tout habillés bien sûr ! Ce matin-là, je me suis sentie très malheureuse. Constatant mon silence, ma mère monta à ma chambre et, voyant ma pâleur, elle a deviné ce qui se passait. Elle me dit à peu près ceci : tu es maintenant une grande fille et ça va se répéter à tous les vingt-huit jours environ. Elle me procura le nécessaire qui n'était pas le plus discret et le plus confortable. Ma sœur, qui m'enseignait, ayant eu connaissance de cet événement a vite compris que j'étais inquiète et elle a cru bon de me réconforter. Après lui avoir confié ce qui me troublait, elle me rassura en me disant qu'elle parlerait aux garçons de l'école. Et c'est par elle que j'ai appris que les garçons n'avaient pas à subir ce que j'appelais « le beau privilège ». J'ai été profondément déçue, je voulais changer de sexe.

Avec la permission de nos parents, mes deux amies préférées, qui étaient deux sœurs, et moi, nous avions quelques fois la chance de dormir ensemble. Un soir, nous avons parlé des garçons jusque très tard dans la nuit ; lorsque la plus jeune des trois se fut endormie, nous, âgées de treize et de quatorze ans, avons simulé une étreinte entre homme et femme. À notre grande surprise, un état d'excitation s'empara de nous, et ce, jusqu'à l'orgasme, cette jouissance qui, pour ma part, était inconnue. Le lendemain, nous n'avons pas parlé de notre aventure, nous sommes demeurées plus distantes, nos sujets de conversation orientés plutôt vers la mode. Nous sommes restées de bonnes amies, mais par la suite, on dormait chacune chez soi.

À quatorze ans, sachant que j'étais grande fille, que les garçons avaient un pénis, je me demandais, si un jour je devais me marier, comment mon mari pourrait me pénétrer. C'est alors que j'insérai très lentement un doigt dans mon vagin. Aucun saignement, j'entendis un ton flou, et bien sûr, je n'atteignis pas l'orgasme. Pendant une assez longue période, je n'ai pas senti le besoin de répéter cet acte.

Une de mes sœurs travaillait à Montréal, et lors de ses vacances, elle prenait plaisir à venir nous ébahir avec des nouvelles modes et des produits de beauté parmi lesquels je pouvais utiliser le poli à ongles. Un jour, de sa chambre, elle m'appela ; je la trouvai nue sur son lit, elle me demanda de lui prendre les seins et de la masturber. Je refusai catégoriquement de partager, de répondre à ses besoins. À quelques reprises, quand nous étions seules, elle manifestait le même désir mais je n'étais pas attirée par ce comportement. Par égard pour elle, j'ai évité de divulguer ce fait à notre famille.

D'autre part, cette expérience stimulait mon imagination. Toujours à la campagne, un beau matin d'été, lors de la traite des vaches, à ma grande surprise, j'ai éprouvé un puissant orgasme qui a ralenti visiblement mon élan de trayeuse. Était-ce le fait de presser les trayons, lesquels je comparais à un pénis, même si je n'en avais pas encore vu ou la position requise, c'est-à-dire les jambes bien écartées pour laisser place à la chaudière ?

Le mauvais état de santé de mon père l'obligea à vendre la ferme. J'avais seize ans, je devais commencer à gagner des sous. Par un curieux hasard, ma sœur qui travaillait depuis plus de deux ans, comme servante chez une bonne famille, choisissait alors d'entrer au noviciat. Sa patronne sollicita mes services auprès de mes parents qui ont accepté mon départ pour la grande ville, après plusieurs recommandations.

Le travail était ardu, douze heures par jour, un après-midi de congé par semaine et le salaire était de dix dollars par mois. C'était suffisant pour inhiber mon enthousiasme et mes fantasmes de jeune fille. J'ai accompli cette tâche jusqu'à l'âge de vingt-deux ans, dans des familles différentes où il y avait toujours des garçons de mon âge. Mais, j'étais la servante, exclusivement. Impossible d'exprimer mes sentiments pour qui que ce soit. À cette époque, il y avait très peu de loisirs organisés et la clause de mon travail la plus ingrate dans ces familles était celle de ne pas recevoir d'ami-e-s. La responsabilité de ma conscience et les rigueurs de mon travail m'enlevaient même le goût du plaisir chaste. De plus, lorsque je visitais mes parents, au moment de les quitter, ma mère m'embrassait et me disait : sois bonne fille ! Ça se résumait à peu près à ceci : vivre comme une nonne. J'avais l'intention de me marier un jour mais comment rencontrer l'homme de mes rêves ? Des fréquentations hors du foyer paternel, sans chaperon, auraient suscité des opinions bien peu favorables... et nous attachions tellement d'importance aux jugements des autres.

Un jour, je me suis laissée prendre par l'idée d'être une vraie religieuse, c'est-à-dire cloîtrée. Lorsque je fis part de ce projet à mes parents, mon père enchaîna et affirma sans alternative : il y en a assez d'une dans la famille ! Sa détermination m'a fait comprendre la nécessité de m'accepter avec mes qualités mais aussi mes défauts et mes faiblesses. Par la suite, je suis devenue plus souple dans mon comportement affectif et sexuel.

C'est ainsi qu'un soir je donnai suite à un désir intense, celui de me masturber. J'obtins un orgasme en quelques minutes puis, répétant les mêmes gestes, pour un deuxième, tout mon être vibrait.

Durant les derniers mois de mon service domestique, je pressentais une attirance réciproque entre le père de famille et moi. Il semblait éprouver un plaisir à me frôler. Devinait-il que je fantasmais avec lui ? Ma chambre, voisine de celle des patrons, me permettait d'entendre surtout leurs contacts sexuels. Inutile de préciser ma façon de partager leur jouissance. Il avait quarante-deux ans, homme de belle prestance, au regard scrutateur ; il était très affectueux avec sa femme et ses enfants. Ils formaient un couple heureux.

Malgré tout, un jour, profitant de l'absence de son épouse, il quitta son bureau de travail sous prétexte de prendre une détente chez lui. Moi, dans la cuisine, à faire la vaisselle, lui, au boudoir à déguster une consommation. Après quelques instants, il m'appela auprès de lui. Étendu sur un grand fauteuil, il avait détaché son pantalon laissant voir son pénis en érection, et bien sûr, il me demanda si je savais le faire jouir. Mon sang fit demi-tour dans mes veines car mon désir rejoignait le sien mais j'avouai mon inexpérience envers les hommes et je refusai de jouer à ce jeu dangereux pour nous deux. Il n'insista pas davantage me laissant libre de le quitter. Aux moments des repas, nous étions face à face à la table. Ce soir-là, j'évitai de croiser son regard. Tous les matins, nous nous retrouvions seuls pour le petit déjeuner. Le lendemain de cette aventure, il voulut savoir s'il m'avait causé beaucoup d'angoisse et si j'oserais même quitter mon emploi. Ma réponse immédiate fut assez vague. De fait, c'était devenu très lourd pour moi de vivre si près de cet homme. Environ un mois après, profitant de mon départ pour les vacances, c'est avec beaucoup de chagrin que j'avouai à la dame que je les quittais définitivement lui disant que je voulais connaître le domaine manufacturier.

Ce changement m'accordait de nouvelles perspectives : côtoyer des filles de mon âge, me créer des ami-e-s et profiter des fins de semaine. La dame, chez qui je devais pensionner, connaissait la famille de mon futur mari. C'est grâce à elle que nous nous sommes connus. Au début, nos rencontres se limitaient à une ou deux fois la semaine à cause de ses heures de travail. Nous étions très sages, très limités dans nos touchers, nos baisers, n'ayant reçu aucune éducation sexuelle mais plutôt du mal appris, du défendu.

Malgré tout, un léger frôlement nous faisait jouir. Et pour moi, le fait de voir et de sentir son sperme me donnait des fantasmes. D'un commun accord, et selon nos principes religieux, nous évitions toute pénétration vaginale avant le mariage.

D'autre part, nous savions très bien que l'amie de la famille s'était donné la mission de nous surveiller étroitement. N'ayant pas d'auto, nos déplacements étaient également limités.

Après les fiançailles, conscients qu'il fallait nous connaître davantage, nous nous permettions des touchers plus intimes sans toutefois aller jusqu'au bout de nos désirs, de nos besoins. Nous nous sentions bien, l'un près de l'autre, sans ressentir le besoin de communiquer davantage. Nous imaginions l'autre selon notre propre « Moi ». Nous nous sommes mariés après treize mois de fréquentations. Il avait vingt-six ans et moi, vingt-trois.

Ma vie conjugale

Le grand jour tant attendu arrive enfin. Après la noce, occupant une chambre d'hôtel, nous voilà enfin seuls et tout est permis. On s'enlace jusqu'à satiété. Et soudainement, un trait de timidité se manifeste mutuellement, peut-être un peu d'appréhension, je ne sais quoi. Nous oublions ce moment en nous racontant les faits saillants de la journée.

Après une douche rafraîchissante, j'enfilai la traditionnelle robe de nuit en satin blanc, symbole de pureté... Dans quelques minutes, je vivrais le fantasme que j'avais cultivé depuis si longtemps, celui de me la faire enlever par mon mari qui me violerait avidement. Il se présenta à moi, complètement nu. Nos pulsions sexuelles étaient au paroxysme.

Les préliminaires furent de courte durée. Je me sentais élargie à mesure qu'il me pénétrait lentement. Il se retira rapidement avant d'éjaculer en moi, il avait déjà son orgasme. Je n'ai pas osé lui avouer que je désirais me masturber lui évitant ainsi de percevoir ma déception car à l'instant même, il se rendait compte qu'il avait posé un acte contre-nature. Selon les enseignements religieux, le sperme devait être déposé dans le vagin et uniquement là. Il avait agi selon la suggestion de son père, souhaitant ainsi éviter une grossesse immédiate à cause de ma taille si petite. Le lendemain, au réveil, il constata que son pénis était très rouge et irrité, la conséquence de l'étroitesse de mon vagin.

De retour chez nous, nous serions sans doute plus à l'aise pour réussir nos performances. À cette époque, s'il existait des livres sur la sexualité des couples et sur les moyens contraceptifs, notre grande timidité et notre fausse pudeur, soutenues par des opinions préconçues, nous empêchaient d'y avoir recours. Nous faisions donc l'amour comme quelqu'un qui désire réussir le plus beau gâteau sans suivre le mode de préparation.

Nos contacts sexuels étaient fréquents. Il aimait sucer mon sexe avant la pénétration. C'eût été facile pour moi de m'abandonner à un orgasme mais, constatant mon état d'excitation, il changeait de position pour le coït, croyant que nous devions jouir ensemble, ce qui arrivait assez souvent. S'il obtenait son orgasme avant moi, il semblait croire que je ne le désirais pas suffisamment. Et lorsque les préliminaires se prolongeaient et que j'avais un orgasme, il laissait tomber son érection. Je n'ai jamais osé lui avouer que je pouvais avoir deux ou trois orgasmes dans un intervalle incalculable. Moi, j'aimais voir son sexe avant une érection, le baiser et le masturber lentement. Il réagissait timidement, préférant que je le vois autrement.

La première fois qu'il désira le sexe oral, il prit la position du soixante-neuf alors qu'il était en érection très dur. Je me suis sentie très inconfortable, prisonnière et menacée. J'avais le dédain de son odeur malgré sa propreté habituelle, je me croyais obligée de tout rentrer dans ma bouche, ayant cette angoisse de devoir avaler le tout et, selon moi, peut-être même un jet d'urine. Quelle ignorance de ma part et quelle frustration pour lui quand il comprit que je refusais cette façon d'agir. Heureusement pour moi, il était doux et patient. Il n'insista pas vraiment par la suite.

Au cours des dix premières années de notre union, j'ai donné naissance à trois bébés à terme. Le premier est décédé à l'âge de trois mois, le deuxième n'a vécu que trois jours. Le troisième, une fille, est donc la seule vivante. Elle avait à peine vingt mois lorsque je fis une fausse couche à domicile et sans voir de médecin par la suite. Six mois après, une grossesse ectopique nécessita l'hystérectomie totale.

J'avais à peine trente-quatre ans. La convalescence a été longue et nous avons dû attendre près de quatre mois avant de nous accorder des relations sexuelles complètes. Je désirais ardemment rester féminine malgré les préjugés concernant une femme hystérectomisée. On disait qu'elle devenait moins désirable pour son mari ou, soit le contraire, une femme perverse.

Ma fécondité étant interrompue, la loi du sperme dans le vagin n'existait plus. C'est alors que mon mari exigea le sexe oral. Dès cet instant, le souvenir de ma première expérience me donna un frisson. Ma concentration s'anéantissait. Souvent, j'essayais de concevoir toute la jouissance des personnes initiées à cette procédure et j'enviais leur aisance.

Un matin, il m'avoua m'avoir beaucoup aimée pendant plusieurs années mais, par ma réticence à accepter le sexe oral, il n'avait plus d'amour pour moi et il m'a dit que je pouvais même le quitter.

Au cours de l'après-midi, j'ai marché et marché, traversant les rues sans les voir. Je suis rentrée à la maison quelques heures après son retour du travail. Il m'attendait anxieusement et m'avoua son inquiétude. Je lui répétai combien je l'aimais et que j'admettais la difficulté qu'il éprouvait à comprendre ce que je ressentais face au sexe oral. Je pouvais faire toutes les concessions excepté celle-là. J'ai même résilié une assurance-vie pour me punir.

Pour notre fille qui avait environ dix ans, nous avons continué à vivre ensemble, à s'enlacer avec beaucoup de tendresse et à faire l'amour au moins une fois la semaine.

Vers l'âge de quarante-cinq ans, je suis retournée sur le marché du travail. Au fil du temps, certaines confidences de compagnes, ayant elles aussi des difficultés différentes dans leur vie de couple, m'ont fait accepter un peu mieux mon comportement sexuel. S'intéressant aux responsabilités qui m'étaient confiées, mon mari est devenu moins intransigeant, partageant les tâches domestiques. Nous éprouvions une satisfaction à nous faire plaisir mutuellement. Cela rejoignait même notre sexualité. Nous nous donnions plus de temps pour des caresses, son éjaculation était moins précoce et il ne semblait pas se troubler s'il n'atteignait pas toujours l'orgasme. Il pouvait en rire aisément.

Hélas! Ces bons moments furent de courte durée. Il avait à peine cinquante ans lorsqu'il dut abandonner son métier à cause d'une allergie très grave. Après deux années de traitement et de repos, il essaya de nouveau, mais les mêmes symptômes firent leur apparition. Se trouvant ainsi diminué physiquement, son moral a malheureusement été bouleversé également. Par la suite, il a accepté un autre emploi mais il fut toujours ennuyé par ce changement imposé.

Bien qu'il n'ait jamais fait allusion à sa sexualité, je devinais que son impuissance lui causait du souci : une érection moins dure qui tombait rapidement. Par contre, il semblait apprécier mon attitude car je n'ai jamais souligné que ce n'était plus comme avant. On s'embrassait, on se tendressait.

Nous étions les grands-parents de deux petites filles que nous adorions. Il était vraiment un grand-papa « gâteau ». Un soir, il ressentit une douleur à la poitrine. Il fut hospitalisé et dix jours plus tard, il succombait à un infarctus très étendu.

Mon veuvage

Je me retrouvai seule après trente ans de vie conjugale. Une séparation douloureuse puisque, durant les trois dernières années, outre sa maladie, nous avions partagé une contrariété au sujet de sa famille, ce qui avait suscité un grand rapprochement affectif.

Pendant les six premières années de mon veuvage, je n'ai pas vraiment participé à des activités sociales qui auraient pu favoriser des liens d'amitié. Accaparée par mon emploi, la lecture et la musique meublaient mes moments de détente. Je refusais de m'arrêter à mes fantasmes, supposant que la vieillesse m'apporterait une grande sagesse. Il est évident que, pendant toutes ces années, j'éprouvais des besoins sexuels, lesquels me portaient à l'auto-érotisme, ce dont je me culpabilisais. À l'âge de soixante ans, je me retirai du marché du travail pour m'accorder des loisirs, des voyages et faire du bénévolat.

Dès que je fus inscrite dans un Club de l'Âge d'or, lors d'une partie de cartes, je fis la connaissance d'un veuf de soixante-quinze ans. Après cette soirée, il m'invita à prendre une consommation chez lui tout en me faisant voir son domicile. Sa conversation fertile ne me laissait pas indifférente. Cette rencontre fut agréable et je désirais le revoir, cependant, j'étais consciente que j'aurais à composer avec des attitudes différentes.

Nous devenions plus intimes à chaque rencontre et les baisers sollicitaient davantage. Par contre, mon expérience du passé, concernant le sexe oral, freinait mon enthousiasme car je craignais de le frustrer par mon refus. Lorsque je lui avouai cette difficulté, il a souri en me disant qu'il n'avait jamais exigé cela de son épouse. C'était un homme qui aimait beaucoup les femmes et il en avait connu plusieurs. Très sociable, de belle éducation, il était toujours propre. Puis vint le moment de faire l'amour. Il pratiqua le cunnilingus tout en palpant mes seins. J'eus très peu de temps pour toucher son pénis. Il me pénétra mais il perdit son érection avant d'éjaculer. Il sembla déçu et même inquiet de ce fait, car, disait-il, c'était bien la première fois que ça se produisait ainsi. Attribuant ce fait à un régime alimentaire incomplet, il consulta son médecin dès le lendemain. Celui-ci le rassura en supposant que ma spontanéité l'avait sûrement intimidé.

Par la suite, il persistait à me revoir car son but était évident, c'est-à-dire, qu'il désirait une femme pour faire l'entretien de son domicile, mais je n'étais pas intéressée à ce compromis. Je lui fis part de ma décision, celle de garder ma liberté. Il prit beaucoup de temps avant de me croire.

Quelques mois plus tard, effectuant en groupe un voyage de trois semaines, je rencontrai un célibataire de dix ans plus jeune que moi. Accompagné de ses deux sœurs, ensemble, ils avaient visité plusieurs pays et c'était intéressant d'entendre leurs récits de voyage. Tout au long du parcours, ils prirent des photos à profusion. Un soir, il voulut m'amener à sa chambre d'hôtel, mais je refusai craignant l'importunité de quelqu'un du groupe. De retour au Québec, j'acceptai de le revoir. Les deux premières fois ont été des visites de courtoisie et d'échange de photos bien qu'il ait mentionné son intention de me faire jouir à sa prochaine visite.

Le soir venu, j'ai manifesté le désir d'aller plus loin que des baisers et des caresses aux seins. Je crois qu'il fut désagréablement surpris lorsque je l'invitai à ma chambre pour plus de confort à cause de son poids de 90 kilos. J'enlevai mes vêtements, mais il garda sa camisole et ses bas. Auparavant, j'avais remarqué que son pénis était très gros mais aussi très court et que son érection était lente à se manifester. Il avoua lui-même le malaise qu'il éprouvait au sujet de la taille de son pénis. D'autant plus qu'il avait déjà déclaré avoir eu dans le passé un goût très marqué pour la boisson, ce qui avait nécessité un traitement sérieux. Donc, en peu de temps, alors que j'étais en position couchée sur lui, croyant qu'il jouissait, je m'aperçus qu'il ronflait. Je me couchai près de lui et le laissai dormir jusqu'à minuit. Il s'habilla et partit sans trop rien dire. Ce fut la fin de cette deuxième aventure.

Avant et après les cours de sexualité

Demeurant depuis peu de temps dans un nouveau quartier, je vis, un jour, dans un journal une annonce : cours de « Santé et Sexualité » pour les personnes du troisième âge.

Enthousiaste et curieuse de connaître, je m'empressai de m'y faire inscrire. Ma situation de femme seule, veuve, me gênait un peu mais par le respect mutuel des sexologues et des participants, je me suis trouvée à l'aise dès la première rencontre. La communication était déjà facile grâce au climat de confiance rapidement ressenti.

Au fil des rencontres et à travers les échanges et les informations précises sur les différents comportements physiologiques et psychologiques, j'ai pris conscience de l'ignorance que je subissais et des fausses croyances acquises durant ma jeunesse. J'aimais mon corps et le sexe opposé mais on m'avait appris très jeune à freiner mes pulsions en m'imposant des craintes et des interdictions.

Bien que docile et fidèle à ces principes rigoureux, j'étais malheureuse de vivre en contradiction avec mes sentiments, mes désirs, mes besoins sexuels. Et je me culpabilisais aussitôt que j'entretenais mes fantasmes et que j'osais me procurer du plaisir.

À cause de cette impureté, souvent, je me suis imaginée dans les feux de l'enfer. Le manque de confiance en moi, la timidité à exprimer ces inquiétudes étaient aussi une grande difficulté. J'espérais capter des réponses sans avoir à poser des questions. Loin de moi, la pensée de consulter un sexologue. Et pourtant cette décision aurait également amélioré mon comportement durant ma vie de couple.

Après le décès de mon conjoint, il est presque inutile de mentionner que j'ai repris les mêmes attitudes de ma vie de jeune fille. J'étais une mère et une grand-mère, donc je devais paraître avant d'être et de plaire. Je percevais, même à une distance de plus de cent milles, les prières invocatoires de mes sœurs. J'étais écrasée perpétuellement.

Ce n'est qu'à ma retraite que j'ai accepté de faire l'amour sans mariage ; j'avais décidé que je vivais ma vie et que ça ne regardait que moi. Par la suite, j'ai eu du regret, par contre, l'expérience m'avait plu et j'ai osé pour une deuxième fois, non sans hésitation bien sûr. Ces deux aventures de courte durée avaient suscité en moi le besoin de me lier à des activités de groupe. J'avais besoin de sortir de cet encadrement qui avait fait de moi une personne inquiète, souvent négative, peu communicante, exigeante pour moi et pour les autres.

De là mon intérêt à suivre les cours de Santé et Sexualité. J'ai eu à réfléchir beaucoup par la suite, près d'un an à scruter mon intérieur. Je voulais et j'ai consenti à être plus souple avec moi-même, j'ai accepté de regarder mon corps, de le toucher et de me donner du plaisir sans me culpabiliser. Enfin, je pouvais vivre ma sexualité avec sérénité et oublier ces barrières qui m'avaient trop longtemps meurtrie. Et le temps qui fait si bien les choses a permis une rencontre avec l'homme que je désirais ardemment et c'est au moment où j'ai eu la joie de partager mon plaisir avec lui que j'ai eu la sensation d'une libération totale de mon passé. J'ai réalisé aussi que c'était possible et agréable d'avoir des relations sexuelles sans mariage.

De plus, ayant appris dans mes cours le rôle des sphincters lors d'une relation, je peux dire maintenant que je partage le plaisir du sexe oral. La première fois que j'avalai son sperme, ce fut pour moi une récompense pour avoir vaincu ma réticence du passé. J'avais la sensation de voler quelque chose.

Depuis les deux dernières années, à différentes occasions, j'ai assisté à des conférences sur la sexualité et je participe à une foule d'activités. Ce qui m'amène également à observer les gens de mon âge. Je constate que les approches ne sont pas toujours faciles. Il y a des messieurs qui sont encore très timides, par contre j'en ai connu un dernièrement qui était sans délicatesse, « le macho numéro un ». Une dame m'avouait désirer un compagnon mais à la condition qu'il n'y ait pas de sexualité entre eux. J'aime réfléchir sur ces comportements différents.

Ma fille me disait récemment combien elle se sentait à l'aise avec moi depuis deux ou trois ans. Elle me trouve plus naturelle, compréhensive, enthousiaste et détendue. C'est plus agréable ainsi, je me sens beaucoup plus près d'elle. Ma petite-fille qui a dix ans, encore sous l'influence de son père qui se souvient sans doute de mon comportement d'il y a cinq ans, elle s'imagine que je ne me permettrais pas de regarder un film érotique. Mais la plus âgée de mes petites-filles, celle qui a seize ans, est très fière de dire à ses ami-e-s qu'elle se trouve très à l'aise pour parler de sexualité avec sa grand-mère. Pour moi, c'est très important de pouvoir échanger avec elle, c'est vraiment ce qui nous rapproche.

À soixante-deux ans, ayant eu la possibilité et la volonté d'apprendre à corriger ces lacunes qui avaient rendu mon existence assez pénible à certains moments, je veux encore maintenant, à soixante-dix ans, continuer à acquérir d'autres connaissances et communiquer davantage avec les autres.

CHAPITRE **8**

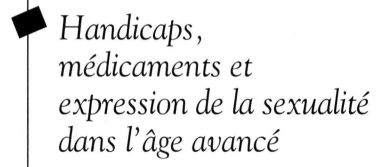

*Handicaps,
médicaments et
expression de la sexualité
dans l'âge avancé*

L'avance en âge, loin d'être un temps mort, un « blanc physiologique »
au cours duquel rien ne bouge, rien ne se passe, est ponctuée de multi-
ples changements affectant les structures corporelles en longueur, lar-
geur, épaisseur, élasticité, flexibilité, capacité de restauration, de con-
duction et de production. Ce qui retient notre attention, ce sont les
conséquences de ces changements sur le fonctionnement des différents
organes, des différents systèmes de l'organisme et ultérieurement sur la
réponse sexuelle humaine.

Est-ce que ces changements ont quelque chose à voir avec
l'apparition de telle ou telle maladie, tel ou tel handicap ? Est-ce
que la personnalité de l'individu a quelque chose à faire avec
l'apparition de telle maladie ou tel handicap ?

Nous nous arrêterons aux maladies ou handicaps les plus souvent rencontrés dans l'âge avancé et qui risquent de décourager
l'expression de la sexualité si aucun aménagement n'est prévu.

Nous questionnerons l'influence des médicaments absorbés,
parfois en grand nombre, par les personnes âgées sur la réponse
sexuelle humaine.

Comme s'il se trouvait soudainement dans une maison qui se
serait construite en son absence, comme s'il habitait un corps
qu'il n'a pas vu ou senti changer, Gérard, 75 ans, déplore son
manque d'endurance à l'effort, l'essoufflement qu'il ressent après
une marche de quelques mètres, sa difficulté à voir clair et net, à
entendre distinctement certains sons ; il déplore également une
digestion plus laborieuse, une raideur dans les membres s'il reste
quelques temps immobile. Quant à Berthe, 70 ans, ce qui l'affecte
le plus ce sont ses trous de mémoire, son visage sillonné, ses cheveux gris et parsemés, ses hanches un peu trop « capitonnées »,
ses jambes lourdes et parfois enflées à la fin de la journée. Gérard
aurait bien pu déplorer pour lui ce qui affecte Berthe et celle-ci
être affectée pour elle par ce que déplore Gérard.

Vieillissement et changements structuraux et fonctionnels

Gérard et Berthe, qui se déclarent pourtant en bonne santé, vivent des inconvénients plus ou moins marqués. Ils ne sont pas les seules personnes âgées à vivre ces inconvénients : Marie, 73 ans, Joseph, 90 ans, Marie-Claire, 68 ans, Arthur, 71 ans les vivent aussi parlant tantôt de jambes trop lourdes, tantôt d'un cœur qui s'affole, tantôt encore de membres qui refusent de plier. Ces inconvénients, conséquences de changements structuraux et fonctionnels et attribués à la réduction de la réserve physiologique des organes et des systèmes, augmentent la vulnérabilité de ces derniers aux différents stress. Antérieurement, dans la vie de Gérard et de Berthe, l'horloge neuro-physiologique permettait une adaptation continue aux demandes du corps, aujourd'hui, elle est plus lente à le faire.

En effet, on observe chez les personnes âgées un ralentissement dans la conduction des influx nerveux et un allongement du temps de réaction, conséquences d'une modification dans le nombre et la qualité des cellules et des fibres nerveuses. On note aussi une perte d'acuité des sens particulièrement de la vue et de l'audition, une performance moindre des papilles gustatives, une diminution des sensations tactiles en regard de la chaleur et de la douleur, une élévation du seuil de perception des saveurs et des odeurs. Les vaisseaux sanguins dont les parois ont tendance à épaissir, à perdre de leur élasticité, à être encombrées d'athéromes (dépôts de cholestérol) augmentent le travail du cœur et celui de tout le système circulatoire en termes de tension et de débit ; les poumons ont tendance à perdre de leur capacité d'expansion en raison d'une cage thoracique moins flexible, à quoi s'ajoute une surface alvéolaire moins grande d'où oxygénation moindre et ventilation pulmonaire réduite à l'exercice. La production moindre des hormones et de l'acide gastriques entraîne parfois une digestion lente et difficile ; on note une diminution de la masse musculaire, une perte d'eau dans la peau et les tissus, une réduction du contenu minéral des os, perte de calcium particulièrement, une dénervation relative, un amincissement des disques intervertébraux ainsi qu'une perte de mobilité dans les articulations, et une force réduite des muscles. On note également la diminution en nombre et en efficacité des glomérules rénaux entraînant des problèmes de filtration urinaire. Les tests chez les personnes âgées révèlent une baisse du métabolisme basal et de la tolérance au glucose. Il apparaît également que compte tenu de l'involution du thymus et de la mœlle osseuse, la protection immunitaire cellulaire est moins efficace tandis que l'auto-immunité augmente. Le système endocrinien est lui aussi soumis à des modifications dans ses structures et sa production d'hormones, pensons seulement à la baisse d'œstrogène au niveau des ovaires. À ces changements il faut ajouter « les pertes fonctionnelles résultant de la non-utilisation et des séquelles de maladies aiguës antérieures ou d'affections chroniques » (Laganière, 1987 ; Berger, 1989).

Toutes ces modifications ou changements surviennent progressivement dans la deuxième moitié de la vie à un rythme différent pour chacun des individus et chacun des organes ou des systèmes. Ces modifications ont-elles une influence sur l'expression de la sexualité et particulièrement sur la réponse sexuelle ?

Vieillissement, changements structuraux, changements fonctionnels

Pour faciliter la lecture et la compréhension de ce qui suit, nous reprenons quelques observations concernant la physiologie sexuelle rapportées aux chapitres III et IV.

Ce qu'on a observé au sujet de la pulsion sexuelle indique qu'elle ressemble aux autres pulsions :

1. Elle dépend de l'activité d'une structure anatomique spécifique dans le cerveau (système limbique avec noyaux dans l'hypothalamus et dans la région pré-optique) ;

2. Il y a des centres qui augmentent la pulsion, d'autres qui l'inhibent;

3. Elle est desservie par deux neurotransmetteurs spécifiques, un inhibiteur et un excitateur;

4. Elle a des connections extensives neurologiques ou chimiques avec d'autres parties du cerveau qui permettent que la pulsion sexuelle soit influencée par l'entièreté de l'expérience d'un individu et intégrée dans cette dernière (Kaplan, 1979).

À ces facteurs physiologiques, on doit ajouter que pour vivre sa sexualité de façon active et satisfaisante, la personne doit disposer à la fois d'une intégrité fonctionnelle des zones cérébrales impliquées (système nerveux central et système nerveux autonome) pouvant conduire les impulsions motrices, sensitives et réflexes, d'une circulation adéquate dans la région génitale pour supporter la vaso-congestion qui va avoir lieu, de systèmes cardio-vasculaire et respiratoire relativement compétents qui seront sollicités au cours de la relation sexuelle, d'hormones appropriées influençant l'intégrité de la structure et de la fonction génitales, d'organes génitaux en bon état. Chez les personnes âgées, compte tenu des changements structuraux et physiologiques ou fonctionnels présentés précédemment, on peut penser que l'une ou l'autre conditions sera plus difficile à remplir. Chez l'homme, comme le faisait remarquer Gérard, l'érection est plus lente à venir, « on est moins prime », c'est-à-dire que non seulement la conduction nerveuse est plus lente mais aussi que la circulation au ralenti retarde la vaso-congestion nécessaire à l'érection; de plus, quand elle survient, l'érection est moins pleine et moins ferme; l'éjaculation a tendance à se faire en un seul temps, les contractions sont moins nombreuses et le volume de sperme est réduit. Gérard ou son semblable ne pourrait répéter le coït immédiatement, une période de repos s'impose et peut varier, en terme de temps, de quelques heures à quelques jours. Chez la femme, la perte de tissu adipeux au niveau du pubis et du capuchon du clitoris, l'amincissement des parois du vagin, la raréfaction de l'hormone œstrogène, occasionneront une plus grande sensibilité voire de l'irritation au contact, un manque de lubrification, mais un orgasme multiple est toujours possible même s'il peut être plus faible en intensité. Ceci, quand la personne âgée est en relative bonne santé. Qu'advient-il quand, à la réduction de la réserve physiologique prévisible s'ajoute l'exposition à des stress importants : invasion de bactéries ou de virus, multiplication anarchique de cellules, accidents?... Qu'advient-il si le corps (les organes, les systèmes) est incapable de réagir adéquatement? Alors surviennent la maladie et le handicap.

◣ Handicaps, maladies et expression de la sexualité

Les participants à notre recherche exploratoire, âgés entre 60 et 94 ans, se déclarent majoritairement en bonne santé (67 %), les autres reconnaissent avoir une santé passable (29.4 %) ou une mauvaise santé (3.7 %). Pourcentage de bonne santé légèrement supérieur à celui des personnes âgées de 65 ans et plus et recensées d'abord par une Enquête-Santé Canada (1981) et par une Enquête-Santé Québec (1987), alors que ce pourcentage était d'environ 60 %. Soixante-seize pour cent de notre échantillon affirme absorber des médicaments : pour la pression ou l'hypertension (27 %), pour le cœur (23.1 %), pour faciliter le sommeil (24 %), pour les reins (8.7 %), pour les poumons (5.8 %), tandis que les handicaps déclarés concernent l'acuité visuelle (10 %), auditive (6 %) et la capacité de locomotion (17 %). Dans les paragraphes qui suivent, nous aborderons l'impact de la maladie ou du handicap, de l'absorption de certains médicaments sur l'expression de la sexualité chez la personne âgée ou sur les caractéristiques particulières de sa réponse sexuelle. La **maladie**, nous la verrons comme un état multi-symptomatique résultant de l'incapacité d'un organe ou d'un système de réagir adéquatement, c'est-à-dire de façon à rétablir l'équilibre, à un stress important tandis que le **handicap** sera considéré comme une limite physique ou intellectuelle imposée par la maladie, la perception que la personne atteinte a de cette limite et l'influence que perception et réalité ont sur le développement psycho-social de la personne.

La maladie ou le handicap peuvent entraîner, selon le type de maladie ou de handicap et selon la personne qui en est atteinte, des changements dans l'image corporelle et l'estime de soi en raison du diagnostic, du traitement ou de certaines connotations de la maladie ; ils peuvent entraîner des changements dans l'identité de la personne en raison d'une dépendance accrue, d'une perte de rôles ou d'une modification de rôles ou d'un renversement de rôles ; ils peuvent entraîner des changements dans la relation avec le partenaire si c'est le cas et avoir des effets spécifiques sur la performance sexuelle. Or, ces trois éléments : identité, image corporelle, estime de soi, sont très importants dans l'expression de la sexualité. Nous essaierons de clarifier chacun d'eux. L'**identité** peut se définir comme le sentiment de masculinité, de féminité construit à travers l'expérience de la vie, les perceptions, les émotions, les stimulations sensorielles, les interactions, l'éducation implicite et explicite.

Selon Erikson (1968), le sentiment conscient d'avoir une identité personnelle repose sur la perception de la similitude avec soi-même, de sa propre continuité dans le temps et l'espace et de la perception du fait que les autres reconnaissent cette similitude et cette continuité.

Et, selon Catherine Simard (1980), s'identifier c'est « se reconnaître soi-même comme être différent, singulier et, en même temps, reconnaître ce que les autres membres de son groupe de pairs, de sa famille, de son pays ont de commun entre eux et avec soi-même ».

La **perception/estime de soi** est caractérisée par l'acceptation de sa personne avec ses qualités, ses défauts, l'accord avec soi et l'aisance à vivre, la valeur que l'on se reconnaît. Elle se développe à travers les interactions et est profondément affectée par elles.

L'**image corporelle** est l'image intériorisée que l'individu a de son apparence physique. Elle comprend la somme des informations conscientes et inconscientes, des sentiments et perceptions du corps dans l'espace comme différent des autres, de même que la capacité de faire ce que l'on doit en temps et lieu. L'élaboration de l'image du corps est basée non seulement sur l'histoire individuelle mais aussi sur l'histoire des relations avec autrui ; les actes, les attitudes, les regards, les paroles ont une influence certaine sur l'image corporelle en dirigeant l'attention sur telle et telle partie du corps, le sien propre et celui de l'autre. Notre image du corps n'est pas possible sans l'image du corps de l'autre mais leur création est le fait d'un échange mutuel (Schilder, 1968). Les personnes qui ne peuvent ajuster leur image de soi et leur image corporelle aux changements causés par l'âge, la maladie, l'infirmité, connaissent l'anxiété et un désinvestissement libidinal. Il leur est, selon Haber (1979) de plus en plus pénible de comprendre et de réagir de façon adéquate à leur entourage.

Le changement de l'image corporelle peut être perçu comme une situation fluide, une nouvelle image émergeant du processus de la maladie. Cependant la personne âgée malade a besoin de s'affliger au sujet de la perte de son image, d'en faire le deuil avant d'intégrer sa nouvelle image ; pour un temps, elle peut se sentir dévalorisée en regard des valeurs culturelles de jeunesse, d'intégrité, de normalité.

Nous nous limiterons dans ce chapitre aux maladies ou handicaps les plus fréquemment observés chez les personnes âgées, essayant de traduire ce que la personne vit plutôt que fournir des notions théoriques poussées sur le sujet.

Ainsi, nous aborderons à tour de rôle :

- la maladie cardiaque ou cardio-vasculaire,
- le cancer,
- la maladie articulaire ou limitant le mouvement,
- le diabète,
- la dépression et la maladie confusionnelle,
- certaines chirurgies mutilantes, conséquentes à la maladie : mastectomie, hystérectomie, prostatectomie, colostomie et autres stomies.

La maladie cardiaque ou cardio-vasculaire et la sexualité

La négation, l'anxiété, la peur, la dépression, une estime de soi réduite et une image corporelle modifiée sont des réponses possibles à la maladie cardiaque. Cette dernière est très souvent associée à la perte de courage, à la perte de son identité d'homme ou de femme, à l'incapacité et à l'inactivité, à la dépendance. La personne atteinte se perçoit comme moins efficace comme épouse, parent, citoyenne. Si cette perception dure, elle devient handicapée, apeurée à la seule pensée de retourner à ses activités antérieures, de reprendre quelques loisirs, de rencontrer des amis, des parents, d'avoir des activités sexuelles. Dans ce domaine, elle craint la dysfonction, l'impuissance, une performance médiocre, l'humiliation ; pourtant, elle a besoin de prouver sa compétence y compris sa compétence sexuelle, et en contre partie manifeste parfois des comportements sexuels agressifs. Même s'il n'y a pas de changement corporel évident suite à un infarctus (on ne peut en dire autant dans le cas d'une insuffisance cardiaque) il reste que le cœur ayant un statut d'organe clé sans lequel les autres organes ne peuvent fonctionner adéquatement, la personne cardiaque se sent diminuée, différente.

La personne âgée cardiaque vit-elle les conséquences des modifications physiologiques des vaisseaux sanguins et des muscles liées au vieillissement ou bien est-elle une personne dont la personnalité de type A qui, tout au cours de sa vie, a été constamment soumise au stress ; elle est dynamique, ambitieuse, avide de réussir ce qu'elle entreprend et toujours pressée par le temps de sorte que la satisfaction des besoins de manger, dormir et se détendre passent en tout dernier lieu ? Le manque flagrant d'information au sujet de sa maladie, au sujet des activités progressives possibles (y compris des activités sexuelles) fait que la personne a peu le goût de retourner à ses activités antérieures et craint une récidive. Plus que cela, elle craint la mort subite. D'autres qui seraient plus empressées sont freinées dans leurs élans par le conjoint, la famille, qui se protègent en les protégeant, et de ce fait entretiennent la perception négative que la personne a d'elle-même. En un mot, la personne âgée cardiaque se sent différente, diminuée, handicapée, son identité, son estime de soi, son image corporelle en sont affectées.

Le, la partenaire, s'il en est, doit être flexible, s'adapter à la nouvelle relation en dépassant les stéréotypes sexuels.

La personne âgée cardiaque et le soignant

Le soignant identifie chez la personne âgée la présence d'anxiété, de peur, de dépression, de malaise au sujet de son image corporelle, il identifie également ses préoccupations au sujet de la réhabilitation sexuelle. La sexualité, pour plusieurs personnes, est à l'origine de l'attaque cardiaque ou de l'infarctus, aussi la discussion là-dessus doit-elle être engagée le plus tôt possible.

Le soignant vérifie la tolérance à l'activité physique, à l'activité sexuelle avant la maladie, les problèmes existants, les positions utilisées, le moment de la journée où l'activité avait lieu, la fréquence et la durée de cette activité. Il vérifie les connaissances de la personne âgée au sujet de la physiologie de la réponse sexuelle. Il vérifie si elle est capable d'assumer les rôles usuels dans la relation de couple et/ou dans la famille, si la ou le partenaire comprend les changements occasionnés par la maladie, et s'il y a moyen d'aider le-la malade à retourner aux tâches permises sans « surprotéger ».

De son côté, la personne malade veut connaître le danger encouru dans l'exercice d'une relation sexuelle, elle veut connaître les effets des médicaments qu'elle prend, elle s'inquiète des réactions de sa ou son partenaire sexuel-le et comment aborder la question entre eux. La relation de confiance établie entre la personne malade et le soignant facilite ces questions de même que la discussion sur la sexualité.

Le soignant l'aidera à retourner aux activités sexuelles qu'elle avait avant la maladie et l'amènera à effectuer les changements qui s'imposent. Si la personne malade se sent dévalorisée dans son image, si elle a perdu confiance en elle-même, le soignant peut en même temps vérifier l'opportunité de l'intervention d'autres professionnels. Dans tout ceci, l'objectif poursuivi sera de faciliter la communication entre les partenaires sexuels afin qu'ils arrivent à des choix personnels et conjugaux en regard de l'activité sexuelle et du style de vie satisfaisant pour eux.

Le médecin doit, en principe, donner l'information nécessaire à la personne malade puis au conjoint ou à la conjointe, puis aux deux ensemble, au sujet de la reprise des activités y compris les activités sexuelles. Physiologiquement, la relation sexuelle n'est pas plus hasardeuse que de monter un escalier de plus ou moins quinze marches, que de marcher la longueur de quatre-cinq pâtés de maison par beau temps. Un régime d'activités progressives doit être prescrit. Graduellement la personne malade reprend ses activités sexuelles. La relation sexuelle oro-génitale peut être réalisée si elle a déjà été utilisée sans stress, ou encore le coït peut être pratiqué dans une position confortable, position plaisante, relaxante, exigeant le moins d'efforts possible, exemple : femme dessus, homme dessous (dans le cas où l'homme est malade), position qui exige une moins grande consommation d'oxygène ; l'inverse n'est pas vrai en raison de la position isométrique des bras et de la contraction des muscles de l'épaule ayant comme résultat : surcharge du ventricule gauche, hypertension dans l'aorte centrale et consommation plus importante d'oxygène par le myocarde. D'autres positions demandent un travail réduit du muscle cardiaque, exemple, pénétration vaginale par l'arrière ou position assise face à face, pieds reposant sur le sol. Dans tous les cas, les préliminaires sont spécialement importants, ils servent de réchauffement et préviennent un travail marqué du cœur au cours de la relation.

Le soignant conseille aussi à la personne malade et à son ou sa partenaire de choisir le lieu, l'environnement, l'atmosphère, d'éviter la relation sexuelle qui se déroulerait dans des conditions anxiogènes : relation extra-maritale ou avec une prostituée, dans un temps restreint, etc...

Le coït pratiqué avec le partenaire habituel et d'une durée relativement courte, soit de dix à seize minutes, représente une dépense d'énergie inférieure à celle qu'entraîne la conduite d'une voiture (Hellerstein et Friedman, 1970). Enfin, la consommation d'oxygène au moment du coït est inférieure à celle qui est nécessaire pour marcher rapidement ou monter un escalier (Mishara, 1984).

On reconnaît comme hasardeuse la relation qui se déroule moins de trois heures après un repas copieux accompagné d'alcool, en raison de la dilatation des vaisseaux et de l'énergie cardiaque nécessaire à la digestion.

La personne malade aura intérêt à avoir une activité sexuelle quand elle est bien reposée et doit, de plus, prévoir un moment de repos après la relation.

La relation anale est à déconseiller à cause de la stimulation du nerf vague qui entraîne un ralentissement du rythme cardiaque pouvant aller jusqu'à l'arrêt cardiaque. Certains signaux d'alarme sont à reconnaître et à rapporter au médecin : douleur angineuse pendant ou après la relation, palpitation durant quinze minutes et plus après la relation, augmentation du rythme cardiaque et respiratoire qui se prolonge au-delà de quinze minutes après la relation, enfin, insomnie et fatigue qui suivent la relation sexuelle et durent aussi le jour suivant.

On conseille parfois à la personne malade qui prévoit une relation sexuelle d'absorber un comprimé de Nitroglycerine (ou d'un autre médicament recommandé par son médecin) afin d'éviter les problèmes énumérés. De même, certains médicaments (toujours prescrits par le médecin) peuvent contrôler la tachycardie et l'hypertension artérielle transitoires. Donc, s'en référer à lui au besoin.

Toutes les informations précédentes sont données sur mesure afin de ne pas inquiéter indûment la personne malade et sa ou son partenaire.

Le soignant se sera acquitté de sa tâche quand il aura :

1. expliqué à la personne malade et à sa ou son partenaire les effets de l'activité sexuelle sur le fonctionnement cardiaque ;

2. identifié avec elle et sa ou son partenaire les techniques à utiliser dans l'expression de sa sexualité ;

3. résumé les activités liées au rôle sexuel pouvant être modifiées suite à la maladie cardiaque ;

4. amené la personne malade à identifier les façons dont elle
   compte promouvoir l'estime de soi ;

5. amené la personne malade à exprimer ses besoins et sa satisfaction dans l'expression de la sexualité ;

6. amené la personne malade à suivre le programme proposé.

Des informations semblables sont pertinentes pour la personne
âgée atteinte d'insuffisance cardiaque. Et quand la fonction
sexuelle est affectée par l'hypertension, le problème relève davantage des médicaments prescrits pour contrôler cette dernière que
de l'hypertension elle-même.

Contrairement à l'infarctus, l'accident cérébro-vasculaire
(A.C.V.) n'est pas une menace à la physiologie de la réponse
sexuelle. Dans l'accident cérébro-vasculaire, il n'y a pas de dom-
mage au cœur directement mais d'autres parties du corps risquent
d'être affectées par la paralysie ou une limite fonctionnelle, comme
conséquence à l'accident et selon la partie du cerveau qui est
atteinte. Néanmoins, l'A.C.V. peut affecter la fonction sexuelle.
Les effets sont indirects et d'abord psychologiques : dépression,
sautes d'humeur, sentiment de ne plus être la même personne, de
ne plus être attrayante ou séduisante pour le, la partenaire. De son
côté le, la partenaire risque de ne pas reconnaître la personne
atteinte. En pareil cas, le temps et un support aimant peuvent permettre de retourner à la vie sexuelle telle que connue jusque-là. La
paralysie sévère ou résiduelle peut exiger des aménagements quant
aux positions utilisées lors des relations sexuelles coïtales. Des
suggestions peuvent être faites : La personne atteinte de l'A.C.V.
devrait occuper la position de côté ou de dessus, l'homme paralysé
pourrait être couché sur le côté paralysé avec des oreillers suppor-
tant le dos, libérant le bras non atteint pour toucher ou caresser la
partenaire ; si la femme paralysée a une hanche en adduction, une
position avec genoux fléchis contrecarre l'hypertonicité. Pour la

personne âgée, le fait de rester sexuellement active ne peut en aucun cas précipiter un nouvel accident cérébro-vasculaire. Selon Emick-Herring (1985), les lésions cérébrales varient en étiologie, taille, site et conséquences résiduelles pour chaque individu. Après un A.C.V., les femmes rapportent moins d'insatisfaction sur le plan sexuel que les hommes, les hommes accusant des difficultés érectiles. Les hommes et les femmes invoquent la fatigue comme raison principale de la baisse de fréquence dans les relations sexuelles. La dépression clinique est souvent fréquente après un A.C.V. et peut être associée à des limites sensori-motrices, à des problèmes de perception et de communication, à une baisse de l'estime de soi et à la difficulté de s'adapter à une nouvelle image corporelle. La dépression peut aggraver les symptômes de diminution de la libido et d'impuissance. De plus, les médicaments tels que antidépresseurs, anticholinergiques et antiadrénergiques que l'on prescrit à cette occasion peuvent occasionner de l'impuissance ou des problèmes d'érection et d'éjaculation. L'A.C.V. a souvent comme séquelle l'aphasie. Comme les habiletés verbales sont fréquemment reliées à l'intelligence, quand la personne est aphasique, elle peut se sentir stupide ou folle spécialement si elle est traitée comme telle. Il s'ensuit une baisse de l'estime de soi. On comprendra que l'adaptation est plus facile quand la personne a appris à saisir les messages non verbaux.

 ## Le cancer, la personne âgée et sa sexualité

Le cancer est vu comme une trahison de la personne en ce sens qu'il vit dans la personne, qu'il s'y développe subrepticement sans être vu, ni signifié. Le malade cancéreux se sent comme envahi par un intrus sournois et gourmand de sorte qu'il n'est plus « chez lui » dans son corps. Le cancer est associé à la peur de la mort, à la chronicité, à la « défiguration » tandis que la sexualité est associée à la vitalité, à la virilité, à l'énergie, au plaisir, à la jouissance.

Le diagnostic du cancer provoque donc une crise émotionnelle chez le malade et sa famille : la réaction en est une d'anxiété, de culpabilité, de honte, de dépendance, de colère. La colère du malade peut être dirigée vers la partenaire en santé qui est vue comme le symbole de la santé et du bien-être ; cette colère peut s'exprimer par la critique, l'intolérance, la taquinerie ; le malade repousse tout signe d'affection et d'ouverture sexuelle.

De plus, le cancer provoque la dépression, la régression ; il porte atteinte à l'image corporelle et en conséquence à la réponse sexuelle du malade et de la partenaire. La perte de la santé, des activités coutumières peut occasionner cette dépression mais le facteur le plus important à considérer est la peur du rejet de l'être aimé et la peur de l'isolement.

Le ou la partenaire peut craindre de toucher le-la malade, de lui faire mal, « d'attraper le cancer » ; peur, anxiété amplifiées par les mesures d'hygiène requises, la résistance à l'infection étant réduite chez le malade. La personne pour qui la beauté est synonyme d'attrait physique, se voyant pâle, décharnée ou au contraire « bouffie » sous l'effet de la cortisone, croira que l'activité sexuelle, les échanges amoureux ne sont plus possibles. Wilheim Reich définit le cancer de façon très éloquente : « une maladie faisant suite à la résignation émotionnelle, un rétrécissement bio-énergétique, un abandon de l'espoir » (cité dans Sontag, 1979) comme si le malade était responsable de sa maladie. Parfois cependant, il a tendance à le croire et voit en elle une punition pour des fautes passées, exemples : cancer du col relié à une activité sexuelle précoce avec des partenaires multiples, cancer du poumon relié au tabagisme, etc...

En raison des soins exigés, la personne malade développe une dépendance qui risque de porter atteinte à son identité. Le rôle peut être également modifié. Le-la partenaire en santé peut avoir tendance à « materner », à « infantiliser », à surprotéger la personne malade avec comme conséquence une réduction de l'expression sexuelle de cette dernière. Il-elle peut ressentir comme coupable, incestueuse une relation avec elle. L'image corporelle de la personne malade est modifiée : changement dans le poids, la forme, sentiment d'être sale, laide ou disgracieuse. La personne malade croit que le-la partenaire n'a plus le goût de lui ou d'elle et elle n'ose pas exprimer son désir d'activité sexuelle.

Est-ce que la personne âgée atteinte de cancer ne serait pas du nombre des personnes qui ont vécu l'interruption d'une relation significative avant le cancer, qui extériorisent peu leurs sentiments d'hostilité, d'agressivité, de colère ; qui ont tendance à se dévaloriser, qui ont eu des troubles sexuels d'adaptation, qui ont vécu des relations tendues avec l'un ou l'autre parent, particulièrement une mère dominatrice (Pelletier,1984 ; LeShan, 1982) ?

Sur le plan social, la personne malade se sent isolée, coupée des personnes et des lieux importants fréquentés jusque-là. Coupure provoquée souvent par une fausse conception de la maladie et des mythes toujours actuels au sujet du cancer : le ou la partenaire peut croire que l'abstinence préviendra la récidive, que le cancer est contagieux, qu'avec cette maladie c'est la fin de l'expression sexuelle, que la chronicité et la débilitation sont répugnantes.

Selon Sontag, « une maladie dans laquelle on voit un mystère et si intensément sera ressentie comme contagieuse, sinon au sens littéral, du moins moralement. Un nombre étonnamment élevé d'individus souffrant d'un cancer seront ainsi mis en quarantaine par leurs parents et amis (…) ». Aussi la partenaire évite-t-elle toute relation sexuelle mais plus encore toute caresse, toute marque d'affection : « Le cancer est perçu comme supprimant les pulsions sexuelles. » Alors que l'expression de la sexualité peut s'accommoder de beaucoup de modalités.

Plusieurs situations sont possibles : le ou la partenaire peut vivre un deuil anticipé et éviter tout contact sexuel ; la personne malade vivant le travail du mourir expérimente une baisse de libido et s'isole, même si le ou la partenaire souhaite des contacts sexuels. L'inverse peut également se produire.

Pistes pour une intervention

La personne âgée atteinte de cancer peut se préoccuper de la sexualité et de sa réalisation ou peut y renoncer totalement. Le bien-être sexuel sera défini en fonction de ce que les partenaires souhaitent.

La chimiothérapie et la radiation ont un effet sur le tissu hématopoïétique et sur les muqueuses, ce qui peut nécessiter des formes alternatives d'expression sexuelle. En cas d'ulcération de la bouche, l'activité orale pourra être remplacée par la stimulation orale des seins ou par des caresses sur le corps. Compte tenu d'une résistance amoindrie à l'infection, l'hygiène corporelle des partenaires est très importante, particulièrement l'hygiène du périnée et de la bouche. En raison des muqueuses plus fragiles, un frottement marqué pendant le coït sera évité. Si la femme lubrifie peu, l'utilisation d'un lubrifiant soluble stérile est approprié. La relation anale sera à éviter. Le malade cancéreux dont les muqueuses sont fragiles a plus que d'autres une propension à la formation d'abcès.

Enfin une stimulation douce est recommandée, par exemple, une caresse sur le corps en l'enduisant de lotion, de crème ou d'huile est des plus érotisantes.

L'horaire de l'activité sexuelle pourra être modifié en raison des nausées et des vomissements, de la douleur survenant particulièrement en soirée. L'activité sexuelle ayant lieu peu de temps après la médication peut être plus satisfaisante.

Il est bon de vérifier la réaction de la personne à la perte des cheveux. Aujourd'hui, on ne couvre plus les miroirs de la chambre d'hôpital afin qu'elle ne se voit pas, mais que fait-on ? L'aide-t-on à s'adapter à sa nouvelle image par une appréciation honnête de son apparence et par des suggestions opportunes, par exemple, le port de postiche, ...?

Dans la majeure partie des cas, la partenaire et les proches peuvent jouer un rôle important dans l'équipe de traitement, dans la mesure où, avec eux, on a travaillé à éliminer les perceptions fausses au sujet du cancer et de la thérapie.

En effet, ils peuvent prévenir l'isolement, la privation ou le sevrage affectifs. Un cadeau, une visite surprise, des marques d'affection ont une valeur thérapeutique incontestée.

Le, la partenaire sexuel-le permettra à la personne malade d'assumer, dans la mesure du possible, les responsabilités qu'elle assumait avant la maladie.

Quand la personne malade n'a pas de partenaire sexuel, elle devrait jouir de moments d'intimité et se sentir à l'aise de se masturber en regardant des gravures érotiques ou en lisant des livres stimulants érotiquement.

Il se peut que le, la malade apporte avec lui, elle des problèmes sexuels antérieurs à la maladie. Le soignant, pendant cette période de crise, doit être capable d'écoute, d'empathie mais il ne doit pas craindre (en cas de difficulté) de recourir à d'autres professionnels.

Le professionnel de la santé pourra évaluer son action en regard de la sexualité de la personne âgée atteinte de cancer, en considérant les points suivants :

1. La personne âgée malade et sa partenaire sexuelle verbalisent leurs sentiments au sujet des effets de la maladie et de la thérapie sur la sexualité ;

2. Ils identifient les effets secondaires de la thérapie qui nécessitent des changements dans l'expression sexuelle ;

3. Ils déterminent quels changements doivent être faits ;

4. Le, la partenaire identifie certaines façons pour le malade d'assumer ses activités habituelles et est prête à l'encourager dans ses activités.

En résumé, la personne âgée atteinte de cancer vit une modification de son identité, de son image corporelle, de l'estime de soi, donc de l'expression sexuelle à des degrés divers.

 ## La maladie articulaire, la personne âgée et sa sexualité

Il y a plusieurs formes à la maladie articulaire : l'ostéoarthrite, l'arthrite rhumatoïde et des malaises associés. L'ostéoarthrite est la douleur et la raideur associées à l'usure de la structure osseuse. L'arthrite rhumatoïde est l'une des maladies systémiques qui affectent les jointures, les muscles, les tendons et qui occasionnent de la douleur sur une longue période de temps. La majorité des formes d'arthrite sont des afflictions mécaniques des articulations provoquant les réponses inflammatoires habituelles : rougeur, chaleur, enflure ou gonflement et altération de la fonction. La personne qui en est atteinte, à cause de la douleur qu'elle éprouve, a tendance à réduire au minimum l'activité et le mouvement, ce qui a pour effet d'occasionner l'ankylose des membres. Quand l'arthrite fait partie d'une maladie systémique, des symptômes additionnels peuvent apparaître affectant plusieurs parties du corps. Quelques-uns des symptômes produits peuvent affecter la réponse sexuelle et la maladie elle-même peut provoquer des réactions psychologiques qui affectent l'image de soi. Mais il est nécessaire de reconnaître que la personne arthritique est d'abord et avant tout une personne. Et comme telle, elle peut décider à l'occasion de sa condition de prendre sa retraite au sujet de la sexualité, particulièrement de l'expression génitale de la sexualité, et cette décision doit être respectée. Par ailleurs, le contraire peut se produire où la personne atteinte exprime clairement ses besoins, inventorie les moyens de satisfaire à ses besoins. Elle peut vouloir un ou des partenaires, essayer une variété de positions, multiplier les rencontres sexuelles, c'est encore là une décision à respecter. Cependant l'arthrite peut imposer des limites ou adaptations dans le domaine de la sexualité comme c'est le cas pour les autres activités de la vie quotidienne.

Changements physiques

La douleur physique en elle-même est un obstacle aux activités normales, douleur plus marquée à l'heure du coucher, durant la nuit et au lever : moments habituellement privilégiés pour les rencontres intimes. La personne arthritique est moins souffrante tard dans la matinée ou vers midi alors que le téléphone risque de sonner, qu'une visite peut se présenter ou un autre dérangement survenir. Ce qui peut à la longue réduire l'intérêt ou le désir. Le, la partenaire peut s'empêcher de serrer dans ses bras, de câliner la personne atteinte par peur de lui occasionner des douleurs supplémentaires. Si la douleur et la raideur peuvent interférer avec l'expression génitale de la sexualité, cette dernière peut être libératrice et diminuer ou éliminer la douleur pour plusieurs heures en raison d'un effet stimulant la production de corticostéroïdes par les glandes surrénales qui, comme la cortisone, agissent sur la douleur. De plus, elle peut stimuler la production d'endorphines, lesquelles comme la morphine ont un effet bénéfique sur la douleur. Ce qui peut servir de renforcement à l'expression génitale.

Les inconvénients mécaniques à l'expression sexuelle peuvent venir de l'implication des hanches, des genoux, du dos. De plus, les lésions locales des parties génitales ou d'autres parties du corps peuvent aussi interférer avec la génitalité. Les articulations de la colonne et les genoux douloureux requièrent un changement dans la position usuelle. Les problèmes de hanche sont les inconvénients mécaniques majeurs à un fonctionnement sexuel normal chez la femme. Ceci est particulièrement vrai quand il y a des contractures d'abduction. Des contractures unilatérales de cette nature ou une fusion pathologique ou chirurgicale des hanches suffisent pour inhiber le coït dans la position du missionnaire. Des contractures bilatérales ou fusion bilatérale peuvent rendre la relation vaginale virtuellement impossible dans toute position. Elles interfèrent aussi avec l'hygiène périnéale. Le syndrome de Sjögren, qui accompagne fréquemment l'arthrite rhumatoïde et les désordres du tissu conjonctif, altère la production de sécrétions des glandes séreuses et muqueuses dans tout le corps. Une vaginite atrophique avec sécheresse vaginale est commune de même qu'une dyspareunie. Tandis que la sécheresse de la bouche interfère avec les relations orales-génitales, la proctite affecte, pour sa part, les relations anales. Pour qui voudrait remplacer la relation sexuelle avec conjoint-e par la masturbation, elle peut difficilement le faire en raison des difformités des doigts, d'un mouvement limité des poignets, des épaules et des coudes. De leur côté, les médicaments prescrits pour réduire la douleur peuvent eux aussi affecter négativement la libido. Les corticostéroïdes entraînent l'impuissance pendant le temps que dure l'absorption tandis que leur usage prolongé provoque de l'hypertension et que les médicaments prescrits pour corriger l'hypertension inhibent fréquemment la libido. Quant aux relaxants musculaires souvent prescrits, ils ont aussi un effet réducteur sur la libido.

Facteurs émotionnels

La personne âgée atteinte d'une maladie articulaire qui se voit en perte d'autonomie, se déplaçant souvent difficilement, vaquant à ses occupations avec lenteur, peut à un moment donné se sentir incapable, inutile, même embarrassante ; son corps est déformé, les médicaments qu'elle doit absorber occasionnent en même temps qu'un visage « de lune », la perte des cheveux, la pousse de poils follets, le gain de poids, elle se perçoit non seulement vieille mais infirme, peu séduisante, son image corporelle est altérée ; elle ne peut plus jouer les rôles qu'elle jouait auparavant auprès des siens et de la société, elle ne sait plus très bien qui elle est, il y a une perte d'identité ou une identité à redéfinir. La personne ressent aussi souvent de l'hostilité, de la rage, voire de la culpabilité, se demandant ce qu'elle a fait pour être ainsi affublée. C'est plus qu'il n'en faut pour perdre le goût de continuer, pour déprimer. La personne âgée qui déjà ne pouvait accepter les modifications physiques, psychologiques et sociales du vieillissement, réagira encore plus difficilement à pareille condition.

Les personnes atteintes d'arthrite, selon Moos et Solomon (1965), ont tendance à être dévouées, masochistes, conformistes, timides, gênées, perfectionnistes, inhibées. Est-ce le cas des personnes âgées que nous soignons ? « Les femmes souffrant de polyarthrite rhumatoïde sont nerveuses, tendues, inquiètes, d'humeur changeante et en majorité elles se sont senties rejetées par leur mère et elles ont eu un père trop autoritaire. Elles ont également toujours éprouvé de la difficulté à exprimer leur colère » (Pelletier, 1984).

Si l'on intervient auprès de la personne âgée atteinte de douleurs arthritiques, il ne faut pas manquer de lui dire que la relation sexuelle, loin d'être interdite, peut aider à maintenir un certain niveau de mouvement dans les articulations et les membres en plus de stimuler la production de corticostéroïdes et d'endorphines comme on l'a déjà signalé. Un bain chaud, le massage des jointures douloureuses, et l'utilisation d'un analgésique 30 à 45 minutes avant la relation sexuelle peut aider à contrôler la douleur et favoriser le maintien des activités sexuelles antérieures (Ehrlich, 1973).

◣ Le diabète, la personne âgée et sa sexualité

Le diabète est une maladie chronique, débilitante, dégénérative, comparable au vieillissement dans ses effets : maladie artérielle périphérique, maladie cardiaque artériosclérotique, perte prématurée d'un membre, neuropathie et néphropathie. De plus, des changements dans la fonction sexuelle qui parfois accompagnent le vieillissement sont des séquelles de cette maladie. Nous parlerons particulièrement d'impuissance, de dysfonction orgasmique chez la femme, de perte de libido, et d'infertilité. Presque toutes les recherches sur « diabète et sexualité » sont axées sur les conséquences de cette maladie sur la sexualité de l'homme alors que ses effets sur la fonction sexuelle de la femme sont négligés.

L'impuissance est un problème fréquent mais d'intensité moindre et d'incidence différente selon l'âge, elle est plus marquée chez l'homme âgé. 50 à 70 % des impuissances diabétiques s'observent plus volontiers après 50 ans et le plus souvent la dysfonction sexuelle ne survient que de nombreuses années après la découverte du diabète (Tordjman, 1982). Le début de l'impuissance est habituellement graduel sur une période de six mois à un an. Pendant les premiers temps de la maladie, l'homme peut expérimenter l'orgasme et l'éjaculation. Si les changements se poursuivent, une impuissance totale peut survenir. La libido persiste et les hommes âgés peuvent avoir un intérêt sexuel en dépit de la perte de la capacité érectile.

Les causes biologiques à l'impuissance peuvent être identifiées :

1. dans la neuropathie particulièrement du sympathique pelvien : la stimulation des 2e, 3e, 4e segments sacrés du système nerveux parasympathique est nécessaire pour obtenir l'érection ; la stimulation des fibres vasodilatatrices du sympathique est nécessaire pour obtenir l'éjaculation et l'érection.

2. dans les changements vasculaires pelviens : l'endartérite affectant le mécanisme vasculaire de l'érection est soupçonnée comme cause de l'impuissance. L'athérosclérose et l'artério-

sclérose sont plus extensives chez le diabétique que chez le non-diabétique vieillissant.

3. dans la rupture de l'équilibre biochimique et hormonal : dépôt de fer qui altère l'hypophyse et le testicule, insuffisance rénale ;

4. dans les facteurs psychogéniques : peur de ne pas réussir, « impossibilité de se concentrer sur ses propres sensations et ses fantasmes, conduisant le client à être spectateur de soi, la peur de la réaction de la partenaire (jalousie, colère, désespoir) d'où un sentiment de dévalorisation, les réticences du couple à parler de ce problème et une tendance à l'évitement des rapports sexuels » (Tordjman, 1982).

5. dans les facteurs histologiques : atrophie des tubules séminifères, diminution du volume de la prostate.

Il est possible que deux ou trois conditions coexistent.

L'homme diabétique peut se plaindre de ne pas éjaculer, ce qui est attribuable à la neuropathie impliquant le système nerveux autonome. Il ne s'agit pas d'anéjaculation mais d'éjaculation rétrograde : le liquide spermatique est acheminé dans la vessie et rejeté avec l'urine plutôt que de sortir directement par les voies habituelles.

Diabète et fonction sexuelle féminine

Le même contrôle réflexe neurogénique des organes sexuels est présent chez l'homme et chez la femme. Conséquemment, le développement de turgescence dans le tissu érectile du clitoris est identique à celui du pénis. Le diabète chez la femme âgée peut occasionner un afflux sanguin réduit au niveau du clitoris. « La dysfonction sexuelle est habituellement graduelle et progressive : elle se développe en une période de 6 mois à 1 an. Elle apparaît en général de 4 à 8 ans après que le diabète ait été diagnostiqué » (Tordjman, 1982). Les troubles chez la femme : fréquence orgasmique décroissante, nécessité d'une stimulation masturbatoire ou coïtale de plus en plus longue ; ces troubles sont souvent liés à la neuropathie, à la prédisposition aux infections, aux changements microvasculaires, à l'adaptation difficile à la maladie chronique.

La réaction au diabète pour l'homme âgé ou la femme âgée peut être sévère. L'anxiété et la peur de l'incapacité peuvent affecter la fonction sexuelle. La difficulté d'obtenir une érection chez l'homme et la dysfonction orgastique chez la femme contribuent à cette anxiété. L'impuissance peut devenir une source de méfiance et de frictions conjugales (Hogan, 1980).

Si l'on intervient auprès de la personne âgée atteinte de diabète, il est important de vérifier les effets de la maladie sur la fonction sexuelle, d'établir un bon contrôle de la maladie pour une fonction sexuelle optimale (quand le diabète est sous contrôle, l'impuissance qui y était attribuée a tendance à disparaître), de décrire les formes alternatives de l'expression sexuelle quand l'impuissance existe, d'utiliser une bonne hygiène sexuelle en vue de prévenir les infections attribuables à la modification du pH vaginal, d'identifier les ressources disponibles dans le cas de stress psychologique, de référer au besoin le diabétique à un professionnel de la sexualité.

La dépression, la maladie confusionnelle, la personne âgée et sa sexualité

Il n'y a pas d'évidence scientifique à l'effet que la démence produit nécessairement une perte d'intérêt ou une diminution de la capacité d'entrer en relation intime avec quelqu'un. Au contraire, on déplore souvent que les personnes âgées confuses n'ont plus aucune pudeur, qu'elles ont tendance à l'hyperactivité sexuelle tandis que chez la personne atteinte de la maladie d'Alzheimer, le-la partenaire constate et déplore une diminution de l'appétit sexuel. Ce phénomène peut apparaître très tôt, ou plus tard ou pas du tout. Le, la partenaire aura tendance à croire qu'il-elle est devenue moins intéressant-e, moins désirable aux yeux de la personne atteinte. Même si la personne atteinte réagit peu à la présence du, de la partenaire, il ne faut pas en déduire pour autant qu'il-elle n'est pas intéressé-e : le besoin de chaleur, de tendresse, d'affection, d'intimité demeure. Certains problèmes peuvent se produire : la personne atteinte confond un visiteur, une amie avec le, la conjoint-e et adopte un comportement sexuel inconvenant ou encore elle peut interpréter certains gestes différemment de ce qu'on veut leur faire dire, ou encore elle désire une rencontre intime mais elle est extrêmement maladroite à s'exprimer verbalement et non verbalement. Elle n'est pas comprise, elle est frustrée et devient agressive.

La dépression est une affection très fréquente chez les personnes âgées. En reconnaître les symptômes n'est pas une tâche facile compte tenu qu'elle peut être occasionnée par un problème organique ou infectieux, par l'absorption de médicaments ou par d'autres causes non identifiées. En 1982, un rapport du ministère des Affaires Sociales du Québec évaluait à 10 % l'incidence de la dépression chez les personnes de 65 ans et plus. Plusieurs personnes atteintes de dépression ne seront jamais soignées pour cette maladie spécifiquement. La personne âgée peut vivre la dépression parce qu'elle ne sait plus très bien qui elle est, elle n'a plus d'utilité dans son milieu, elle est moins attrayante, moins importante, elle n'a plus de rôles dans la société, elle n'a plus de chez-soi... Enfin, pour de multiples raisons, la personne âgée peut sombrer dans une espèce de tristesse pathologique incontrôlable : perte d'intérêt et de plaisir ; elle peut vivre des perturbations de sa vie affective ; par exemple un désinvestissement affectif de ce qui l'a fait vivre jusqu'à maintenant, sentiments de culpabilité, de honte, de dévalorisation, d'incapacité de continuer.

La personne dépressive est moins capable d'attention, de concentration ; elle se souvient difficilement des événements récents, elle a parfois des difficultés à exprimer ce qu'elle veut, ce qu'elle ressent. Sur le plan physiologique, elle a des difficultés de sommeil, d'alimentation, de locomotion, elle accuse une perte d'énergie, de même qu'une perte de libido et des troubles sexuels. Chez les personnes âgées, « les plaintes somatiques sont plus fréquentes et constituent souvent le mode d'expression du vécu dépressif » (Langlois-Meurinne, 1987). À ceci peuvent s'ajouter une négligence de l'hygiène corporelle ou de la propreté de son

environnement, des incontinences occasionnelles, une incapacité de s'occuper de soi, de répondre à ses besoins dans les petites
choses de la vie quotidienne.

Le syndrome dépressif est parfois déclenché par la perte d'un
être cher, par la maladie, par le déracinement, par l'une ou l'autre
des pertes associées au vieillissement. La dépression chez la personne âgée peut susciter des désirs de mort et des tentatives de
suicide. **La psychothérapie** peut être d'un précieux secours. Se
rappeler que la personne âgée a besoin d'autonomie, d'estime de
soi, d'un territoire ou d'intimité et surtout d'identité. Le thérapeute devrait pouvoir l'amener à répondre à ces besoins. De se
sentir aimée, de sentir qu'on a encore de l'importance pour
quelqu'un est sans doute le plus puissant des antidépresseurs.

Une chirurgie mutilante, la personne âgée et sa sexualité

Toute ablation d'une partie du corps, et peu importe la partie
est un assaut pour le corps et est susceptible de modifier l'image
intériorisée que la personne en a. Certaines parties du corps ont
au cours de la vie été investies plus que d'autres *émotionnellement*
(parfois toute la vie a été centrée sur la partie malade et a été
l'objet de soins, de préoccupations constantes) ou *sexuellement*
(elle a servi à la rencontre sexuelle, à la séduction, à la reproduction, aux fonctions éliminatoires). La personne âgée qui a subi
une chirurgie peut se sentir soulagée du fait que la douleur ou les
inconvénients cessent, que c'est une bonne occasion de mettre
fin à l'expression génitale de la sexualité qui lui pesait, d'attirer
l'attention dont elle a tant besoin, comme, par ailleurs, elle peut
se sentir dévalorisée, moins belle, moins femme, moins homme
ou encore dégoûtante, inadéquate, incapable, rejetée. Nous nous
bornerons ici à considérer les chirurgies qui ont une incidence
connue sur la vie sexuelle : mastectomie ou ablation d'un sein,
hystérectomie, prostatectomie, colostomie, iléostomie, cystostomie.

Mastectomie

L'ablation d'un sein, en plus d'occasionner un changement corporel certain, est souvent perçue comme la perte d'une source de
stimulation érotique et de séduction. La femme se sent infirme et
éprouve corporellement un déséquilibre en terme de poids au
niveau de la poitrine : « je suis juste une moitié de femme » dira-
t-elle. Elle se sent moins désirable, elle craint le rejet des proches,
particulièrement du partenaire, si elle en a un ; elle vit l'anxiété
et la peur du cancer, la peur qu'il envahisse l'autre sein ou le corps
tout entier. Avec la perte d'un sein, la femme subit une atteinte
à son identité féminine (femme, épouse et mère). Il apparaît que
l'adaptation à son nouveau corps est plus difficile pour la femme
âgée, particulièrement pour celle qui éprouve de la difficulté à
s'adapter aux modifications corporelles liées au vieillissement.
Les réactions de la femme âgée dépendront de la valeur qu'elle a
toujours accordée à son apparence, à ses seins ; elles vont dépendre de l'attitude des proches et des professionnels de la santé concernant son corps et sa réhabilitation, des contacts qu'elle pourra
établir avec d'autres femmes qui ont subi la même opération et
qui ont appris à vivre sereinement « un sein en moins ».

La reprise des activités sexuelles dépend de la perception que la
personne a d'elle-même, et de l'attitude de son partenaire. Les
deux peuvent craindre de ralentir la guérison en ayant des activités sexuelles ou d'occasionner de la douleur.

L'intervenant permettra à la femme âgée mastectomisée
d'exprimer ses sentiments, quelle que soit leur qualité : agressivité, rage, honte, culpabilité... L'agressivité, la rage, parfois la
colère quand elles s'expriment visent une autre cible que lui,
même si c'est lui qui les reçoit. Essayer de percevoir « la minute
psychologique », le bon moment, pour amener la femme à toucher le site de l'opération, à se laisser toucher ; vérifier le bon
moment de l'amener à regarder son corps modifié, à se regarder
dans le miroir, à se laisser regarder particulièrement par le conjoint. L'inviter, s'il y a reprise des activités sexuelles, à varier les
positions, choisissant celles où elle se sent le plus confortable.
Féliciter la femme âgée mastectomisée qui fait des efforts pour

être attrayante en prenant soin de sa personne, de son habille-ment, de son apparence physique. Informer des ressources : groupe d'entraide, types de prothèses et lieux où il est possible de se les procurer.

Hystérectomie

La personne âgée qui a subi une hystérectomie peut avoir diffé-rentes réactions dépendant de l'investissement qu'elle a fait de cette partie de son corps. Certaine dira suite à l'opération : « on m'a tout enlevé, je suis vide maintenant, je ne suis plus bonne à rien. » Cette perception d'elle-même laisse imaginer jusqu'à quel point son image corporelle est atteinte de même que son identité de femme, même si pour cette personne âgée, elle a eu des enfants et qu'elle est contente de sa famille. Il semble que la dépression chez la femme soit plus fréquente après une hystérectomie qu'après n'importe quelle autre ablation. Comme on le sait, au cours de la phase d'excitation lors du coït et au cours de l'orgasme, l'utérus a tendance à s'élever ; certaines femmes sont conscientes de cette réponse sexuelle, d'autres pas. Est-ce que celles qui étaient conscientes de cette réponse vivront des modifications dans l'expression génitale de leur sexualité ? On peut se le deman-der. Les préoccupations préopératoires concernant les relations sexuelles et l'attitude du partenaire laissent présager d'une réha-bilitation sexuelle plus difficile après la chirurgie. Dans notre étude, plusieurs femmes avaient subi l'intervention à un âge plus ou moins avancé ; une seule personne parle d'interruption des rapports sexuels après l'intervention, plusieurs se sont senties sou-lagées non pas du fait de l'arrêt des menstruations mais du fait de l'interruption des douleurs, des hémorragies dont l'utérus était le site.. A une certaine époque, on procédait à la « grande opéra-tion » quand la famille était jugée terminée, pour suppléer aux contraceptifs quasi inexistants.

La femme qui attendait le bon moment pour se soustraire à l'expression génitale de la sexualité saisira cette occasion de le faire. Le partenaire peut percevoir comme incomplète sa femme « sans utérus » et le lui faire sentir. Ce qui vient accentuer les réactions de dévalorisation que la femme a déjà.

L'intervenant doit essayer de cerner la réaction de la femme âgée ou du couple concernant l'intervention ; leur permettre d'exprimer leurs craintes ; vérifier les moyens anticipés pour faciliter la réhabilitation ; dire à la femme, au couple quand les activités pourront être reprises, inviter à choisir les positions les plus confortables pour les relations sexuelles coïtales. Bien faire comprendre à la femme que même si on lui a enlevé l'utérus, on ne lui a pas enlevé sa sexualité.

Prostatectomie

L'ablation de la prostate pour troubles bénins ne devrait pas entraîner théoriquement de dysfonction sexuelle pas plus qu'une énucléation transurétrale, rétropubique ou suprapubique ne devrait entraîner des problèmes d'impuissance. Cependant, dans 10 à 60 % des cas, les hommes deviennent impuissants. Aux modifications des capacités érectiles liées à l'âge viennent s'ajouter les modifications postopératoires. Bien souvent, l'homme a déjà anticipé l'impuissance et s'est convaincu que l'opération l'entraînerait, et elle l'entraîne de fait, nous pourrions parler d'une impuissance d'origine psychogénique dans une bonne partie des cas. À cause de l'éducation, de l'investissement que l'homme a fait de sa virilité et du site corporel où elle s'exprime, chaque fois qu'on doit médicalement et chirurgicalement toucher aux organes génitaux, c'est comme si on portait atteinte à la virilité. L'intervention peut fournir une excellente excuse pour en terminer avec les relations sexuelles coïtales devenues avec l'âge de plus en plus gênantes à cause de l'érection plus lente à venir, de l'érection moins pleine et moins ferme.

Avant l'opération, le médecin a pu préparer l'homme à l'éventualité des séquelles sous forme d'impuissance secondaire, l'homme a retenu l'information sans discernement et sa réaction au moment de l'intervention est iatrogénique. L'homme peut avoir peur de reprendre ses activités sexuelles : masturbation ou coït de crainte d'empêcher la guérison, de mettre sa santé en danger. De fait le danger d'impuissance existe si la tumeur que le chirurgien doit enlever a envahi les tissus environnants y compris les vaisseaux sanguins et les fibres nerveuses.

Si l'on intervient, il importe de permettre à l'individu âgé, d'exprimer ses sentiments vis-à-vis la perte de cette partie de son corps, quelle signification elle avait pour lui ; il importe de faire comprendre que, sauf exception, les mécanismes physiologiques de la réponse sexuelle ne sont pas affectés, que les seuls changements prévisibles, c'est la qualité du liquide spermatique et une éjaculation rétrograde, ce qui nuit en rien à l'orgasme. Indiquer le moment où les activités sexuelles pourront être reprises et inviter l'opéré à choisir les positions les plus confortables pour lui.

Colostomie, iléostomie, cystostomie

« Moi, quant à avoir une femme et ne rien faire avec, j'aime mieux rester seul », ainsi s'exprime Alfred, 82 ans, porteur d'une colostomie. La construction d'un orifice artificiel pour l'excrétion des matières fécales et des urines implique une modification profonde de l'image corporelle attribuable non seulement à la modification dans l'apparence mais aussi dans la fonction, perte du contrôle des sphincters dans lequel, tout jeune enfant, on a beaucoup investi : aller sur le petit pot pour faire plaisir à maman, pour montrer qu'on est un grand garçon, une grande fille... Avec cette intervention, y a-t-il régression à la petite, toute petite enfance ?

L'intervention a des conséquences non négligeables sur les comportements, sur les rôles joués jusqu'à maintenant, sur la fonction sexuelle. La colostomie permanente est souvent établie dans un cas de cancer du colon ou du rectum, tandis que l'iléostomie résulte d'une ablation du colon dans le cas de colite ulcéreuse chronique. Ces procédures peuvent ou ne peuvent pas entraîner de modifications dans la réponse sexuelle. La cystostomie ou détournement urinaire est souvent effectuée dans les cas de troubles neurologiques ou encore suite à une cystectomie pour cancer. Si elle est faite après une chirurgie radicale pour tumeur maligne, l'impuissance et une dysfonction orgasmique surviennent. Qu'il y ait impuissance ou trouble orgasmique comme séquelles biologiques, ces procédures entraînent inévitablement une modification importante de l'image corporelle, du rôle sexuel et conséquemment de l'expression de la sexualité.

Pour plusieurs raisons, la réaction psychologique initiale est la dépression. Il y a perte de parties du corps beaucoup investies et un sentiment de mutilation profonde, importante. Certains hommes réagiront à la chirurgie comme à une castration, c'est le cas pour Alfred, présenté plus haut. Les rebords de l'orifice peuvent simuler une bouche, des lèvres, une vulve, et laisser croire à une féminisation. Pour la femme, dépendant de l'apparence de l'ouverture, des rebords saillants peuvent lui rappeler un pénis et elle pourra vivre la perte de sa féminité, ou encore l'ouverture peut lui faire penser à un viol, à une éviscération... La crainte du rejet à cause d'un changement d'apparence, à cause des odeurs, peut amener plusieurs personnes stomisées à se retirer, à s'isoler. Certaines personnes stomisées ne permettront pas à leur partenaire de voir leur stomie, par pudeur, comme si elle montrait un sexe qui s'est créé à l'insu de l'autre et avec lequel elles ont une relation privilégiée et qu'elles ont parfois même personnifié : Marie-Louise ou Jos... ou parce qu'elles éprouvent des sentiments de honte, de dégoût. Quelques-unes érotisent leur stomie.

Comme le stimulus de l'érection circule le long des fibres parasympathiques dans la colonne sacrée, au niveau des 2e, 3e, 4e segments sacrés et ensuite dans le plexus hypogastrique dont les fibres sont proches des parois latérales et antérieures du rectum, quand on doit enlever une tumeur extensive, il y a danger de sectionner en même temps les fibres nerveuses et d'entraîner consécutivement une impuissance. Quant à l'éjaculation, elle dépend de l'intégrité des fibres sympathiques des organes génitaux internes qui sont aussi à proximité du rectum, elles peuvent également être endommagées lors de la chirurgie. Le-la conjoint-e de la personne stomisée peut éprouver un dégoût dans les soins à donner, dans la perspective d'avoir des relations sexuelles avec son partenaire et qu'à ce moment il y ait des odeurs, des écoulements ou carrément élimination de selles ; elle peut éprouver de la gêne à fréquenter des amis avec son-sa partenaire ou encore à sortir en public. Corporellement, pour le partenaire sain, la personne stomisée n'est pas celle qu'il a connue, qu'il a aimée, elle n'est plus la même. La solidité de l'union avant la chirurgie laisse présager de l'ajustement postopératoire.

La femme stomisée très souvent profitera de l'occasion de sa stomie pour interrompre les relations sexuelles ou les contacts intimes avec un partenaire. Elle décrit souvent sa stomie comme laide, écœurante, pas naturelle. Par contre, une autre malade, même si elle se sent moins attrayante, peut continuer d'éprouver un intérêt sexuel, reprendre les activités sexuelles antérieures, atteindre l'orgasme. La réaction du partenaire peut être moins vive que dans le cas où c'est l'homme qui porte une stomie, le retrait des activités sexuelles est très souvent initié par la femme stomisée en raison de la perception qu'elle a de son corps.

Pour celui ou celle qui anticipe une nouvelle relation, le problème majeur est de savoir quand et comment révéler sa condition à l'autre.

Pistes pour une intervention

Les réactions postopératoires de la personne âgée stomisée dépendra beaucoup des réactions de ceux qui sont appelés à lui donner des soins et à lui fournir de l'information voire de l'éducation quant à sa stomie. Des signes de dégoût, d'aversion auront un effet sur l'image corporelle que la personne stomisée élaborera. Dans ce cas également, il importe de permettre à la personne d'exprimer ses sentiments, ses inquiétudes ; il importe aussi de la mettre en contact avec un groupe de support, s'il en existe, de référer au besoin à des personnes spécialisées pour le counseling adapté à cette situation.

Médicaments, personne âgée et sexualité

Dans la présentation des affections les plus fréquentes chez les personnes âgées, nous avons fait mention de l'influence de certains médicaments sur la libido ou sur la réponse sexuelle. Nous avons aussi présenté la sexualité comme étant une réalité complexe dépendante de l'estime que la personne âgée a d'elle-même, de l'image corporelle, du maintien de son identité. De plus, la sexualité humaine présentant des composantes physiologiques,

affectives, psychologiques, sociales ; un médicament qui entraînerait la confusion ou qui inhiberait l'expression des sentiments,
par exemple, influencerait également l'expression de la sexualité.
Les médicaments peuvent altérer la sexualité de plusieurs façons.
Ce qui agit sur le système nerveux central peut altérer la libido, la
fonction, la perception et l'expérience sexuelles. Un certain
nombre de médicaments influencent aussi le système nerveux
autonome, lequel joue un rôle reconnu dans la réponse sexuelle.
La stimulation parasympathique cholinergique est responsable de
la dilatation des artères péniennes tandis qu'elle assure la cons-
triction veineuse. Les médicaments interférant avec le parasympathique (anticholinergiques, bloqueurs ganglionnaires) peuvent
occasionner une incapacité érectile. Les influx sympathiques
(adrénergiques) produisent l'émission du sperme des testicules et
le liquide prostatique des vésicules séminales. L'éjaculation ou
l'émission du liquide du pénis est le résultat d'une stimulation parasympathique tandis que les bloqueurs ganglionnaires et adrénergiques peuvent contrecarrer l'éjaculation et même produire une
éjaculation rétrograde ou un éjaculation douloureuse. Quelques
médicaments peuvent influencer le comportement sexuel par
une action hormonale ou activant ou inhibant la production
œstrogénique, androgénique.

Il est parfois difficile de distinguer dans les dysfonctions sexuelles
ce qui relève de causes psychogéniques de ce qui relève de causes
médicamenteuses. Retenons que chaque fois qu'un médicament a
tendance à mimer l'action du système parasympathique ou sympathique, l'action des neurotransmetteurs : acétylcholine, adré-
naline et noradrénaline, sérotonine, dopamine... chaque fois qu'il
agira sur l'axe hypothalamo-hypophysaire ovarien ou testiculaire,
il influencera en stimulant ou inhibant l'expression de la sexualité ou la réponse sexuelle. Parce que les personnes âgées absorbent beaucoup de médicaments prescrits ou non, parmi ceux-là :
des médicaments pour le cœur (cardiotoniques, antihyperten-
seurs), des tranquillisants et des somnifères, des médicaments
antidépresseurs..., le professionnel de la santé qui prescrit ou
administre ces médicaments doit en connaître les effets sur la
libido et la réponse sexuelle humaine ; sans en informer toujours

explicitement la personne âgée pour éviter une réaction iatrogène, il doit tout de même rester attentif et faire sentir à la personne qu'il est disponible pour entendre ce qu'elle a à dire sur les effets des médicaments : effets attendus et effets secondaires. La compliance au médicament est souvent compromise précisément à cause de certains effets secondaires qu'on n'avait pas prévus et qui gênent le fonctionnement sexuel.

On observe que non seulement les personnes âgées absorbent une quantité importante de médicaments mais elle font souvent des mélanges pas très heureux parfois dangereux (voir tableau II et III).

Nous avons proposé au cours de ce chapitre une définition des concepts d'identité, d'estime de soi, d'image corporelle. Toutes les réalités sous-tendues par ces concepts sont interreliées. La personne qui vit une modification au niveau de son identité, de l'estime qu'elle se porte et de son image corporelle aura du mal à se reconnaître comme désirable, aimable et aimée, aussi exprimera-t-elle timidement ses besoins sexuels, ses besoins de tendresse, de caresse, de chaleur, d'affection, ses besoins de se dire sexuellement. Aussi timidement, les professionnels de la santé réagiront-ils, répondront-ils à ces besoins ? Les raisons de cet état de choses sont nombreuses ; d'une part, on considère que la personne âgée malade a tant de mal à vivre qu'elle doit consacrer toutes ses énergies à se maintenir en vie même si elle a peu de chances « d'exprimer cette vie ». D'autre part, tous les efforts des professionnels portent d'abord sur les besoins physiques, puis psychologiques, puis spirituels et moraux. On veut bien écouter la personne âgée avec sympathie, lui manifester sa disponibilité, parfois sa chaleur, son affection mais on n'ose pas risquer de lui parler de ce qu'elle veut vivre sexuellement, a-t-elle le goût d'avoir des relations sexuelles, les croit-elle possibles, en a-t-elle parlé à sa ou son partenaire, a-t-elle besoin d'information sur le sujet ?

Les forces positives potentielles du malade, de la personne âgée seront soutenues afin de l'aider à composer adéquatement avec les multiples changements. Le professionnel encouragera les contacts particulièrement avec le-la partenaire, la famille, il encouragera les activités les plus indépendantes possibles. De plus, il se gardera d'éviter les contacts avec la personne âgée, il l'informera de ce qui arrive, répondra honnêtement à ses questions, observera toute manifestation de peur, d'anxiété, de dépression, etc. Il lui

TABLEAU II : **Médicaments ayant un effet sur la fonction sexuelle et souvent prescrits ou absorbés par les personnes âgées**

Médicament	Perte de libido	Problèmes d'érection	Problèmes d'éjalucation	Atlération de la fonction orgasmique	Modification hormonale
Antihypertenseurs					
Clonidine		+		+	
Guanethidine		+	+	+	
Methyldopa	+	+	+		
Thiazides		+	+		
Spironolactones		+			
B-bloquants	+	+			
Hydralzine		+			
Chlorthalidone	+	+			
Anticholinergiques					
Trihexyphenidyl		+			
Benztropine		+			
Antihistaminiques					
Diphenhydramine	+	+			
Hydroxyzine	+	+			
Cimetidine	+	+			
Antipsychotiques					
Chlorpromazine	+	+			+
Thioridazine			+		
Antidépresseurs					
Amitriptylline		+	+		+
IMAO		+	+		
Hormones					
œstrogènes	+				

Sources : ROY, M.C. (1982). « Médicaments et sexualité », *Revue Québécoise de Sexologie*, 3 (1) 34.
 BARBEAU, G. ; ROBERGE, L. (1990). « Sexualité et médication », *Nursing Québec*, 10 (1), 33.

TABLEAU III : Combinaisons dangereuses

Alcool	+ Antidépresseurs	peuvent	augmenter les effets de l'alcool
Alcool	+ Antihistaminiques	peuvent	augmenter les effets de l'alcool, causer dépression et étourdissements
Alcool	+ Analgésiques	peuvent	provoquer une hémorragie de l'estomac ou des intestins
Alcool	+ Sédatifs	peuvent	augmenter les effets des sédatifs et causer la dépression
Alcool	+ Tranquillisants	peuvent	accroître l'effet des sédatifs, provoquer la dépression et des étourdissements
Antibiotiques	+ Antiacides	peuvent	augmenter l'effet des antibiotiques
Antibiotiques	+ Sédatifs	peuvent	augmenter l'effet calmant
Antidépresseurs	+ Antihistaminiques	peuvent	accroître l'effet des antihistaminiques et amener des étourdissements
Antidépresseurs	+ Médicaments (Rhume)	peuvent	faire grimper d'un coup la pression sanguine
Antidépresseurs	+ Sédatifs	peuvent	augmenter l'effet des sédatifs
Analgésiques	+ Somnifères	peuvent	accroître dangereusement la somnolence
Sédatifs	+ Antihistaminiques	peuvent	augmenter l'effet des sédatifs et diminuer l'effet des antihistaminiques
Sédatifs	+ Tranquillisants	peuvent	accroître dangereusement l'effet des sédatifs

Source : Publi-reportage, *La Presse*, Montréal, mercredi, 30 septembre 1987.

permettra d'exprimer ses inquiétudes, de parler de sa vie. En vue de sauvegarder l'estime de soi vacillante, il lui demandera de faire des choses qu'elle est capable de faire et rien que celles-là, la valorisera dans ses efforts, s'efforcera de lui projeter une image positive car le sentiment de la valeur personnelle est étroitement lié à l'acceptation des autres, particulièrement de ceux constitués en autorité ; il impliquera, dans la mesure du possible, la famille dans les soins ; la personne âgée malade doit vivre un deuil à l'occasion de plusieurs pertes, il faut lui laisser le temps de vivre ces deuils et lui permettre d'exprimer négation, colère, culpabilité, dépression, en ne le critiquant pas sans toutefois la supporter activement dans cette attitude. Il lui permettra de même de s'exprimer au sujet de son image corporelle, de la perception négative qu'elle a d'elle-même.

L'affection, le besoin d'intimité, les besoins sexuels, les caresses, la tendresse sont trop souvent négligés quel que soit le patient auprès de qui le soignant intervient.

Bien sûr, le personnel soignant a la permission tacite de toucher à la personne âgée à des fins thérapeutiques et non érotiques. Toucher peut communiquer de l'amour, de la tendresse, de la chaleur. Trop souvent, l'intervenant le fait en regardant ailleurs ou quelqu'un d'autre que la personne qu'il touche. Dans ce toucher, le professionnel se sent peu concerné et la personne soignée aussi. S'il en était autrement, ce toucher risquerait-il d'être mal interprété ? Oui, peut-être. Non, si toute la personne du soignant exprime clairement son intention, que ce toucher ait lieu aux parties génitales ou ailleurs sur le corps.

Montagu (1979) souligne l'importance du toucher dans la communication, dans l'intégration à la vie : « Le toucher c'est le sens du corps tout entier. Par lui pénètrent en nous les impressions du dehors, par lui se révèle toute souffrance intérieure de l'organisme, ou bien au contraire, le plaisir ».

Montagu ajoute ailleurs : « qui n'a pas reçu son content de stimulations cutanées souffre de difficultés d'intégration, il a de la peine à prendre conscience de lui-même comme être humain et comme être aimé. »

Le soignant qui a réfléchi sur sa propre sexualité et sur ses valeurs, qui a acquis des connaissances précises, concises sur le sujet, qui se sent bien « avec et dans sa sexualité » se permettra (sans compromis) d'être chaleureux avec la personne âgée malade, il ne craindra pas de la cajoler, de la « bercer » au besoin, de lui dire verbalement ou non qu'elle est vivante et attrayante. Il se fera un devoir de promouvoir l'universalité et la bonté de la sexualité, de favoriser une communication honnête, complète, aimante sur le sujet ; il éduquera, dans la mesure de ses connaissances et de ses moyens, d'autres intervenants au sujet de la sexualité de la personne âgée.

Faisant preuve de créativité, d'initiative et de sensibilité il modifiera l'environnement en vue de favoriser la tendresse, l'intimité (chaise inclinée, lit adjacent, une affiche « ne dérangez pas », etc.), et invitera ses collègues à respecter là-dessus un désir du malade. Il fera l'histoire sexuelle de la personne âgée malade, expliquera les effets possibles de la maladie, des médicaments et des traitements sur la sexualité ; il pourra, à l'occasion, conseiller l'usage d'un stimulateur manuel, d'autres positions pour faciliter la rencontre et la satisfaction sexuelles. Il encouragera la partenaire en santé à donner des soins, à toucher, à être proche du malade. Il évitera de jouer au « partenaire-substitut » cependant. Il expliquera à la famille, aux proches, l'importance des attentions, des compliments réalistes sur l'apparence du malade et de l'expression d'affection qui lui signifie qu'il est encore aimé et voulu. Il rassurera sur la non-contagiosité de la maladie. Le soignant de nuit sera particulièrement sensible à la solitude et à la séparation vécue par le malade.

Le personnel soignant évitera de considérer le comportement sexuel de la personne âgée comme déviant, inapproprié, pervers, problématique. La sexualité est l'expression intime et profonde de la vie... jusqu'au bout de la vie.

CHAPITRE **9**

 *Besoins
des personnes âgées,
éléments de réponse*

Vieillir est un processus de vie. L'attitude vis-à-vis la vie, le bonheur, la sexualité, le mariage, les hommes et les femmes... change au cours de la vie et selon les caractéristiques personnelles des individus. Les besoins affectifs et sexuels des personnes âgées et leur expression évoluent avec les années, les expériences de vie, les lieux de vie. Une intervention adéquate peut favoriser une modification d'attitude, fournir une réponse aux besoins exprimés ou tacites et améliorer la qualité de vie des personnes âgées. Nécessité donc pour l'intervenant de s'interroger sur ses propres attitudes face à la vie, au vieillissement et à la sexualité afin d'intervenir adéquatement.

C'est dans la nature de la *vie* de *vieillir* parce que la vie suit un cycle qui va de la naissance à la mort, de la mort à la vie à travers les processus de reproduction et de croissance. Pour tout être vivant, vieillir est la plus évidente nécessité. Autant s'y faire[1].

Les évidences toutes faites qui circulent nous empêchent souvent de voir la réalité sous nos yeux. Et la réalité dont témoignent les personnes que nous avons consultées, c'est que l'attitude vis-à-vis la vie, le bonheur, la sexualité, le mariage, les hommes et les femmes, etc., cette attitude change au cours de la vie. Par exemple, l'on entend souvent dire que la vie sexuelle des personnes adultes et âgées est dépendante de l'éducation reçue durant la jeunesse. S'il y a quelque chose de vrai là-dedans, c'est que l'aspect cognitif de l'éducation est important. Mais nos personnes âgées témoignent que l'éducation ne trouve pas son efficacité du seul fait qu'elle est reçue durant l'enfance. Loin de là. Ainsi l'éducation et l'information sexuelles sont efficaces pour la modification de l'attitude sexuelle peu importe l'âge de la personne qui les reçoit. Nos personnes âgées ont souvent changé d'attitudes sous la motion d'informations qui leur ont été communiquées après l'âge de la retraite.

Nous retenons donc que l'attitude personnelle, qu'elle soit psychologique, morale, religieuse ou culturelle en général, a besoin d'un événement déclencheur pour se modifier. C'est la condition

---

1. Extraits d'une conférence présentée par les auteurs lors du Congrès de l'Association de gérontologie du Québec, tenu à Rimouski en 1986.

de la réversibilité. L'élément déclencheur, c'est souvent une information ad hoc reçue des intervenants professionnels détenteurs d'un savoir particulier ou d'une expertise. Mais c'est la personne âgée elle-même qui peut poursuivre à son gré le processus de croissance nécessaire à une modification plus ou moins radicale de l'attitude personnelle. Ces modifications témoignent que les processus de vie et d'apprentissage sont toujours actifs. La personne âgée est capable d'apprendre, elle est toujours sujette d'éducation permanente. Vieillir c'est donc une bonne occasion de réévaluer les « évidences » qui alimentent les mythes et les préjugés tenaces qui dévalorisent trop souvent les personnes âgées. « Je suis assez âgé maintenant pour savoir par moi-même ce qui est bien et ce qui est mal pour moi », affirme avec aplomb une de nos personnes ressources de plus de soixante-dix ans.

La personne âgée est une personne unique, à part entière, porteuse du poids cumulatif de ses expériences ou allégée des situations achevées, des événements terminés qui ont reçu un nouveau traitement de significations plus satisfaisantes. La paresse intellectuelle et les données statistiques s'allient volontiers pour faire des personnes âgées une classe homogène à prédominance féminine. Insister sur les particularités des personnes âgées, ce n'est certes pas nier les éléments communs d'humanité et d'historicité ou les caractéristiques d'une cohorte donnée, c'est-à-dire de gens qui ont vécu les mêmes événements au même âge. L'accent mis sur l'unicité de chaque personne âgée, sur sa situation singulière dans un ensemble, c'est le fondement même de la possibilité et de l'agrément d'une relation interpersonnelle valorisante. La personne qui s'est constituée à travers ses expériences a développé sa propre échelle de valeurs et de besoins. La plainte la plus fréquemment entendue chez nos personnes ressources portait justement sur le fait de n'être pas reconnue comme personne qui a des besoins particuliers, que ce soit au plan du logement, des loisirs et en général de l'intimité.

Aider la personne âgée, en bons éducateurs, c'est d'abord recevoir son expérience comme valable sans intrusion inutile dans sa vie privée, et la reconnaître dans la particularité de son existence. Cette reconnaissance implique que la personne âgée soit « entendue » ou « reçue » avant d'être comprise et soutenue. En somme, la personne âgée, comme chacun et chacune d'entre nous, n'est ni ange, ni bête et non plus une donnée statistique. Elle est comptable de ses ans et tendue vers la réalisation de son existence propre, unique et commune tout à la fois, comme tout être humain en devenir. Consciente de ses limites et de ses désirs, la personne âgée est aussi appelée au dépassement. Par exemple, ce septuagénaire qui veut aider son épouse malade et qui constate son inhabileté en tant qu'infirmier improvisé : il demande alors de l'aide à un hôpital qui lui offre un stage de formation appropriée à sa situation et à ses besoins.

Besoins exprimés ou tacites des personnes âgées

Vieillir n'est pas une maladie ni un problème en soi. Être âgé, c'est vivre une autre étape de la vie. La personne âgée a toutefois **besoin de support** pour traverser cette étape comme elle a eu besoin de support humain pour vivre les autres périodes significatives de sa vie, par exemple la scolarisation, la puberté, l'insertion dans le monde du travail, la fondation d'un foyer, l'éducation des enfants, la prise de la retraite et, en général, lors des grands événements de séparation et de deuil. Si une personne a besoin d'aide pour passer à travers ces divers événements, ce besoin est bien sûr plus vivement ressenti quand la vie est hypothéquée par la maladie et les infirmités, peu importe l'âge, mais y compris l'âge avancé. Ce besoin de support des personnes âgées a donné naissance au cours des dernières décennies à un réseau de services en gérontologie.

Cependant, l'accompagnement de la personne âgée nous renvoie à notre propre vie, à **notre propre vieillissement**. L'aide aux personnes âgées demande que les intervenants explorent en profondeur leur cheminement personnel et balisent de lucidité leur sentier professionnel. Cela veut dire, entre autres, apprivoiser leurs anxiétés ou leurs angoisses existentielles vis-à-vis le déroulement de leur propre vie, de telle sorte que leur relation avec la personne âgée soit une authentique relation professionnelle, c'est-à-dire une relation qui vise en nette priorité le bien-être particulier de cette personne dans le respect de son identité particulière.

L'intervenant peut-il recevoir la personne âgée comme une personne ayant sa dignité et ses besoins propres, comme une personne digne de respect, digne d'affection, digne d'amour, digne de relations humaines satisfaisantes incluant la tendresse et la sexualité? Il y a toujours lieu de prendre ses distances vis-à-vis les idées reçues qui réservent l'amour et la sexualité aux jeunes et à ceux qui leur ressemblent. Nos personnes ressources témoignent que la personne âgée est capable d'amour et que cet amour n'est pas différent à 70 ans qu'à 20 ans: «J'aime comme une fille de 15 ans», affirme cette dame de 82 ans. Pour la personne âgée aussi la fonction érotique est parfois un dérivatif aux petites misères et aux tracas de la vie, elle apaise l'agressivité et permet de mettre la sourdine sur le temps qui fuit. «Cela procure un soulagement dans le cœur», selon l'expression de cet homme de 73 ans. Sans être une panacée, l'exercice de la fonction sexuelle scande le vieillissement de bons moments de désirs. L'exercice de cette fonction de vie et de plaisir implique que les intervenants n'empêchent pas, d'une part, les personnes âgées, qui le désirent, de se constituer en couple. Les intervenants sont-ils prêts, d'autre part, à favoriser explicitement le bien-être sexuel des personnes âgées, à leur apporter concrètement de l'aide, s'il y a lieu, pour leurs rapprochements sexuels?

Comment l'intervenant peut-il aider plus spécifiquement la personne âgée à vivre cette étape de vie? Aider cette personne, c'est souvent pour l'intervenant lui servir de **miroir fidèle** de telle sorte que la personne âgée puisse se reconnaître elle-même. La qualité première du bon miroir, c'est de réfléchir l'autre sans interférence et sans complaisance. Le tain fait le miroir. Le tain de l'intervenant-miroir, c'est son attitude d'accueil et d'écoute active de la personne âgée sans les buées de ses souvenirs et de ses craintes. Toute personne humaine a le droit d'être reconnue comme elle-même, comme être singulier et différent. Enfermer une personne âgée dans les idées préconçues et les projections de ses expériences, comme intervenant, c'est la frustrer de ce droit à la différence.

La personne âgée est aussi une personne qui fait partie d'une famille et d'une communauté humaine. L'intervenant auprès de la personne âgée, dans son rôle même de dispensateur de services, est l'agent qui manifeste d'une part, et qui sollicite d'autre part, les liens de coopération entre les éléments de la collectivité. La personne âgée n'est pas qu'une consommatrice de soins, elle est aussi capable et souvent désireuse d'apporter son eau au moulin de la vie qui continue. À l'intervenant de jouer son rôle d'inducteur de générosité dans le partage et de compréhension mutuelle entre les divers groupes de la société.

Les besoins des personnes âgées

Au chapitre des besoins, nous essaierons d'être un écho fidèle des personnes âgées ressources. Ces besoins sont exprimés clairement, sans ambages ou filtrent subtilement, subrepticement à travers leurs discours. Ils sont nombreux, de différents ordres et appellent de la part des professionnels des interventions adéquates. Il n'y a pas de cloison étanche entre ces différents ordres de besoins, il y a même parfois imbrication, compénétration.

Le besoin le plus élémentaire est celui de **mouvement**: promouvoir l'activité physique, maintenir les mouvements dont la personne âgée est capable. Le mouvement, c'est un signe de vie. Marcher, danser, faire de la bicyclette, etc... c'est dire qu'on est en vie, c'est crier la vie qui reste et relayer dans l'obscurité l'inertie, l'immobilité de la mort. Ce besoin de mouvement appelle le respect des limites. Comment utiliser ses énergies physiques sans aller au-delà de ce dont on est capable ? Il appelle aussi le besoin de prendre le temps, de n'être pas bousculé. « On a bien le temps maintenant, il en reste si peu à vivre... » Prendre le temps comme si on voulait l'étirer indéfiniment, comme si on ne voulait pas finir. Finir, c'est aussi mourir.

Alors que son espace moteur est restreint, que sa vue baisse, que son oreille devient dure, la personne âgée a besoin de **stimulation**

sensorielle qui maintienne une qualité de perception relativement bonne et qui la connecte continuellement au présent. Le présent, c'est la seule certitude.

Sur le **plan affectif,** plusieurs besoins ressortent que l'on pourrait présenter arbitrairement comme suit :

Besoin **d'être reconnue**, comme une personne ayant un nom, une identité bien à elle, étant riche d'expériences uniques, habitant tel appartement, telle chambre, tel quartier, besoin d'être regardée comme vivante, importante, intéressante, etc...

Besoin **d'appartenance** physique, sociale, spirituelle, « besoin d'espaces familiers qui permettent de vivre, de respirer, de maintenir ou trouver son identité, créant pour chacun une sécurité, une sorte d'abri, une forme de bien-être ; espaces qui empêchent de vieillir parce qu'ils instaurent une sorte de permanence » (Préclaire, 1985).

Besoin de **se sentir utile,** de rendre service, de faire des choses relevant de sa compétence particulièrement à l'égard des petits, des démunis, des plus pauvres que soi, des moins bien portants que soi, moduler son besoin de recevoir et de donner selon les périodes de la vie et des événements.

Besoin **de dire, de se dire, de raconter**, de se valoriser en rapportant ses expériences de vie. Besoin de **se valoriser** également à travers ses réalisations actuelles, à travers l'objet, qu'il s'agisse d'un tricot, d'une peinture ou d'autre chose.

Besoin **d'autonomie,** de prendre des décisions en ce qui la concerne, de faire pour elle ce qu'elle peut faire, de pouvoir compter sur elle, de fonctionner par elle-même dans la mesure du possible, de faire de nouveaux apprentissages quand c'est nécessaire, apprentissages qui lui permettent de subvenir à ses besoins.

Besoin de **sécurité émotive,** lié au besoin d'appartenance, pouvoir faire confiance à son, sa partenaire, à elle-même, à ses amises, à sa famille, aux professionnels. Se faire confiance et être objet de confiance. Sentir qu'on ne la trompe pas, qu'on n'essaie pas de profiter d'elle. Besoin de fidélité à soi et aux autres.

Besoin d'une **présence** qui accompagne, écoute, interpelle, réveille. Ce besoin revient dans la bouche de tous les interviewés, d'une présence compréhensive et discrète, présence respectueuse faisant sentir à l'autre que dans ce qu'il est, ce qu'il dit, ce qu'il fait, il n'y a rien de dérisoire, de banal, d'anormal. Être là simplement.

Besoin de **partage des activités**, des expériences, des sentiments, de la vie qui est là, qui reste. Partage qui enrichit plutôt que déleste, qui ajoute plutôt que soustrait.

Besoin de **rajeunir** tous les jours, de rompre avec la routine en exploitant au maximum l'événement : visite, nouvelle, saison, fête, etc...

Besoin d'une **solitude pleine** contraire à l'isolement, à l'»esseulement » : solitude pleine de souvenirs, de réflexions, d'interrogations, de rêves ; solitude choisie, respectée ; solitude habitée et calme.

Besoin de **savoir**, de comprendre ce qui la concerne, de comprendre la vie qui passe, entraînant certaines modifications bio-psycho-sexuelles, de comprendre ce qu'on dit à son sujet, d'être rassurée dans ses possibilités.

Besoin de **se sentir attrayant-e**, beau, belle, d'être fier-ère de son apparence, de s'approprier son nouveau visage, son image corporelle de personne marquée par le temps.

Besoin **d'entretenir ses connaissances**, de les mettre à jour, de les transmettre, de maintenir ses capacités de comprendre, de lire, de mémoriser, d'être présent mentalement.

La personne âgée a **besoin d'intimité**, qu'elle habite chez elle, dans sa famille, dans un foyer, une résidence, un centre d'accueil ou ailleurs. Intimité lui permettant d'exprimer sa tendresse, son amitié, son amour à un-e partenaire de son choix et à sa façon ; de se faire plaisir à elle-même en l'absence de partenaire ou quand elle en a le goût, à l'abri des jugements. Les personnes interrogées l'expriment clairement ce besoin et celui de n'être pas considérées

« anormales » parce qu'elles l'expriment. « Tu ne peux pas vivre sans ça », le ça recouvrant tout un éventail de possibilités : cajoler, serrer, toucher, caresser, aimer, etc. Quelqu'une ajoutera : « j'en ai manqué de grands bouts, je veux me reprendre maintenant. » Besoin d'élargir encore cet éventail d'expressions.

Besoin de **pudeur** et du respect de leur pudeur pour un certain nombre d'entre elles, particulièrement quand elles ont à passer des examens médicaux, des tests ; quand on a à donner des soins corporels (le bain, par exemple).

 ## Éléments de réponse aux besoins

Pour la personne âgée, l'intervenant, le professionnel sera à la fois un informateur, un éducateur, un agent de liaison et/ou de changement, un complice, un planificateur, un « réconforteur » et un réhabilitateur. Mais il sera d'abord une personne à l'affût : tout ouïe, tout yeux, tout corps, toute chaleur. L'intervenant observe, suscite, explore, analyse, propose ; il répond, maintient, clarifie, rappelle, reflète. Il est présent et part des besoins exprimés, pressentis et validés pour décider d'une intervention et la structurer.

L'intervenant doit promouvoir la vie, le mouvement chez la personne âgée sans bousculade, sans exagération, sans exacerbation ; demander ce qu'elle peut faire et rien que cela, sinon le risque est grand de souligner son incapacité, et d'amoindrir l'estime de soi dont elle a tant besoin pour continuer. L'intervenant doit inciter au mouvement régulier, rythmé, quotidien, maintenu en terme d'amplitude et l'effectuer avec la personne âgée quand c'est nécessaire.

L'intervenant sera stimulateur sensoriel quand il offrira à la personne âgée des choses à regarder, contempler, admirer (fleurs ou objets d'art), des sons différents chargés de souvenirs ou nouveaux à entendre (musique, chant des oiseaux), des odeurs à respirer (bonne soupe, parfum), des objets à toucher pour en apprécier la texture (tissu, fourrure).

Pour répondre aux besoins affectifs de **re-connaissance**, l'intervenant saluera la personne âgée par son nom (pas ma tante ou mon oncle, pas Rosa ou Jos, pas mémère ou pépère, pas ma belle cocotte ou mon petit vieux) mais Madame ou Monsieur et la vouvoiera à moins que la personne âgée n'ait autorisé le tutoiement à son égard ou ne demande qu'on l'appelle par son prénom. Il la considérera comme quelqu'un de qui il a des choses à apprendre, choses que seule l'expérience réfléchie peut communiquer ; il la regardera comme une personne dont on sait qu'elle a de la valeur, qu'elle est respectable.

Il favorisera **l'appartenance** à un lieu physique en laissant à la personne âgée des choses à décider quant à l'organisation de son environnement ; qu'elle puisse y disposer fleurs, photos, meubles, comme bon lui convient. Il favorisera l'appartenance sociale en la tenant au courant des événements qui se déroulent ici, au Québec, ici, à Montréal, à Granby, à Rimouski ou à Louiseville, et en lui faisant découvrir la place que chacun occupe dans la construction d'un pays, d'une ville, d'un centre d'accueil où il fait bon vivre. Il favorisera l'appartenance spirituelle, culturelle en mettant en évidence l'importance de la tradition dans l'identité, dans l'esprit d'un peuple sachant que les personnes âgées sont souvent les détentrices privilégiées de cette tradition : elles ne peuvent s'endormir sans l'avoir transmise à des oreilles attentives.

Besoin de **se sentir utile**, amener la personne âgée à faire pour la communauté des choses qu'elle est capable de faire, qui sont à la mesure de ses moyens physiques, psychologiques, matériels même.

Besoin **de dire, de se dire**. Parler est un soin. L'intervenant peut organiser des groupes de conversation, ménager un temps et un lieu (jour et heure fixés) pour ces groupes, s'imposer d'être disponible pour cette activité, favoriser le droit à la parole de chacun, concentrer l'attention sur un même thème, favoriser l'articulation passé/présent. Il doit être convaincu que la personne âgée a quelque chose à lui apprendre, à apprendre des pairs. Il doit écouter la personne âgée quand elle raconte, lui permettre d'achever ce qui ne l'est pas par le reflet ou d'autres techniques de relation d'aide.

Besoin de **se valoriser à travers l'objet** : fournir l'occasion d'exercer sa créativité dans les arts plastiques, les ouvrages d'artisanat, l'écriture, etc., organiser des exhibits ou d'autres modes de présentation des œuvres réalisées, souligner les qualités de l'auteur et de l'œuvre.

Besoin **d'autonomie** – Pour tout ce qui la concerne : environnement, habillement, sorties, budget, etc..., faciliter la clairvoyance de la personne âgée en présentant les alternatives, les bénéfices, avantages, désavantages, conséquences de telle décision et la laisser dans la mesure du possible choisir la solution, l'alternative qui lui convient.

Besoin de **sécurité émotive** : faire en sorte de mériter ou de conquérir la confiance de la personne âgée par des actions honnêtes, une attitude ouverte, franche, sans détour.

Besoin **d'une présence**. On ne peut être toujours disponible mais quand on est là, l'être vraiment ; compenser par l'intensité ou la qualité, la rareté des visites. Que la personne âgée sente que ce temps lui appartient, qu'elle peut l'occuper tout entier ; écouter plus qu'on ne parle, encourager plus que blâmer, reconnaître comme vrais et importants les sentiments et les idées de la personne âgée.

Besoin de **partage des activités** : organiser des activités communes, stimulantes, l'inviter à participer. Qu'elle sente que cette invitation n'en est pas une de complaisance mais d'appréciation véritable ; démontrer à la personne âgée quel est son apport spécifique à telle activité.

Besoin de **tenir ses connaissances à jour** par la lecture, l'information. On tient trop souvent et trop vite pour acquis que la personne âgée n'est pas intéressée, qu'elle a autre chose à penser, « à sa mort, par exemple », et on doute de sa capacité de compréhension, de sa mémoire. Le doute peut être à demi fondé, mais n'oublions pas, « les organes qui ne sont pas utilisés s'usent plus vite que s'ils l'étaient », fournir l'occasion par le babillard, les journaux, les séances d'information, l'accès à la bibliothèque, les conseils ou suggestions de lecture, de se rajeunir en rajeunissant ses connaissances, de naître à nouveau aujourd'hui avec l'événement.

Besoin **d'intimité**. L'intervenant doit respecter ce besoin, frapper ou avertir avant de visiter la personne âgée, favoriser cette intimité, prévoir et organiser si possible des lieux de rencontre loin du vu et du su de tous. L'intervenant encourage les manifestations des différences sexuelles, accepte les amitiés particulières, refuge contre la solitude et accepte également la formation de couples. Toutes ces manifestations sont des expressions de vie. Il comprend mais ne joue pas le rôle de partenaire-substitut, ne va jamais à l'encontre de ses convictions personnelles et professionnelles. La personne âgée est tout à fait capable de pourvoir à ses propres besoins en ce domaine si les intervenants nettoient le paysage des préjugés tenaces et des contraintes inhibitrices.

Vous trouverez à la fin du chapitre un tableau synthèse des besoins et des éléments de réponses que nous venons de présenter de même que les étapes d'une relation d'aide en santé sexuelle, auprès de la personne âgée.

 ## Le p'tit bonheur à rencontrer

La perte d'intérêt pour la personne avec qui l'on vit depuis longtemps, c'est certainement le plus grand malheur pour certaines personnes. Le bonheur se manifeste chez les couples qui ont su maintenir vivante leur vie affective par un élargissement du registre de la volupté et une place de choix accordée à la tendresse et à l'amour. Certains penseurs ont mis l'accent sur le conditionnement de la vie sexuelle de la personne âgée par sa vie antérieure. Heureusement, nous avons noté dans notre recherche que certaines personnes ont découvert et expérimenté la puissance sexuelle après une longue suite de frustrations et de manque d'intérêt. Ce qu'une personne a fait montre surtout l'état des possibles... et les chemins de l'espoir.

Nous retenons donc que la personne âgée a la capacité de tirer profit de ses expériences pour organiser sa vie actuelle et qu'elle peut être ouverte à des apports nouveaux susceptibles d'enrichir ou de modifier sa vie. Ce transfert des apprentissages peut se manifester aussi à l'égard des autres personnes âgées. Nous allons conclure par quelques extraits de réponses que nos personnes ressources ont données à la question suivante : « Quels conseils donneriez-vous aux personnes de votre âge ? »

On peut regrouper ces conseils-témoignages sous trois thèmes :

1) *Se maintenir en forme physique et mentale :*

— « Faites comme moi, enregistrez-vous dans des activités comme le sport, la natation, la danse » (R., 65 ans) ;

— « Ne pas essayer de jouer au vieillard avant le temps, par exemple dans la façon de marcher. Ne pas se diminuer soi-même » (B., 67 ans) ;

— « Vivre au jour le jour. Ne pas arrêter ses entreprises culturelles, par exemple, la lecture, les sorties, les conférences » (B., 74 ans) ;

— « Il est important de sortir de chez soi pour avoir le moral nécessaire pour passer la semaine » (J., 66 ans) ;

— « Je crois qu'une personne n'a pas le droit de s'arrêter d'apprendre » (A., 80 ans) ;

— « Demeurer autonome le plus longtemps possible » (A., 80 ans) ;

— « Remplir sa vie ; ne pas rester là à tout attendre... des autres » (J., 66 ans) ;

— « Ne pas rester inactif. Se rendre utile aux autres » (A., 73 ans) ;

— « Apprendre à goûter aux joies de la vie, à apprécier chaque moment » (C., 57 ans).

2) *Amour, amitié, authenticité :*

— « Faire plaisir aux autres à condition que les autres n'ambitionnent pas » (A., 81 ans) ;

— « Être sincère avec soi et avec les autres » (A., 73 ans) ;

— « Être joyeux, ne pas être chiâleux » (A., 73 ans) ;

- « Éviter la jalousie, les chicanes » (A., 82 ans) ;
- « Quand on voit venir la mort, ce n'est plus le temps de se chicaner » (A., 73 ans) ;
- « Aimer ceux qui nous entourent » (L., 63 ans) ;
- « L'amour est le meilleur remède en tout » (L., 63 ans) ;
- « Arrêter de s'en faire pour rien. Vivre aujourd'hui, ne plus penser à demain » (J., 63 ans) ;
- « Il n'est pas nécessaire d'être amoureux pour avoir une relation sexuelle, mais c'est mieux si on est amoureux » (A., 73 ans) ;
- « Manifester sa tendresse : on devient plus tendre en vieillissant. La tendresse, ah, c'est une grande chose » (A., 73 ans) ;
- « Au troisième âge, c'est le temps de se donner plus d'affection dans le couple. Ne pas se contenter de se coucher et de dormir » (B., 74 ans) ;
- « Communiquer entre personnes âgées » (G., 77 ans) ;
- « Cultiver les amitiés » (G., 66 ans) ;
- « Si on ne rêve pas, autant mourir » (A., 82 ans) ;
- « Cohabiter pour réduire les dépenses ; ça rend la vie plus facile pour les deux »(L., 75 ans) ;
- « Être généreux, c'est la plus belle qualité d'une personne âgée » (C., 79 ans) ;
- « J'aime faire du bien aux autres, les personnes âgées en sont capables » (R., 80 ans).

3) *Le rapport à l'âge :*

- « Les femmes sont meilleures à soixante ans » (A., 73 ans) ;
- « Je l'aime beaucoup la femme que je suis aujourd'hui, c'est-à-dire une femme autonome sur tous les plans » (J., 66 ans) ;
- « Je me trouve plus belle maintenant qu'autrefois » (J., 66 ans) ;
- « J'ai fait une vie que je ne regrette pas. Je n'envie pas celle d'aujourd'hui » (B., 74 ans) ;
- « Je ne pense pas à mon âge quand j'achète du linge. Mon critère c'est : est-ce que ça me va ? » (J., 66 ans) ;

–   « Accepter les conséquences de la vie. Apprendre à goûter les joies de la vie, à apprécier chaque moment » (B., 67 ans) ;

–   « Je suis un jeune, mais il y a un vieux qui m'accompagne dont je ne puis me défaire... On fait des compromis, puis on apprend à vivre ensemble » (A., 80 ans) ;

–   « Je souhaite de vieillir avec ma tête » (G., 78 ans) ;

–   « À 60 ans, on est encore bien capable, à 80 ans, les Gaspésiennes, c'est chaud » (H., 80 ans) ;

–   « Ce que j'aime de moi, je suis assez bien conservée pour mon âge » (J., 78 ans).

Besoins identifiés et éléments de réponses (tableau synthèse)

BESOINS	INTERVENTION	MOYENS
1. Mouvement	– promouvoir le mouvement – maintenir le mouvement : • sans bousculade • sans exagération • sans exacerbation	– marche – exercice des membres – danse – vélo
2. Stimulation sensorielle	– attirer l'attention sur des objets, des animaux, des personnes, des fleurs, etc. – offrir à entendre des sons nouveaux ou chargés de souvenirs – présenter à toucher des objets, des animaux, des personnes, des tissus, etc. – offrir à respirer des odeurs (fumet d'une soupe, parfum d'une fleur, etc.)	– exercice des sens en toute occasion pertinente
3. être reconnue	– saluer la personne âgée en la nommant par son nom – à moins d'autorisation de la personne âgée, utiliser le vouvoiement – considérer la valeur de la personne âgée	– contacts personnalisés, respectueux

Besoins identifiés et éléments de réponses
(tableau synthèse) (suite)

BESOINS	INTERVENTION	MOYENS
4. appartenance • à un lieu physique • à une société • à une culture	– laisser à la personne âgée des choses à décider quant à son environnement – tenir au courant des événements qui se déroulent dans la ville, la province, etc. – fournir l'occasion de parler de la vie des anciens	– décoration de sa chambre – information – lecture des journaux – écoute de la radio, T.V. – groupe de discussion
5. se sentir utile	– amener la personne âgée à rendre service aux autres	– gardiennage – tricot pour enfants – lecture pour une personne aveugle – commission pour quelqu'un qui ne peut se déplacer – écoute de l'autre, etc.
6. dire, se dire raconter	– favoriser le droit de parole – être disponible à l'écoute – refléter – permettre d'achever ce qui ne l'est pas – favoriser l'articulation passé-présent	– groupe de conversation
7. se valoriser à travers l'objet	– fournir l'occasion d'exercer sa créativité	– arts plastiques – artisanat – écriture – théâtre, etc.
8. autonomie accompagne-ment	– faciliter la clairvoyance – laisser prendre des décisions, dans la mesure du possible	– information – ou « guidance »
9. sécurité émotive	– conquérir la confiance de la personne âgée – faire confiance – ne pas juger	– attitude ouverte, franche
10. partager des activités	– organiser des activités communes – démontrer l'apport unique de chacun	– fêtes – spectacles – vie du centre – âge d'or

Besoins identifiés et éléments de réponses (tableau synthèse) (suite)

BESOINS	INTERVENTION	MOYENS
11. se sentir attrayant(e)	– aider à tenir propre, bien mis(e) – lui fournir l'occasion de se procurer le nécessaire	– toilette (corps, cheveux, dents) – vêtements – sortie au centre commercial – requête à la famille
12. entretenir ses connaissances • rajeunir • savoir	– en fournir l'occasion – croire en la capacité de comprendre de la personne âgée	– lecture information – journaux
13. présence	– compenser par l'intensité la rareté des visites et des contacts – écouter plus que de parler	– discussions – disponibilité extérieure et intérieure – être là vraiment – discrétion
14. solitude pleine	– respecter la solitude de la personne âgée	– silence dans la parole, dans les actes
15. intimité	– respecter ce besoin – frapper ou avertir avant de visiter – favoriser, prévoir et organiser les lieux en conséquence – encourager les manifestations d'amitié, d'amour, d'auto-érotisme – se respecter dans ses convictions – aider	– discrétion – respect – acceptation – chambre de rencontre – relation d'aide thérapeutique éducative

Relation d'aide en santé sexuelle auprès de la personne âgée

Conditions préalables à la relation d'aide :

– connaître la personne âgée à aider. Il existe des différences évidentes entre les personnes du même âge sur les plans physique, affectif, intellectuel, sexuel, social ;

– se souvenir du fait que « toutes les fonctions sont intimement liées à la capacité de réutiliser les connaissances acquises et l'expérience passée pour l'adaptation à la réalité et la solution de problèmes nouveaux » (L'Ecuyer, 1986) ;

– être sensibilisé aux problèmes spécifiques d'expression de la sexualité des personnes âgées (modifications liées à l'âge, dysfonctions, effets des maladies et des médicaments sur la sexualité, etc.) ;

– avoir de la disponibilité pour écouter et de la tolérance vis-à-vis un large éventail de comportements sexuels (homosexualité, exhibitionnisme, voyeurisme, etc.) (Tordjman, 1987).

Réalisation

1. *Développer des habiletés de communication*

    a. prendre conscience que l'on a de ses propres croyances et valeurs concernant le vieillissement et la sexualité ;

    b. acquérir les habiletés pour initier la communication avec la personne âgée, pour créer une atmosphère facilitant la discussion sur la sexualité, être à l'écoute du non-verbal concernant la sexualité ; éclaircir la verbalisation de préoccupations implicites ;

    c. revoir ses connaissances au sujet de la physiologie et du fonctionnement sexuel ;

    d. cerner la perception du client concernant ses préoccupations sexuelles.

2. *Aider à cerner le problème :*

    a. est-ce qu'il s'agit d'une demande d'information concernant l'anatomie ou la physiologie ?

    b. est-ce que le besoin est un problème sexuel spécifique ?

    c. est-ce que le problème est une situation clinique directement ou indirectement reliée au fonctionnement sexuel ?

d. est-ce que le problème organique ou situationnel nécessite des modifications dans le mode de fonctionnement préféré ?

e. est-ce une crise ou un problème à long terme ?

f. est-ce que la personne lutte entre ses désirs de performance et la réalité ?

g. vérifier les maladies physiques et les médicaments absorbés.

3. *Trouver des points de départ pour amorcer la discussion sur la sexualité avec les personnes âgées :*

a. considérer l'orientation sexuelle du client ;

b. vérifier les sentiments sur la masturbation, qui peuvent être présents inconsciemment ;

c. « la première fois » semble avoir une grande importance, la considérer comme point de départ de la discussion ;

d. « la deuxième fois » a pu être meilleure, on peut aussi partir de cette fois pour la discussion ;

e. se souvenir que ça peut prendre du temps avant d'aborder le sujet, vaut peut-être mieux parler préalablement de l'histoire personnelle, des activités sociales, de la religion pour y arriver ;

f. faire attention aux doubles messages : « je ne pense pas à ça » « peut-être, si je tombais en amour »... venant de la personne âgée ;

g. se souvenir qu'il peut y avoir une augmentation des préoccupations sexuelles, consciemment ou non, particulièrement dans certaines situations. Amener la personne âgée à « compenser les insuffisances dues à l'âge par son expérience, son raffinement et surtout par ses souvenirs d'une sexualité non coïtale heureuse et par les fantasmes (Abraham, 1985) ;

h. garder la rencontre confidentielle, privée, personnelle ;

i. on n'a pas à connaître toutes les réponses pour conseiller, on a juste à aider les vieilles gens à trouver leurs réponses, et quelques fois elles les connaissent, elles ont juste besoin de support ou d'approbation (Ebersole & Hess, 1985).

En résumé : **faciliter, éduquer, conseiller**

5. *Référer au besoin à d'autres professionnels dont la compétence est reconnue dans ce domaine.*

CHAPITRE 10

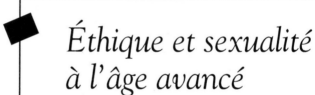

*Éthique et sexualité
à l'âge avancé*

Un bref détour sur la nature de l'éthique permet de situer le cadre dans lequel émergent les nouvelles valeurs chez les personnes âgées. L'augmentation de l'espérance de vie nous fait considérer quatre facteurs – temporel, économique, social, post-professionnel – qui rendent compte de l'accent mis sur certaines valeurs humaines. Des témoignages de personnes interviewées illustrent des thèmes spécifiques : intimité et pudeur, amour et plaisir d'amour, fantasme et désir, séduction, toucher, caresse et tendresse. L'éthique devient ouverture d'esprit et art de vivre. Le souci de performance fait place à des préoccupations altruistes : faire plaisir et ne pas juger. La réalisation de soi dans la poursuite de la sérénité remplace la compétition et l'obligation de bien paraître.

Violence et abus comme situations problématiques auxquelles sont confrontées les personnes âgées. La violence familiale et la violence amoureuse nous conduisent à considérer les causes de cette violence. Ces situations de détresse font appel à la solidarité entre personnes âgées et à la solidarité entre les générations.

Autonomie morale et affirmation du droit à la différence dans le refus de la conformité et de l'uniformité soutiennent la recherche de l'honnêteté. L'éthique sexuelle se doit d'envisager lucidement les divers modes de l'expression sexuelle et de l'activité génitale tout au long de la vie, y compris à l'âge avancé.

Sexualité et éthique, deux termes qui évoquent, pour certains, le couple mal-aimé ou encore les deux masques emblématiques du théâtre de la vie : Pierrot-qui-rit, Pierrot-qui-pleure. La suite de ce chapitre fera voir que des personnes âgées savent raccommoder les trous et les brouilles de l'existence aussi bien que relier les événements épars d'une longue vie dans une courtepointe à la fois harmonieuse et chaleureuse. Essayons, en quelques lignes, de démêler les liens historiques entre sexualité et éthique pour mieux comprendre l'éthique sexuelle des personnes âgées.

Les préoccupations éthiques s'inscrivent dans la pensée occidentale tout naturellement comme une exigence de la raison et de la liberté. Dans le domaine de la sexualité, les écrits philosophiques et médicaux mettent l'accent, dès le début des formulations théoriques en Grèce, sur la nécessité de **poursuivre le bien** dans les comportements humains en général et les comportements sanitaires en particulier. Ainsi, l'éthique aristotélicienne, en étroite corrélation avec la biologie d'alors, explicite les exigences de la **nature** dans la conduite humaine. Dans le champ des comportements sexuels, Platon, Aristote et Hippocrate, comme penseurs grecs éminents, ont effectué des observations et élaboré des théories au sujet de la réponse sexuelle, des dysfonctions sexuelles, de l'orientation sexuelle et de l'amour, de l'avortement, de la contraception et des lois devant régir les conduites sexuelles.

C'est dans ce courant de pensée que s'explicitera la morale chrétienne en matière sexuelle avec, comme noyau central, le concept de **loi naturelle** orientée vers la procréation et la survie de l'individu et de l'espèce. Ce fondement de la morale occidentale influencera considérablement la morale sexuelle et mènera à des difficultés que nous connaissons encore dans les rapports de la morale avec la biologie, en particulier dans le domaine des nouvelles technologies biomédicales qui ont des répercussions sur l'avortement, la contraception, les modes de procréation, etc. Difficultés qui sont toujours aussi vives au sujet de l'auto-érotisme, des paraphilies et, en général, des modalités variées de l'expression sexuelle et érotique.

Le renouveau actuel dans le domaine de l'éthique se caractérise justement par le questionnement de cet héritage grec qui distingue deux formes d'amour : *agapê* et *eros*. Cette distinction-là va amener la culture chrétienne à sublimer l'*agapê* spirituel ou amour oblatif au détriment de l'*eros* sexuel ou amour charnel dans la logique de cette explication dichotomique de l'être humain. Cette façon de percevoir l'être humain mènera à concevoir le corps humain comme le lieu de l'animalité qu'il partage avec les autres êtres de la nature. Puis cette conception de la nature humaine va affecter tout spécialement la manière de comprendre la sexualité et le plaisir dit érotique. Pour les chrétiens, en particulier, la remise en question de cette conception dualiste de l'être humain, héritée de la pensée grecque qui a servi de support à l'expression théologique, va de pair avec un approfondissement de la Bible qui a une vision unitaire de l'être humain et une conception différente de la sexualité.

Les interrogations sur les fondements théoriques de la morale se prolongent aussi dans les refus d'une morale traditionnelle qui a eu tendance, au Québec comme ailleurs, à se scléroser dans des formules toutes faites incapables d'accueillir la mouvance de la vie qui continue, comme le feu sous la cendre. C'est en tenant compte de cette problématique d'une morale en mutation que nous abordons les diverses dimensions éthiques de la sexualité des personnes âgées et des interventions des gens qui côtoient ou assistent ces personnes dans leur vécu quotidien.

Éthique ou morale

Pourquoi traiter de l'éthique et non pas de la morale ? Un petit détour par l'étymologie et l'histoire nous permettra de justifier notre choix. En effet, le mot éthique vient du grec *ta èthica* que Cicéron a traduit en latin par *moralis* : les deux termes désignent ce qui a trait aux mœurs, au caractère, aux attitudes humaines en général, et en particulier aux règles de conduite et à leur justification. Les termes **éthique** et **morale** sont donc équivalents ou synonymes si l'on considère leur origine. En fait les deux termes ont pris une signification un peu particulière au cours de l'histoire. Parfois l'usage a donné à l'éthique des préoccupations orientées vers la recherche des principes fondamentaux tandis que la morale s'appliquait à en dégager les implications pratiques dans les divers domaines de la conduite humaine, par exemple morale personnelle, professionnelle, sociale, etc. Toutefois, au cours des derniers siècles, les Protestants ont eu tendance à privilégier le terme **éthique** tandis que les Catholiques ont fait plutôt usage du terme **morale.** En pratique, les Anglo-Saxons emploient d'une manière usuelle le mot éthique et les Latins le terme morale. Au Québec, sous l'influence anglo-saxonne, on en est venu au cours des dernières décennies à employer de préférence le terme **éthique** sans doute aussi pour mieux se démarquer du moralisme ancien qui a fait du terme **morale** un terme honni suscitant une attitude de distanciation, et parfois même, d'agressivité et de refus ; dans ce contexte le terme **morale**, subjectivement,

signifie alors oppression ou autorité extérieure. Il s'agit là proba-
blement d'une mise à l'écart temporaire qui permettra à la morale
de se refaire une virginité... l'usage courant a tendance à accoler
au terme **éthique** une rigueur nouvelle et des domaines d'application bien circonscrits, par exemple, éthique professionnelle, code
d'éthique, comité d'éthique... où l'éthique s'allie dangereusement
à la loi, à la discipline, à l'ordre et aux normes administratives.

Qu'est-ce donc que l'éthique ? Parce que l'être humain se
reconnaît raisonnable il s'ensuit qu'il doit diriger sa conduite dans
le sens le plus favorable à sa croissance, à sa santé et à son épanouissement ; la raison permet d'entrevoir les fins à poursuivre et
les moyens appropriés pour atteindre ces fins qui deviennent
alors **ce qui est bien** pour la personne, comme être vivant avec
d'autres êtres vivants. Parce que l'être humain se reconnaît libre,
c'est-à-dire capable de s'autodéterminer, au moins sous certains
aspects et dans certaines circonstances, il convient donc d' assumer les conséquences de ses choix et ainsi d'être responsable de
ses actes. L'éthique se définit alors comme **la promotion de ce qui
est le plus humain dans les diverses conduites humaines.** Les
champs d'application de l'éthique sont donc aussi nombreux que
les champs d'intervention des êtres humains. Chaque époque a
tendance à mettre l'accent éthique sur des champs spécifiques qui
sont soit en plus grande souffrance ou soit l'objet de nouvelles
prises de conscience. Notre siècle a formulé ainsi sous la motion
d'une prise de conscience de l'égalité foncière des êtres humains
des droits concernant les mises en application de cette égalité :
droits de la personne sans discrimination liée au sexe ou à la race,
droits des enfants, droits des réfugiés, droits des minorités, etc.
Cette prise de conscience s'étend de plus en plus présentement à
l'environnement humain et amène la réflexion éthique à s'inté-
resser non seulement aux êtres humains mais aussi aux autres
êtres vivants et à l'environnement qui permet à la vie de naître et
de se développer dans des conditions appropriées. **L'écologie,**
comme étude de l'environnement, devient ainsi une **extension
de l'éthique** quand elle se préoccupe plus particulièrement
d'identifier les comportements qui sont de nature à affecter les
conditions de la vie, par exemple, la pollution, la surexploitation,

la protection des éléments constitutifs de l'équilibre de la flore et de la faune... Nous pouvons donc appeler éthique **ce qui élève l'être humain** au-dessus de ses intérêts immédiats ou égocentriques dans la perspective rationnelle d'un bien supérieur ou plus englobant.

Ce détour sur la nature de l'éthique s'imposait car il y a beaucoup de flottements dans le domaine de l'éthique justement parce que l'éthique se soucie de nouveaux modes d'être et de nouvelles valeurs qui influencent aussi tout naturellement les personnes âgées qui sont partie prenante de cette culture en changement.

 ## Les valeurs en émergence pour les personnes d'âge avancé

La valeur la plus obvie pour qui s'occupe de santé sexuelle, c'est bien sûr la vie elle-même dans son déroulement complet y compris son déroulement à l'âge avancé. L'augmentation de l'espérance de vie qui fait qu'à soixante ans, il reste encore, en moyenne, une vingtaine d'années à vivre amène déjà sous nos yeux des changements considérables tant dans la composition de la société que dans la façon de vivre sa vie. Pensons alors à la durée des études, à la durée du mariage, à la durée du temps de travail, à la durée de la vie de retraite, à la durée de la vieillesse... Il est certes plus facile de concevoir qu'il vaille la peine d'investir dans la préparation et la réussite de sa vie de retraite quand on considère sérieusement le facteur **temps**. Selon un leitmotiv fort répandu, il ne suffit plus d'ajouter des années à la vie en terme quantitatif. L'on estime, avec raison, qu'il importe tout autant d'ajouter de la vie aux années en mettant le cap sur la réalisation de soi et sur l'autonomie pour assurer ce que l'on appelle **la qualité de vie des personnes âgées.**

Au facteur **temporel** qui incite à préparer soigneusement les bonnes années qui seront le couronnement de sa vie, s'ajoutent trois autres facteurs, économique, social et post-professionnel qui feront que la vieillesse sera une autre étape active dans l'épanouissement de soi. Ces facteurs rendent compte de l'importance des nouvelles valeurs dans l'interprétation et la signification du vieillissement d'une personne.

Le facteur **économique** renvoie au besoin fondamental de tout être vivant d'assurer sa propre subsistance dans un univers caractérisé par la lutte pour la vie. Dans nos sociétés de relative abondance, les personnes âgées ne sont plus condamnées à l'indigence et à la mendicité, et ne sont plus sous la dépendance totale de leurs descendants. L'État assure le minimum vital et encourage fortement, par ses déductions d'impôt, les citoyens à pourvoir dans l'avenir à leurs propres besoins en favorisant, par exemple, les régimes d'épargne-retraite. Le gouvernement fédéral canadien dispose d'un régime de sécurité de vieillesse qui évite à toute personne de 65 ans et plus de connaître la misère « sur ses vieux jours », particulièrement pour celles qui n'ont pas de pension de retraite ni de revenu d'appoint. Des personnes de notre échantillon de recherche ont noté que le chèque mensuel d'allocation de vieillesse, « c'était un cadeau du ciel à 65 ans ». Pour les personnes qui n'ont pas travaillé à l'extérieur du foyer, c'était, au moins pour certaines, leur premier chèque personnel qui allait assurer leur sécurité et leur autonomie relative pour répondre à leurs propres besoins matériels.

Le facteur **social** souligne le fait que les personnes âgées, faisant nombre, sont une partie constituante bien visible de la société. Les personnes âgées, généralement en bonne santé selon les statistiques, sont membres à part entière de la société à tout point de vue, politique, économique, culturel, etc. Elles ont de plein droit la possibilité, comme les autres membres de la société, de participer à toutes les activités qu'elles jugent utiles ou bénéfiques. Ainsi les personnes âgées en santé ne sont nullement obligées de se constituer en ghetto pour s'assurer d'aller jusqu'au bout de leurs ans. Bien sûr qu'il importe de respecter les choix qui amènent certaines personnes à préférer se retrouver entre personnes âgées, dans des îlots urbains réservés, pour protéger leur tranquillité ou s'assurer des services particuliers selon leurs besoins. Mais il s'agit là d'un choix et non d'une nécessité absolue. Nous pensons, par ailleurs, qu'il faille éviter les clivages inutiles et souvent néfastes entre les différents groupes qui constituent la société : enfants, adolescents, adultes, personnes âgées. Il nous apparaît que les personnes âgées ont un rôle important à jouer pour maintenir jusqu'au bout de la vie la solidarité intergénérationnelle qui permet à chaque groupe de la société de compter sur l'autre pour toutes sortes de besoins et de services. Ainsi les jeunes et les adolescents ont souvent profit à fréquenter les personnes âgées tant au plan socio-affectif qu'au plan socioculturel, surtout dans le contexte actuel des familles réduites ou éclatées. Les personnes âgées ont aussi besoin de côtoyer les jeunes pour garder contact avec la vie qui monte et transmettre leurs diverses expertises dans des échanges mutuellement gratifiants. Les expériences de présence active de personnes âgées dans des groupes scolaires, soit en complément des cours ou dans les activités parascolaires, montrent bien que les tensions entre générations ont tendance à s'amenuiser dans la reconnaissance réciproque et l'estime mutuelle, surtout lors de rencontres non hiérarchiques basées sur la seule valeur humaine des personnes en présence. Beaucoup de personnes âgées nous ont affirmé qu'elles désiraient avec force garder des liens vivants avec les jeunes. Nous pouvons donc dire que ce que les enfants font encore de mieux à leurs parents, c'est de les faire, un jour, grand-père et grand-mère. Beaucoup de ces personnes ont le cœur et l'esprit en disponibilité non seulement pour leur descendance familiale mais aussi pour tout jeune qu'elles apprennent à apprécier lors de rencontres interpersonnelles.

C'est une bonne façon de créer un climat de sécurité sociale où les uns ne craignent ni ne méprisent les autres tout en comblant les besoins différents ou complémentaires des uns et des autres. En perçant les catégories trop généralisantes de **jeunes** et de **personnes âgées**, l'on découvre avec satisfaction des êtres individuels désireux de prendre leur place au soleil tout en partageant l'ombre du parasol : « si quelqu'un se confie à moi, je suis une tombe » tient à affirmer Simone, âgée de 78 ans.

Le facteur **post-professionnel** veut mettre l'accent sur le fait que les personnes âgées de 60 ans ont devant elles un avenir à envisager en tenant compte des autres facteurs que nous venons d'exposer. Il n'est plus possible d'entrevoir l'après-retraite comme un temps vide ouvert seulement sur la fin de la vie. À l'entrée en retraite, bon nombre de personnes auront encore près du tiers de leur vie à aménager et à faire fructifier par toutes sortes d'explorations, d'activités créatrices ou de service. Le symbole des personnes âgées n'est plus les **pantoufles** de la personne casanière mais bien les **souliers orthopédiques** qui permettent, en toute sécurité, d'entreprendre les longues promenades pour aller jusqu'à la satisfaction d'être bien dans son monde et dans sa peau. Apprendre chaque jour quelque chose de nouveau, c'est un moyen reconnu de rester plein de vivacité tant au plan intellectuel qu'au plan affectif : « tant que j'aurai le goût d'apprendre, je ne vieillirai pas » se promet Cécile, âgée de 81 ans. D'où l'importance pour la personne âgée d'avoir accès à de nouveaux apprentissages et à de nouvelles possibilités de découvertes tant sur soi-même que sur son monde. Ces services existent déjà qu'il convient d'inventorier et d'enrichir : universités du troisième âge, forums d'étude et de promotion des intérêts des personnes âgées, ateliers de croissance et d'expression, activités de développement d'habiletés manuelles et d'expression artistique... sans compter les échanges de toutes sortes, y compris les voyages d'enrichissement, de contacts avec d'autres personnes, de loisir et de détente.

Les nouvelles valeurs des personnes âgées se caractérisent par des comportements moins motivés par la performance que par le souci de la réalisation de soi. L'ouverture à l'autre évite les replis sur soi et traduit la volonté d'actualiser leurs valeurs fondamentales. Un grand nombre de ces personnes nous ont affirmé que leur valeur principale, c'était de rendre service, de faire plaisir aux autres, de ne pas juger mais de comprendre et d'aimer. Pourquoi se priver, comme société, de ces bouillons d'énergies positives qui peuvent répandre un baume sur tant de « bleus à l'âme » dans un monde de compétition, de productivité et de rentabilité ? Pourquoi pas un libre-échange de valeurs humaines sous la motion de personnes âgées dégagées des fortes contraintes de la réussite socioprofessionnelle et désireuses de partage ? Ce sont ces valeurs humaines que nous continuons d'investiguer en commençant par les plus personnelles.

Intimité et pudeur

Lors de son apparition dans la langue française au XIVᵉ siècle, **intime** venait du latin « *intimus* », superlatif de « *interior* », et signifiait ce qui est au plus profond de l'être. D'où les notions parentes de l'intimité que l'histoire nous a léguées : conscience, vie secrète, vie intérieure, vie spirituelle, intériorité, subjectivité, recoins de l'âme, profondeurs de l'âme, jardin secret, sujet, en-dedans, en-soi-même, pour-soi... Comme l'intimité désigne la région la plus cachée de l'être humain, la question éthique à ce sujet concerne la protection et le dévoilement de l'intimité.

L'intimité se caractérise comme une zone secrète de soi-même qui se constitue à l'abri du regard des autres et que l'on dévoile seulement de son plein gré. La pudeur qualifie cette prise de distance corporelle vis-à-vis ses proches.

Attenter à l'intimité ou attenter à la pudeur, c'est entrer avec effraction dans cette zone secrète qui nous constitue comme être indépendant et autonome : c'est un moyen reconnu pour contrôler ou soumettre l'autre. Quand la maladie et l'incapacité de prendre soin de soi-même adviennent, il est difficile pour une personne d'être soumise au regard inquisiteur de l'autre et de devoir dépendre d'autrui pour ses besoins les plus intimes : « mon plus grand désir, ce serait d'aller aux toilettes toute seule » soupire Yvette, 76 ans, qui est clouée à sa chaise roulante.

Le respect de l'intimité des personnes âgées passe par la délicatesse dans les soins corporels : on a vu une malade être lavée par deux personnes qui, aux deux extrémités de la patiente, se souciaient fort peu de coordonner leur manœuvre et qui entretenaient une conversation épisodique très éloignée des soins en cours, de telle sorte que la malade devait se sentir comme un objet que l'on astique... Les personnes âgées n'ont même pas toujours le privilège des adolescents qui affichent à leur porte de chambre diverses formes d'écriteaux interdisant d'entrer. Pour des raisons de sécurité, dans les institutions spécialisées, il est interdit de verrouiller les portes ; de plus, à intervalles plus ou moins réguliers, le personnel entre dans les chambres, parfois même sans frapper. Que deviennent alors les possibilités concrètes d'intimité ? Même dans des familles, des personnes âgées se plaignent qu'elles ne peuvent recevoir en paix des visiteurs sans que, sous prétexte d'offrir un café ou des biscuits, l'on vienne interrompre le tête-à-tête...

Les personnes âgées ont besoin d'intimité pour exprimer leurs sentiments ou pour se permettre une proximité physique chaleureuse. Pourquoi est-ce si difficile de reconnaître ce besoin d'intimité ? Cela tient au fait que les rapports humains sont souvent superficiels ou occasionnels. Une autre raison, c'est que l'on ne reconnaît pas à la personne âgée son droit à l'expression érotique et sexuelle. Des personnes affirment aussi qu'elles ont peur d'être trahies par des gens incapables de garder pour eux les confidences intimes. Les hommes ont souvent plus de difficultés à livrer leur intimité ou ont tendance à confondre intimité et sexualité à cause sans doute de leur éducation. Un sexagénaire disant, lors d'une rencontre, qu'il n'osait pas aller saluer les femmes seules dans leur résidence par crainte du « qu'en dira-t-on ». En fait, le commérage a des effets corrosifs : il dissout la vie privée des gens, exclut toute communication réellement significative et bienfaisante, tout en suscitant aigreur, jalousie et amertume ; il est spécialement néfaste dans les résidences communautaires quand la vie des résidents est toujours exposée à tous les regards.

Favoriser l'intimité, c'est enrichir l'existence en permettant la constitution et le développement d'une intériorité qui favorise les échanges interpersonnels. Protéger son intimité demande beaucoup de vigilance mais c'est une garantie d'autonomie et une promesse d'enrichissement personnel qui assure l'authenticité dans le discours. L'intimité est impliquée dans toute rencontre humaine vraiment significative. Alors le dévoilement de l'intimité se situe dans le registre de la communication et de la réciprocité. Cette ouverture à l'autre met en échec le narcissisme latent d'une existence qui ne s'éprouverait que devant un miroir. Recevoir des confidences, c'est s'engager à les respecter, surtout, bien sûr, de la part des personnes qui interviennent auprès des personnes âgées. Les personnes à la retraite réalisent souvent qu'elles ont négligé l'intimité, toutes préoccupées par les exigences de la vie sociale et la nécessité de bien paraître. Elles découvrent alors que l'intimité, c'est le chez-soi par excellence, chaud et accueillant dans la libre disposition de soi, et que l'intimité sexuelle a besoin d'un contexte de confiance et d'abandon, de liberté et de réciprocité... peu importe l'âge.

Il est certes difficile pour nos contemporains de distinguer entre le dévoilement de l'intimité comme authentique expression de soi et les diverses exhibitions de soi qui visent la promotion des vedettes et qui alimentent la curiosité des mass media. Il en est ainsi au plan sexuel où l'érotisme esthétique et la sensualité humaine côtoient illégitimement l'étalage des corps morcelés par la pornographie. En somme, l'être humain ne peut éviter de se situer entre deux pôles déshumanisants : d'une part, une solitude débilitante et, d'autre part, une agitation et une curiosité sociales dépersonnalisantes. L'intimité personnelle, à la fois source d'autonomie et d'ouverture, permet à chaque individu de se constituer un monde où croissance personnelle et communication avec autrui s'harmonisent. Équilibre toujours précaire, comme toute réalité profondément humaine, que l'on souhaite réalisé chez des personnes réfléchies : « que c'est donc beau des personnes âgées quand elles vieillissent bien ! » pourrait conclure Célina, âgée de 79 ans.

 ## Amour et plaisir d'amour

« Quand on refuse l'amour, on refuse la vie » clame Marie-Anne à 75 ans. Pour elle, l'amour, c'est l'équilibre et la compréhension. Elle ajoute, en parlant de sa vie de couple : « on ne s'endormait jamais sans se parler. » Être présent de corps et d'esprit, être tout là, c'est une attente légitime vis-à-vis l'être aimé, mais c'est aussi tout un défi pour certaines personnes. Des personnes âgées nous ont parlé de l'amour en insistant sur la nécessité de maintenir, envers et contre tout, les liens de la parole. « Je dis souvent à mes enfants : ne restez pas sans vous parler, on est toujours plus heureux quand on parle avec ses parents aussi bien qu'avec son mari » soutient Alice, à 77 ans.

L'amour, c'est ce que l'on donne et ce que l'on reçoit. L'amour implique la réciprocité et est, pour beaucoup, associé à l'amitié. Yvonne se souvient, à 76 ans, que son père lui disait : « ma fille, tu sais, l'amitié c'est plus fort que l'amour et ça dure... » L'amour a parfois des vertus thérapeutiques : « si j'étais resté seul après la mort de ma femme, je serais décédé aujourd'hui. L'amour m'a sauvé. C'est un bon remède, » soutient Jules, âgé de 78 ans, en présence de sa deuxième épouse. Cette même personne ajoute : « j'aime que les autres m'aiment et je m'aime moi-même. »

L'amour appelle la présence de l'autre et se fait parfois pressant : « je crie pour me faire aimer ; j'ai grand besoin d'amour » lance, sans fausse honte, Gérard, à 71 ans, qui constate l'urgence de vivre : « j'aime la vie, c'est épouvantable, je l'aime encore plus que lorsque j'étais jeune. » Il rejoint l'élan de Rolande, octogénaire, qui confesse : « j'aime comme à l'âge de vingt ans et peut-être plus... car j'ai moins de temps maintenant. » Ce besoin de présence est tel « qu'on est obligé d'avoir un chat comme présence » soupire Annette, à 82 ans. Sophie, à 75 ans, a besoin, pour sa part, d'entendre des paroles mais modérément : « mon radio remplace mon mari, mais quand je suis tannée, je lui ferme la boîte. »

Les témoignages sur l'amour sont nombreux car l'amour est au sommet du palmarès des valeurs dans lesquelles les personnes âgées se reconnaissent. Il s'agit de l'amour sous toutes ses acceptions : amour des enfants, amour du conjoint, amour du prochain, amour de la vie, amour de Dieu. C'est d'ailleurs le critère qui distingue le bien du mal : « le bien, c'est ce qui nous aide à être heureux ; le mal, c'est ce qui fait du tort à l'autre » selon René, âgé de 67 ans. Et Fernande qui confie, à l'aube de ses soixante-dix ans, que « l'Eucharistie, pour moi, c'est mon médicament, c'est ma force de Gibraltar » ajoute à la manière augustinienne : « si tu aimes, tu ne peux pas pécher. » Des récits de vie de personnes âgées, il ressort clairement que l'amour est la règle de vie par excellence et l'idéal moral vers lequel on tend explicitement.

C'est dire que nos personnes âgées, au Québec, ont retenu l'essentiel du message évangélique qui est devenu leur éthique fondamentale que résume Yvette, à 76 ans : « s'aimer les uns les autres, c'est l'idée que j'aime le plus. » Cette exigence récolte elle-même sa récompense : « s'accorder avec tout le monde, c'est si plaisant » remarque Suzanne, à 78 ans. Cette réflexion recoupe l'*Éthique à Nicomaque* qui affirme que « le plaisir est indispensable à la vertu qui veut que l'on se plaise à ce qu'il faut faire, et que l'on déteste ce qu'il ne faut pas faire. Il est impossible, poursuit Aristote, de ne pas tendre au plaisir puisque tous les êtres sentants le recherchent comme un bien… »

Quand on leur demande sur qui elles comptent le plus, à leur âge, les personnes âgées interviewées répondent : **mes enfants** et plus particulièrement la fille ou le fils qui rend souvent visite et qui s'informe régulièrement de l'état de santé ou des besoins de son père ou de sa mère. L'amour de la famille est un élément important à l'âge avancé mais les personnes âgées reconnaissent que chaque âge a ses préoccupations et que les enfants ont toutes sortes de bonnes raisons pour ne pas répondre toujours aux souhaits de leur cœur. Il faut se faire une raison et ne pas centrer sa vie seulement sur les siens, ce qui peut devenir ennuyeux pour soi et les autres : « ça me tanne, confie Marie-Louise, 84 ans, d'entendre toujours parler des maladies des enfants (des autres). » Et Gilberte, 66 ans, dévoile le secret du bonheur : « se faire des amis, ne pas attendre la visite de nos enfants. »

L'amour dans le cœur se reflète sur le visage et sur tout le corps. Les personnes qui aiment ont la capacité de se reconnaître. « Après soixante ans, les femmes sont belles. Il y a de la beauté à tous les âges. Je connais une dame de 87 ans qui est belle et coquette » remarque Marcel, 83 ans, qui a un besoin « sans bon sens » d'être aimé. Le rapport à autrui passe aussi, de façon prosaïque, par l'hygiène et les soins personnels : « je trouve déplorable que des personnes âgées se laissent aller quand il y a tant d'agréments à être propres et bien mises » note Marie-Ange, à 85 ans.

En vieillissant, l'amour prend souvent la coloration de la tendresse et du partage affectif car les plaisirs charnels ne sont pas toujours disponibles. « Si la tendresse est là, l'affection est là aussi », selon Jeanne, sexagénaire. C'est alors que « la couchette, ça vient bien après le manger ». Mais tout de même, pour ne pas se laisser rouiller, autant continuer les exercices : « une petite balle sous le pied, ça chatouille et ça développe le sexe encore » selon l'expertise de Louisiane, âgée de 75 ans. Celle-ci a d'ailleurs observé que : « si quelqu'un fait de la cellulite, c'est signe qu'il ne jouit pas assez. » C'est sans doute un appendice à la diète-miracle : « faites l'amour et restez mince ! »

Le plaisir accompagne normalement l'accomplissement d'un acte naturel. Ressentir du plaisir, c'est recevoir l'assurance intérieure qu'un besoin a été satisfait. En l'absence de maladie débilitante, la perte de la capacité d'éprouver du plaisir est le signe d'un désordre psychique ou d'un traumatisme encore à vif. Le plaisir s'apprend et s'alimente et ainsi il fait partie de notre éducation et de notre personnalité. L'enfant identifie d'abord son plaisir à ses parents, puis petit à petit, il élargit son champ d'intérêt. Cette aptitude à moduler son plaisir dure toute la vie. Quand le plaisir d'amour manque à l'appel, l'on s'inquiète d'autant plus que l'accent a été mis sur l'orgasme comme point culminant de la rencontre sexuelle. Malgré les interdits qui ont accompagné la vie sexuelle, les personnes âgées reconnaissent l'importance de l'harmonie sexuelle et elles apprécient d'éprouver du plaisir, « au moins la moitié du temps ». En cas de défaillance ou d'absence de plaisir, le traitement des difficultés sexuelles implique souvent une rééducation de la fonction du plaisir et une revalorisation de l'estime de soi. Les hommes et les femmes ont appris à vivre leur érotisme d'une manière différente et parfois trop restrictive. L'érotisme féminin a privilégié les contacts corporels ou cutanés à base de caresse, de touchers affectueux et de tendresse. L'érotisme masculin, en général plus visuel et génital, s'est nourri des formes et des volumes des atouts féminins. Mais il n'y a pas là matière à stéréotype car en fait, les hommes et les femmes sont des individus qui chevauchent les catégories, et donc ce qui est vrai pour l'un ne l'est pas nécessairement pour l'autre. Ainsi il y a des femmes très génitales et des hommes très sensuels. L'âge amène des modifications dont certaines sont bénéfiques : « mon mari, jeune, il était prime. En vieillissant, ça prend plus de temps et ça me donne le temps d'entrer dans l'ambiance », se réjouit Simone, à 77 ans.

Fantasme et désir

La chasse aux « mauvaises pensées » a sans doute blessé la capacité de certaines personnes de développer des fantasmes stimulants ou de se faire mentalement des scénarios sexuels captivants. Le fantasme peut certes compenser pour des frustrations, mais il joue aussi un rôle important pour éviter l'usure de la réalité quotidienne, la fameuse routine sclérosante. Le **fantasme** contribue à l'éveil et à l'enrichissement du **désir** qui est un facteur essentiel à l'activation de la génitalité. Sans désir la vie sexuelle s'étiole vite. D'où la demande fréquente adressée aux sexologues : que faire pour remédier à l'absence de désir ?

L'on connaît, par ailleurs, la complainte de l'homme vieillissant et solitaire : « j'ai beaucoup de femmes dans ma tête mais, hélas, si peu sur mes genoux. » Le maintien de la vie sexuelle jusqu'à un âge très avancé n'a que deux exigences de base : d'abord, une relative bonne santé et, en second lieu, un partenaire intéressé et intéressant, désireux de partager le plaisir d'amour sans souci de performance ni de contrainte d'horloge... La sexualité n'est plus alors un exercice « en trois temps et deux mouvements ", mais bien un mode d'être bien ensemble qui tient compte de ce que chacun veut vivre. Le changement dans le comportement sexuel d'un couple ne va pas de soi, il exige une prise de conscience et souvent un nouvel apport au plan des connaissances et des attitudes. « Avant la retraite, rapporte Gérard, au plan sexuel, on a communiqué par des actes, jamais en paroles. On était souvent frustré à cause du vieux scénario : embarque, débarque, je pars, pas si vite... Si j'étais seul à avoir des satisfactions, je n'étais pas vraiment satisfait. Suis-je heureux maintenant ? Pas complètement. Ce qui me manque, c'est que l'on soit plus près l'un de l'autre, ma femme et moi et que l'on soit capable de se parler simplement. Il y a bien des affaires qu'il faudrait que je demande à ma femme, par exemple : cette semaine as-tu eu des désirs ? Mais comment me décider à rompre les vieilles habitudes de silence sur la sexualité ? »

« Touchez-moi »

La peau constitue le point de contact naturel entre le moi et les autres. Le premier regard évalue l'apparence : rouge, pâle, en transpiration, en pleine forme... La peau est le reflet de notre état global de santé et d'aisance. La poignée de main, le toucher amical et chaleureux, la caresse, le baiser, ce sont autant d'ouvertures à l'autre par le truchement de la peau qui devient alors l'organe sensoriel de notre sensibilité et de notre sensualité. La peau dit quelque chose de nos sentiments, de nos émotions : une personne chaude ou froide, une personne pleine de vitalité ou malade, une personne heureuse ou anxieuse.

Savoir interpréter le langage non verbal des mouvements intérieurs constitue une richesse que partagent volontiers les amis et les amants. Il fut un temps où les contacts corporels de peau à peau se limitaient aux soins corporels et les touchers affectueux étaient interprétés comme des déclencheurs automatiques de l'activité génitale. Le corps est aujourd'hui valorisé comme élément d'un tout et on l'associe volontiers à son mode d'être personnel. Être bien dans sa peau, voilà la règle que l'on proclame pour souligner l'harmonie du corps, du psychisme et de la spiritualité de son être global.

Qui n'apprécie pas une peau odorante et appétissante ? Les soins de la peau, l'hygiène corporelle et les massages occupent avec raison une place importante dans notre vie car **la peau est notre plus vaste organe de communication**. Notre peau devient ainsi notre miroir, mais aussi notre mémoire de vie. Peau rose de bébé, peau ferme recouvrant des muscles actifs, peau en parchemin des personnes âgées, il s'agit toujours du meilleur chemin pour aller vers le cœur de l'autre. **La peau, c'est le chemin du cœur.** Quand l'œil faiblit, on a recours aux verres correcteurs, quand l'oreille s'endurcit, on fait appel aux audio-prothèses, mais que fait-on quand le sens du toucher diminue ? Une bonne resensibilisation est tout indiquée : délicate palpation d'objets divers et de fruits aux textures variées, exploration corporelle minutieuse, massages doux ou pressants, touchers attentionnés qui font circuler la chaleur de la vie.

Ce besoin de toucher et d'être touché est tel qu'une patiente de quatre-vingts ans, alitée dans un hôpital depuis un certain temps, souffrait de la froideur des rapports humains et de l'absence de contacts chaleureux. Elle prit donc les grands moyens, se fit apporter le matériel nécessaire et elle inscrivit sur un écriteau qu'elle épingla à la tête de son lit : « Touchez-moi, je ne suis point contagieuse. » Cela rejoint l'observation d'une résidente d'un centre d'accueil qui a noté que les personnes isolées perdaient tout contact avec la réalité : « il y en a, en bas, qui ne savent pas s'ils sont en vie », constate Céline, de son deuxième étage.

L'absence de partenaire peut motiver une personne âgée à se toucher elle-même, à se procurer à elle-même du plaisir. L'auto-érotisme devient alors une façon de s'éprouver en vie et de continuer à faire l'expérience du plaisir érotique : « la masturbation, cela ne devrait pas être si mauvais... Dieu n'a pas fait cela pour rien » réfléchit tout haut Marguerite, âgée de 84 ans. Pour René, 66 ans, « la masturbation est une alternative valable pour un couple et même un bien à tout âge ».

Se toucher, de manière considérée comme érotique, entre personnes du même sexe, répugne généralement aux personnes âgées qui n'ont pas une haute opinion de l'homosexualité comme inclination érotique permanente plus ou moins exclusive vers les personnes de même sexe que soi. Elles n'ont pas mentionné l'homosexualité féminine au cours de notre recherche et elles considèrent les hommes homosexuels, souvent aimables et délicats comme personnes, mais elles pensent qu'il s'agit soit d'une maladie dont elles ignorent la cause ou soit d'un mauvais apprentissage. Une personne a souligné qu'il était inconvenant qu'un homosexuel se marie pour ensuite tromper sa femme avec un homme. En tout état de cause, elles considèrent qu'il ne leur revient pas de juger ces comportements qu'elles connaissent très peu ou à travers des expériences fort restreintes. Les cas rapportés qui suscitent la répulsion ne concernent pas spécifiquement l'homosexualité, malgré l'usage de cette terminologie, mais bien la pédérastie comme abus sexuel des enfants. Les personnes que nous avons interrogées se rallieraient sans doute aux deux formulations suivantes, soit celle de Gérard, 78 ans : « l'homosexualité, ça me dérange pas, je ne suis pas capable de juger un autre » ; soit celle de Rose-Anna, 84 ans : « Il y a du bon monde dans ceux qui sont comme ça ; je fais comme j'ai appris, à chacun ses affaires ; si ça leur plaît, ça doit être bon pour eux, mais, pour moi, non merci. »

◆ Autonomie morale

« Ce qui fait plaisir à moi et à l'autre, c'est ma morale maintenant, je ne m'occupe pas de la morale d'autrefois dans les questions de sexualité », précise Jeannette, âgée de 69 ans. Plusieurs personnes âgées nous ont fait remarquer que le bien passe par l'amour de l'autre et, qu'en conséquence, dans leurs comportements sexuels, elles se préoccupaient surtout de faire plaisir à l'autre. « Voir ma femme avoir du plaisir, c'est plus important pour moi, note un septuagénaire, que mon propre plaisir. » Ces personnes souscrivent volontiers à une affirmation d'autonomie morale du genre : « je suis assez vieux pour savoir quoi faire. » Elles pourraient dire aussi comme René : « je me suis fait indépendant pour ne pas souffrir. » En effet, plusieurs personnes ont connu des difficultés de conscience au début de leur vie sexuelle à cause des interdits qui régnaient alors. Mais la vie et le bon sens se sont chargés de leur inspirer les comportements convenant à leur situation, quelques fois aussi avec l'aide de leur curé que certaines ont consulté. À quelqu'un qui déplorait sa vie sexuelle en disant : « l'Église a couché dans mon lit pendant 25 ans », René répond avec fermeté : « c'est faux, c'est toi qui n'a pas assumé ta vie. »

« À mon âge, tu sais ce que tu dis quand tu parles de toi-même » affirme un octogénaire. La connaissance de soi, en termes de caractère, de valeurs vécues et de besoins, mène à adopter un art de vivre approprié à sa situation. L'on n'est pas sur la terre comme dans une prison et la vie de couple ne doit pas faire des conjoints des prisonniers l'un de l'autre. Aussi la fidélité conjugale est-elle perçue comme très importante mais surtout dans la perspective que « l'infidélité, c'est tricher » et que « ça fait du tort à l'autre ». La sagesse d'ailleurs demande, semble-t-il, de faire confiance, d'éviter la jalousie et d'être présent à l'autre. Alice se souvient, à 76 ans, du conseil de sa mère : « si ton mari arrive en retard, pose pas de questions ; tu ne parles pas, il va le dire ce qu'il a fait ; si non, ce sera des menteries. » Arthur, 84 ans, pense que « la fidélité, c'est s'aimer l'un l'autre et que rien n'est plus beau que ça ».

En somme, la conduite morale se traduit dans un art de vivre fait d'ouverture d'esprit, d'amour de soi et de souci de l'autre. En vieillissant les principes se rétrécissent comme une peau de chagrin : il ne reste que l'essentiel sans référence obligée aux normes en vogue. « **Vieillir, c'est donner de l'importance à quelque chose qui en vaut vraiment la peine**, par exemple, la sagesse de savoir vivre » selon Marie, 70 ans. Et ce n'est pas seulement le mariage qui rend heureux comme en témoigne Anne, 85 ans, célibataire volontaire durant toute sa vie : « je suis très contente d'avoir vécu dans mon siècle : j'ai été heureuse, j'ai eu ma liberté, j'ai fait ce que j'ai voulu. Je ne regrette rien. » Elle aurait pu être « la femme du siècle » si la place n'eut été déjà prise...

◣ Situations problématiques au plan éthique

Les aspects éthiques abordés jusqu'ici touchent le vécu personnel et les relations interpersonnelles des personnes âgées. Il y a toutefois d'autres dimensions éthiques qui concernent des situations où les personnes âgées sont exposées aux aléas d'une vie sociale sur lesquels elles ont peu de contrôle. Il s'agit de situations de violence et d'abus qui interpellent l'ensemble de la collectivité et font appel à la solidarité entre les générations.

Violence dans la société

L'expérience quotidienne nous renvoie une image ambiguë de la violence. Il y a la violence nécessaire, l'autodéfense légitime, l'affirmation efficace de son bon droit, l'expression, âpre parfois, de son mal de vivre : c'est la violence du Je. Il y a aussi la violence destructrice, négatrice et mauvaise : c'est la violence subie, celle qui vient de l'autre. Le mot violence dérive du latin *vis* signifiant force, vigueur, et *vis* viendrait du grec *bios* qui signifie vie. En français, le singulier **violence** conserve le sens de disposition mentale assez générale, alors que l'expression **les violences** correspond plutôt aux attitudes comportementales, à proprement parler agressives, qui n'ont pas été intégrées au niveau des mentalisations. L'agression est un acte musculaire ou symbolique qui déploie la violence en vue d'atteindre des fins particulières, par exemple prendre le bien d'autrui contre son gré.

Polyvalence de la violence

Nous pouvons regrouper les diverses manifestations de la violence sous les quatre acceptions du mot sexe que nous avons élaborées au chapitre IV. Sous le **sexe d'identité,** se retrouve la violence masculine ou la violence féminine qui met en scène la force physique et sociopolitique, le pouvoir économique et le pouvoir idéologique, par exemple : les assauts sexuels, les assassinats consécutifs aux abus sexuels, l'inceste parent-enfant, les contacts sexuels entre professionnel(le) et bénéficiaire, le harcèlement sexuel, et même certaines interventions corporelles en l'absence de consentement libre et éclairé telles que : castration, stérilisation, circoncision, clitoridectomie, stérilisation, chirurgie mutilante, etc.

La violence liée au **sexe érotique** concerne les manifestations de violence associées aux variations érotiques, à certains modes de séduction et aux paraphilies que l'on appelait jadis des perversions, par exemple : l'exhibitionnisme, les mises en scènes de la violence, les mutilations sexuelles, les jeux sexuels violents, la pornographie « hardcore », les insultes sexuelles, les rôles sexuels cœrcitifs, l'ordonnance de médicaments affectant sciemment la libido sans consentement libre et éclairé, etc.

La violence liée au **sexe génital** qualifie certains modes d'exercice de la génitalité, tels que : la prostitution, le sexe de groupe, le sadisme, la strangulation, le masochisme, le rapt, la promiscuité imposée, le défi verbal de passer à l'agir génital, les spectacles ou vidéos qui exploitent la nudité génitale et les enfants comme objets sexuels, les relations génitales non protégées exposant aux MTS et au Sida, la répression génitale, la privation d'intimité, etc.

Enfin, la violence concernant le **sexe d'orientation** se rapporte aux actes de discrimination ou d'exclusion pour le seul motif de l'orientation sexuelle d'une personne, par exemple, les insultes et le mépris à l'égard des homosexuels, la discrimination légale, professionnelle, sociale ou économique liée à une orientation sexuelle, ainsi que les normes, les stéréotypes et les interdits contraignants.

La violence qui accompagne éventuellement les activités érotiques ou génitales, hétérosexuelles comme homosexuelles, comporte deux aspects : intrinsèque et extrinsèque. La **violence sexuelle intrinsèque** désigne la violence inhérente aux rapports génitaux dits normaux. Cette violence fait-elle partie de la dynamique même des relations génitales ? Est-elle naturelle, c'est-à-dire allant de soi avec ces rapports ou plutôt culturelle, c'est-à-dire particulière à une société donnée porteuse de mode d'expressions sexuelles de cette nature ? La **violence sexuelle extrinsèque** s'applique au fait de contraindre une personne à des activités sexuelles, elle qualifie les moyens cœrcitifs employés pour obtenir d'une personne qu'elle agisse comme partenaire sexuel de telle ou telle façon contre son gré. La notion de violence sexuelle extrinsèque a tendance à prendre davantage d'extension dans notre société et cette notion désigne aussi les abus et les assauts sexuels, les attouchements non désirés, les sollicitations sexuelles persistantes et le harcèlement sexuel. S'agit-il alors de violence sexuelle proprement dite ou de violence sexualisée, c'est-à-dire d'une violence qui, sans être intrinsèquement sexuelle, se manifeste tout de même dans le champ de la sexualité ? On peut se demander alors pourquoi cette violence s'extériorise plus particulièrement dans le domaine sexuel. Les éléments de réponse à ces questions nous les cherchons dans l'analyse sommaire de deux paradigmes ou deux modèles de la violence : violence familiale et violence amoureuse.

La violence familiale

La famille est, à l'exception de l'armée, la plus violente institution dans notre société. Violence domestique et abus entre conjoints sont les expressions généralement employées pour désigner la violence entre les partenaires d'un couple, marié ou non. Un tiers des homicides au Canada et aux États-Unis survient entre les membres immédiats d'une famille. Selon Statistique Canada (1980), 31 % des homicides se relient à des querelles familiales. Un autre tiers intervient entre amants, entre proches connaissances ou entre co-travailleurs. Un autre indicateur de l'incidence de la violence intra-familiale se trouve dans les statistiques de la police. Les interventions policières en réponse aux appels concernant les conflits familiaux se classent comme la seconde plus importante activité des policiers, leur première activité étant relative aux appels concernant la circulation routière.

Les thèmes les plus souvent abordés concernant la violence familiale dans notre société sont : 1) les femmes battues et les femmes victimes d'assauts sexuels. Émergent aussi depuis peu des préoccupations concernant les hommes battus et les hommes victimes d'assauts sexuels et, de plus en plus, la violence faite aux personnes âgées ; 2) les enfants victimes d'inceste, de sévices corporels et d'agression sexuelle ; 3) les enfants engagés dans la prostitution féminine et la prostitution masculine, les films ou les vidéos exploitant les enfants surtout au plan sexuel, et en général, la violence véhiculée par les mass media et la pornographie qui rejoint les familles même dans les chambres à coucher.

La violence amoureuse

Les changements survenus dans l'organisation familiale ont amené des chercheurs à investiguer une forme de violence familiale au

sens large que les Américains identifient comme « dating violence », « courtship violence » ou « premarital abuse ». Il s'agit de
la violence qui se manifeste chez **les couples étudiants non
mariés** vivant une relation hétérosexuelle prémaritale que nous
pourrions aussi désigner comme la violence interpersonnelle chez
les amants ou, plus directement, la violence amoureuse.

Carlson (1987), qui fait état de ce genre de violence, identifie
trois facteurs qui sont reliés à l'apparition de la violence chez les
jeunes couples : la violence dans l'histoire familiale, l'usage de
l'alcool, le style des contacts relationnels. **La comparaison de
cette violence prémaritale avec la violence maritale** laisse voir
que les époux s'affrontent au sujet des enfants, de l'argent, du
vécu sexuel, de l'entretien de la maison et des activités sociales
alors que **la mésentente concernant le vécu sexuel** est la seule
source de conflits que les jeunes couples non mariés partagent
avec les couples mariés. La jalousie et l'alcool sont identifiés
comme les autres facteurs de violence chez les couples d'amants.

L'explication de la violence serait-elle à chercher dans l'attitude de la société vis-à-vis la violence, dans le mode d'expression
de l'intimité entre les personnes, ou dans la nature même de la
sexualité ? Si l'on prend globalement les deux paradigmes de la
violence familiale et de la violence amoureuse, il apparaît difficile de rendre la dynamique sexuelle seule responsable de ces
types de violence, même si la violence se manifeste explicitement
dans le vécu sexuel. Le généticien Albert Jacquard (1978) note
que « nous avons donné aux agressions et contraintes du milieu
extérieur une réponse culturelle et non pas comme les autres
espèces une réponse génétique ». Cette réponse culturelle se
manifeste dans les aires disponibles selon les zones de tolérance
d'une société donnée. Nous pouvons faire l'hypothèse que la **violence exclue formellement de la vie publique,** par les chartes, les
codes et les lois dans les sociétés occidentales, **se réfugie dans la
vie privée.** Ainsi, notre culture a mis l'accent sur la sexualisation
du corps, sur la sexualisation des biens de consommation, par
exemple dans la publicité, tout en prônant que la vie sexuelle
relève des valeurs individuelles. La violence entre les individus,
comme êtres sexués, met en lumière les limites et les paradoxes

inhérents à l'individualisme comme philosophie de vie. En sexualisant à l'excès, par exemple, l'ensemble des relations inter-personnelles, notre culture exacerbe la sexualité et rend hypothé-tique la libre disposition de soi au plan sexuel (Bergeron, 1990).

Violence et personnes âgées

Les considérations théoriques que nous venons de faire sur la vio-lence montrent bien qu'il n'est pas possible de parler de violence en relation avec les personnes âgées sans s'interroger sur le phé-nomène global de la violence dans la société. En effet, les person-nes âgées ne vivent pas dans un monde à part puisqu'elles sont soumises aux mêmes conditions d'existence que l'ensemble des citoyens de notre société. Toutefois, pour circonscrire notre pro-pos, nous distinguons deux formes de violence spécifique pour ce groupe de personnes : la violence faite **aux** personnes âgées et la violence **des** personnes âgées.

La violence faite aux personnes âgées se définit par l'ensem-ble des brimades ou des cœrcitions qui affectent spécialement ce segment de la population. Cette violence apparaît d'autant plus odieuse qu'elle prend pour cible des êtres, aux capacités de défense réduites, qui ont largement contribué à notre prospérité collective par l'apport de nombreux citoyens, dans des conditions matérielles et sociales souvent fort difficiles. Cette violence se manifeste sous diverses modalités qui ont en commun d'imposer aux personnes âgées des conditions d'existence et de vie sociale qui rendent difficiles et parfois impossibles la satisfaction de leurs besoins fondamentaux : logement inapproprié à leur état de santé, dépouillement de leurs biens y compris des objets auxquels elles sont très attachées, exploitation de leur revenu de pension de sécurité de vieillesse par des familiers sans scrupule et des pro-priétaires de résidences clandestines, usage abusif de la **procura-tion** pour extorquer l'argent et les biens des personnes en perte d'autonomie, enfermement dans des résidences aux soins défail-lants, stress lié à l'insécurité dans les lieux publics où elles sont les victimes désignées des bousculades et des voleurs à la tire, menaces de chantage affectif genre « je ne reviendrai plus vous voir si... », discours publics qui prennent en otages les personnes âgées en laissant entendre que ces personnes seront peut-être privées de leur maigre revenu de pension, absence de transport pour aller vers des soins nécessaires, privation de soins lors de conflits de travail, etc. Chaque lecteur ou lectrice peut continuer cette liste en consultant son journal du jour où il lira, par exemple, que tel couple âgé a été volé ou parfois même assassiné par des proches qui en voulaient à leurs biens... alors qu'il était dans l'isolement social. De plus, la promiscuité et l'absence de lieux d'intimité ont été souvent mentionnées dans notre recherche comme éléments de contrainte.

Que faire pour contrer cette violence ? D'abord dénoncer les cas d'abus et d'agression. Cela revient aux intervenants auprès de ces personnes et aux professionnels qui peuvent aussi encourager concrètement par leur support les personnes âgées à se servir de leurs propres associations et de leurs regroupements locaux, pour véhiculer leurs griefs et susciter des prises de conscience dans la population. Les solutions globales à la violence passent toutefois par une remise en question des valeurs de la société, ce qui est, bien sûr, une tâche de longue haleine qu'il importe d'entreprendre. Si la violence est devenue si alarmante, c'est qu'elle est intimement liée à la culture comme produit humain. La contestation éthique de la violence passe par la contestation radicale de ses fondements pseudo-naturels, mais aussi de ses légitimations historiques. L'éthique de la violence implique donc la prévention des explications qui la valorisent et la prévention des situations où la violence peut advenir comme moyen perçu comme disponible pour atteindre des fins plus ou moins légitimes. Le corollaire de cette prévention, c'est la promotion de rapports humains harmonieux et de la non-violence qui exclut dans l'espace vital et dans l'espace culturel la violence comme moyen légitime de solution des conflits ou d'affirmation de son droit.

La violence des personnes âgées

Les personnes âgées sont aussi sujettes à des manifestations de violence entre elles ou à l'égard d'autres personnes. À vivre dans une société où la violence fait partie des rapports humains, nul n'est tout à fait à l'abri des explosions de violence ou des comportements agressifs qui peuvent parfois se manifester dans le couple quand l'isolement laisse face à face deux êtres aux prises avec un passé obsédant et un présent difficile à supporter sous les rigueurs de maladies débilitantes et la pression de conflits irrésolus. Quand les chicanes et les incompréhensions dégénèrent en violence, c'est signe qu'une intervention de support professionnel s'impose. Il faut reconnaître toutefois que les personnes âgées ne recourent pas facilement aux ressources disponibles à cause de leur isolement mais aussi parce que ces ressources n'existaient pas durant leur vie d'adultes au travail et qu'elles sont mal connues. Le premier pas, socialement parlant, c'est d'abord la prévention en faisant en sorte que les personnes âgées ne soient pas laissées dans l'indigence et la réclusion au plan socio-affectif.

La violence peut aussi prendre des formes moins spectaculaires mais aussi nuisibles quand elle se manifeste par le dénigrement, le commérage, l'envie, la jalousie, l'exclusion et le mépris. Il est difficile d'être en santé dans une telle ambiance qui provoque stress, anxiété et dépression. Le **désœuvrement**, le **manque de loisirs gratifiants**, la **solitude obligée** sont à considérer dans l'analyse de cette forme de violence. Puis il y a aussi parfois des abus sexuels, entre personnes âgées quand fait défaut le libre consentement, surtout lié à la maladie et aux infirmités. La solitude imposée n'est jamais bonne conseillère, aussi importe-t-il, non seulement d'être vigilant par rapport aux possibilités d'abus sexuels, y compris avec les jeunes, mais encore de faciliter aux personnes âgées solitaires des occasions et des lieux de vie sociale favorables aux échanges affectifs significatifs. La répression sexuelle et les préjugés de l'âgisme ne sont malheureusement pas complètement disparus, ce qui incite à scruter également ces facteurs d'explication quand se manifestent des abus sexuels.

◣ Vers plus d'humanité à l'âge avancé

L'allongement de l'espérance de vie fait que beaucoup de personnes âgées auront à prendre soin de leurs propres parents déjà rendus au quatrième ou au cinquième âge. On voit donc des septuagé-naires qui ont du mal à assumer cette tâche. Julien, fils unique de 77 ans, soulignait en entrevue : « Quand mon père est décédé, il y a un an, j'étais malade et trop vieux pour aller à son service funè-bre. » Quelles seront les solutions de l'avenir ? Comment faire cœxister deux ou trois générations de personnes âgées tout en favorisant les liens affectifs et la solidarité entre les générations ? Il est souhaitable que les personnes âgées, selon leur possibilité, se procurent un soutien mutuel, par exemple par un réseau d'entraide par téléphone. À propos de ces téléphones d'encoura-gement, Constance, 75 ans, s'exprime bellement ainsi : « Le Saint-Esprit se promène alors sur les lignes téléphoniques. »

L'augmentation du nombre de personnes âgées et leur plus grande visibilité laissent voir une évidence : **les personnes âgées sont différentes entre elles.** La différence ne porte pas unique-ment sur l'âge, qui peut comporter un écart de plusieurs décen-nies, mais aussi sur la formation, le style de vie, l'expérience, la culture et les intérêts. Il y a donc lieu de veiller, surtout dans les politiques et les interventions concernant les personnes âgées, à assurer la diversité des services et des ressources. Nous avons noté de telles différences entre les sexagénaires, les septuagénaires et les octogénaires actuels. Qu'en sera-t-il avec les nouvelles cohortes qui auront connu un monde beaucoup moins uniforme ? **Le droit à la différence et le refus de l'uniformité comme de la confor-mité** toucheront aussi bien les lieux d'habitation, la nourriture et les loisirs que les modes d'expression de l'affectivité, de la génita-lité et de la sexualité en général. La résignation voilée fera-t-elle place à la contestation ouverte ? De nouvelles valeurs prennent déjà place qui invitent à élargir l'éventail des possibilités et à approfondir le sens de l'existence pour cette étape de la vie. Au plan sexuel, il serait abusif de restreindre indûment l'expression de la génitalité à la seule période de fécondité qui ne couvre qu'à peine le tiers de la vie et de limiter l'expression sexuelle et érotique au seul cadre du mariage traditionnel dans un monde où les mœurs font éclater la permanence et la rigidité des institutions. **L'éthique sexuelle se doit donc de considérer l'expression de l'affectivité, de la génitalité et de la sexualité, selon divers** modes, tout au cours de l'existence, y compris au grand âge, en tout bien et tout honneur, car les personnes âgées tiennent beaucoup à leur honnêteté.

CHAPITRE **11**

*Interventions
professionnelles auprès
des personnes âgées*

*En très grande majorité, les personnes âgées demeurent dans un loge-
ment autonome ou avec leur famille. Moins de dix pour cent vivent
dans des centres spécialisés. À un moment ou l'autre, la maladie ou les
infirmités rendent nécessaires le recours à des services particuliers.
Diverses interventions peuvent répondre à leurs besoins : interventions
préventives dont l'animation éducative et les regroupements sociaux et
culturels, les interventions par les pairs qui témoignent de la coopération entre les personnes âgées. Le co-conseil, la technique de solution
des problèmes, le processus de clarification des valeurs favorisent le
support efficace des personnes âgées. Nous attirons l'attention sur les
valeurs des groupes ethniques pour susciter une meilleure connaissance
des personnes âgées appartenant à ces groupes.*

*Parmi les interventions thérapeutiques proprement dites, l'accent est
mis d'abord sur les approches douces – musicothérapie, thérapie d'art,
zoothérapie -qui reconnaissent l'autonomie de la personne âgée et sa
capacité d'assumer sa quote-part dans le recouvrement de sa santé. Le
traitement spécifique des difficultés sexuelles en vue du recouvrement
de la santé sexuelle a généralement d'heureux effets sur la santé globale. Les rapports entre intervenants et personnes âgées laissent place
parfois aux malentendus sous l'influence de certains facteurs dont le
transfert et le contre-transfert.*

L'importance numérique des personnes âgées dans nos sociétés
suscite des prises de conscience au sujet des besoins particuliers de
ce segment de la population mais cela soulève aussi des craintes
que traduisent les expressions de plus en plus courantes telles
que : pouvoir gris, Québec gris, continent gris, planète des vieux,
régime des rentes, pension de sécurité de vieillesse, engorgement
des services de santé, débordement des salles d'urgence... En fait,
la carte de la vieillesse est polychrome, elle ne se limite pas au
gris. En premier lieu, parce que les personnes âgées se répartissent, différemment selon le sexe, sur quatre décennies et, en
deuxième lieu, parce qu'elles diffèrent entre elles de multiples
façons et, bien évidemment, par leur lieu de résidence, leur
revenu, leur formation, leur intérêt et leur état de santé. Ces
caractéristiques nous guideront dans la recherche de solutions
aux problèmes et aux aspirations des personnes âgées.

Les craintes souvent exprimées à propos de l'avenir des program-mes sociaux et à propos du coût social de la vieillesse devraient être dépoussiérées des préjugés de l'ignorance et des mythes folklo-riques par une connaissance plus réaliste du rôle des personnes âgées dans notre société. Ces personnes âgées paient, proportion-nellement à leur nombre, autant d'impôts que les autres citoyens, et elles aident autant, sinon plus, leurs descendants mêmes adul-tes qu'elles reçoivent d'aide de leurs enfants. Il n'y qu'à observer comment les institutions financières et les fournisseurs de biens et services courtisent les personnes âgées pour se rendre compte qu'elles font partie intégrante de la dynamique socio-économique de notre société. Il est bien évident aussi que les personnes âgées contribuent largement au bien-être de la société par diverses interventions souvent bénévoles aussi bien pour aider la jeunesse et promouvoir plus d'humanité dans les rapports sociaux que pour assurer l'entraide entre personnes âgées. Une meilleure connais-sance des personnes âgées, ne serait-ce que par la lecture assidue des publications qu'elles dirigent, (Lachance, 1989) devrait per-mettre de faire appel plus souvent à leur expertise dans divers domaines et de mieux apprécier leur apport incontestable au bien-être collectif et à l'harmonie sociale.

« Chez-soi, c'est chez-soi »

Les personnes âgées demeurent, en très grande majorité, dans leur famille ou dans un logement autonome : en couple, seules ou avec d'autres personnes. Des familles d'accueil prennent aussi en charge, avec l'aide des Services Sociaux, des personnes âgées dont le degré d'autonomie et les handicaps sont très variables. Toutefois, les résidences subventionnées pour personnes âgées, les centres d'accueil et les hôpitaux ne manquent pas de clien-tèle. La difficulté de trouver des lieux de placement pour des per-sonnes en perte d'autonomie a amené des individus ou des groupes à offrir, à titre onéreux, le logement et l'entretien à ces personnes sous le regard plus ou moins vigilant de l'État.

Le logement, la subsistance quotidienne et les soins de santé deviendront une préoccupation de plus en plus importante dans les prochaines années, compte tenu de l'augmentation prévisible du nombre de personnes du quatrième âge, c'est-à-dire des gens âgés de 80 ans et plus. L'État ne pourra se soustraire à ses obligations de mettre en pratique une politique de support pour ces personnes. Le souhait général des personnes âgées, c'est de demeurer dans leur logement le plus longtemps possible car « chez-soi, c'est chez-soi », expression qui signifie libre disposition de soi, contact éventuel avec des personnes de leur entourage, et agrément de vivre dans un milieu familier avec des objets porteurs de certaines empreintes de leur longue vie. Toute politique qui vise à assurer que les personnes âgées demeurent dans leur lieu naturel de vie en leur apportant l'aide à domicile convenable est bénéfique à la fois pour ces personnes et pour le budget de l'État car le maintien à domicile, avec soutien ad hoc, est beaucoup moins onéreux que l'institutionnalisation.

Quand survient la maladie débilitante, le besoin de ressources institutionnelles se fait urgent. La perte d'autonomie oblige aussi des personnes âgées à recourir à des institutions susceptibles de leur fournir le gîte et les soins appropriés à leur état transitoire ou permanent. Il s'agit là d'institutions de service qui ne devraient pas être organisées comme des mouroirs. Le désœuvrement, l'isolement et l'absence de stimuli vitalisants ne sont pas les ingrédients obligés de ces ressources. Au Québec, il y a heureusement des résidences pour personnes âgées, des centres d'accueil, des centres de jour, des centres hospitaliers de soins prolongés, des hôpitaux de jour... qui font montre d'esprit d'initiative et d'humanité dans les soins et services dispensés aux personnes âgées. Les équipes multidisciplinaires en sont certes l'élément dynamique car elles favorisent la complémentarité des compétences et le questionnement des comportements professionnels qui risquent, comme tout autre comportement, de devenir routiniers ou sclérosés. Mais une maladie ou un handicap n'empêche pas toujours la lucidité, loin de là. Aussi, convient-il **d'intégrer le plus possible les personnes âgées à l'administration de ces services.** Même dans les hôpitaux, on reconnaît la force de changement que représente une association de patients qui veille à expliciter les droits et à faire valoir les besoins de ses membres car l'âge ne fait pas perdre à des adultes le sens du bien commun.

Pour les personnes âgées qui demeurent à domicile comme pour celles qui vivent en institution, l'action communautaire des membres de la collectivité est un support très appréciable. Les initiatives en ce domaine sont toujours sujet de réjouissances car elles montrent que la solidarité entre les générations peut prendre de multiples formes. L'entraide entre personnes âgées se manifeste par des services rendus qui sont tout à fait « dans les cordes » de ces personnes : des voisins s'entendent, par exemple, sur les signes sociaux qui révèlent l'état de santé : ouverture des rideaux à telle heure, éclairage de telle pièce, sortie des poubelles, cueillette du courrier, etc. Des postiers se sont donnés pour mission volontaire d'alerter quand, sur leur circuit de distribution du courrier, la résidence d'une personne âgée donne des signes de détresse. Des familiers se concertent pour prendre contact régulièrement, à tour de rôle, avec telle personne âgée... Une communauté humaine qui se préoccupe de ses aînés fait en sorte qu'ils ne soient pas oubliés socialement dans des résidences spécialisées : des clubs sociaux, des écoles, des groupes de bénévoles assurent le maintien des liens vitaux avec le monde extérieur.

Interventions préventives

Mieux vaut prévenir que guérir affirme le proverbe, qui entend par là que prévenir des accidents vaut mieux que réparer les pots cassés ou les corps estropiés. La notion de prévention est souvent galvaudée dans le domaine de la santé comme si le choix devait se faire, d'une manière exclusive, entre traiter les maladies actuelles ou prendre des mesures pour éviter les maladies futures. Il convient, d'une part, de prévenir les maladies en tablant sur les facteurs de risque et les éléments susceptibles d'assurer la santé et, d'autre part, de dispenser des soins aux malades actuels en tirant l'alerte sur les facteurs d'aggravation et en misant sur les forces vives susceptibles de favoriser le rétablissement de la santé.

L'opposition entre le préventif et le curatif semble plus particulièrement du ressort des gestionnaires de la santé en termes d'allocation des ressources. Quand toutes les ressources sont affectées aux soins curatifs ou palliatifs, il ne reste rien pour la prévention, ce qui laisse prévoir une augmentation des maladies... et donc encore plus de dépenses pour les traitements et moins d'argent disponible pour la prévention. Y a-t-il une volonté de sortir de ce cercle vicieux ?

Nous traiterons de deux aspects, préventif et thérapeutique, dans le domaine de la santé sexuelle. Les interventions préventives se regroupent tout naturellement autour de la notion d'**animation éducative** qui englobe les notions d'information, de croissance et de soutien.

Animation éducative

La notion d'**animation éducative** appelle quelques clarifications ; elle se distingue de l'animation récréative qui vise la détente. L'animation est un procédé pédagogique qui se fonde sur le postulat que les personnes en présence, ont, comme groupe, des ressources qu'il s'agit d'exploiter pour le bénéfice de chacun des membres du groupe. L'animateur, à la manière socratique, se sert de la maïeutique ou de l'art de la sage-femme pour faire accoucher les esprits. L'éducation, par ailleurs, est la démarche qui favorise l'assimilation de nouvelles connaissances en vue de susciter de nouvelles attitudes et des comportements appropriés. **Animer et éduquer** impliquent que l'on tienne compte, en priorité, des personnes en situation d'apprentissage. Le pédagogue américain John Dewey soutenait que **pour enseigner le latin à Jean, il fallait d'abord connaître Jean,** pour mettre en évidence le fait que toute approche pédagogique valable doit partir du sujet qui connaît et non pas des connaissances abstraites. Dans le cas des personnes âgées, cette maxime s'impose d'emblée car ces personnes ont une longue expérience de vie et de nombreuses connaissances spécifiques. **L'animation éducative** fera donc appel aux ressources des personnes âgées en vue d'élargir leur champ de connaissance et de consolider les connaissances déjà acquises en les intégrant dans des nouvelles perspectives plus englobantes. Aussi importe-t-il de clarifier les objectifs poursuivis par cette animation éducative : s'agit-il de questionner les préjugés, de s'enrichir mutuellement ou de prendre connaissance de nouvelles informations ?

L'acquisition de **connaissances nouvelles** nous est apparue, à travers les récits de vie des personnes interrogées, comme un **élément déclencheur** des **modifications d'attitudes** au plan sexuel. Ainsi Monsieur A, dans le même chapitre VII, raconte qu'il a repris confiance dans ses capacités sexuelles après que son psychiatre lui eut expliqué qu'il n'y avait pas d'obstacle physique à la reprise, « à son âge », des relations sexuelles avec une partenaire plus jeune. Souvent aussi, une connaissance acquise dans un domaine de connaissances se répercute, par un phénomène de résonance, dans un autre domaine. Des personnes, ayant participé à des séances d'information sur les « pertes de mémoire », ont conclu que si elles pouvaient pallier à ce type particulier d'inconvénients naturels liés au vieillissement, elles pouvaient aussi remédier à d'autres pertes, y compris dans leur vie sexuelle. Dans le domaine de santé sexuelle, l'animation éducative s'est montrée efficace lors de sessions pour les femmes en phase ménopausique ou pour les groupes volontaires désireux de parfaire leur information sexuelle.

Universités du troisième âge

Les personnes âgées ont accès à plusieurs services éducatifs qui leur permettent de compléter une formation que la grande crise économique des années '30 et la Deuxième Guerre mondiale ont interrompue. Elles peuvent aussi vouloir accéder à de nouveaux champs de connaissance qui se sont multipliés au cours du XXᵉ siècle. Le désir d'apprendre, la volonté de rester ouvertes aux nouvelles conceptions de la réalité et le plaisir d'échanger avec d'autres personnes, ce sont autant de nobles motifs pour s'inscrire à des cours, à des sessions de formation ou d'assister à des conférences et à des exposés sur divers sujets.

La poursuite des études pour des adultes âgés peut se traduire par l'inscription à des cours réguliers du secondaire, du collégial ou de l'université, selon les modalités propres à chaque institution d'enseignement. Les personnes âgées jouissent de plus de services éducatifs qui s'adressent spécialement à eux dans des institutions spécialisées du réseau d'éducation. Les Universités du troisième âge se veulent un lieu de rassemblement et de perfectionnement des adultes âgés désireux d'étudier selon des approches appropriées à leur âge et à leur disponibilité. Dans la plupart des régions du Québec, des services éducatifs sont disponibles pour les personnes âgées.

Comment choisir ? Tenir compte de ses intérêts, de ses objectifs personnels et des disponibilités. L'âge n'est pas un facteur d'exclusion, faut-il le rappeler... En fait le retour aux études fait partie de l'élan vital d'une personne et du désir d'explorer le monde des connaissances et des habiletés. La volonté de parfaire une formation professionnelle n'est pas le facteur dominant. Relever de nouveaux défis, enrichir sa vie actuelle, comprendre des phénomènes qui touchent de près l'existence d'une personne, s'exprimer selon de nouveaux modes ou de nouvelles techniques sont des éléments très motivants dans la perspective de cette longue étape de vie. Les Universités du troisième âge offrent aussi des possibilités de rencontres stimulantes entre personnes âgées. De nouvelles amitiés se façonnent et de nouveaux engagements sociaux surgissent parfois comme conséquences des prises de conscience qu'alimentent des connaissances nouvelles. Nous avons eu le privilège de voyager, au cours de l'été '89, avec un groupe de personnes de l'Université du troisième âge de Genève qui allait passer une journée à visiter des sites médiévaux et des étangs de la région de Lyon. Ces personnes, âgées de 80 ans en moyenne, ont fait montre de curiosité, d'énergie et de bon entrain durant douze heures de voyage et de visite. C'est leur Université qui organise ainsi excursions, conférences et séjours culturels à l'étranger. Des échanges entre universités du troisième âge sont possibles et souhaitables car elles permettent le partage des expériences et l'enrichissement mutuel. Ainsi ces gens de Genève nous ont fait part de leurs préoccupations au sujet, par exemple, du renouvellement de la direction des organismes spécialisés du troisième âge, des besoins de logement à prix convenant à leur budget, des besoins et de leurs projets concernant l'entraide mutuelle lors des maladies et de l'assistance aux derniers jours qui précèdent la mort, « pour être sûr de ne pas être tout seul ».

Les interventions préventives se situent dans le courant de vie des personnes âgées, elles peuvent aborder tous les sujets d'intérêt : santé, famille, sexualité, droit, économie, culture, loisirs, techniques nouvelles d'expression artistique ou d'habiletés manuelles. Des personnes âgées nous ont dit leur satisfaction d'avoir suivi des cours qui les ont encouragées à s'exprimer en public, à jouer dans des pièces de théâtre, à administrer leur budget et celui d'organismes dont elles sont membres, à peindre, à écrire et aussi à s'exprimer en d'autres langues. En somme, l'**animation éducative** vise à soutenir la croissance personnelle par l'apport d'un soutien qui s'inscrit dans la ligne de vie de ces personnes. Les interventions préventives maintiennent le corps et l'esprit alertes et alimentent le moteur de toute démarche de croissance, à savoir la capacité d'émerveillement.

Interventions par les pairs

Le vocable de **personnes âgées** recouvre une multitude de personnes aux formations et aux talents variés. Il y a donc parmi ces personnes des ressources de tout genre dont on doit tenir compte. Aussi voit-on se répandre l'idée que la **productivité économique,** qui fait l'objet de tant de considérations dans le monde du travail rémunéré, doit être complétée par la **productivité sociale** pour donner un tableau réaliste de l'apport des personnes âgées dans le domaine socio-économique. De même que l'on n'accepte plus de passer sous silence l'apport des personnes au foyer dans le bilan global du travail, l'on ne peut plus ignorer la contribution du travail bénévole et de l'entraide à l'équilibre social et à la qualité de vie des citoyens. Le bénévolat joue un rôle indispensable pour pallier aux diverses carences d'une société fort complexe qui laisse démunis et sans défense un grand nombre de personnes dont les besoins n'entrent pas dans les priorités de l'État ou qui sont tout simplement ignorés par les rouages administratifs aux prises avec la rareté des ressources. Nos sociétés avancées, au plan technologique et économique, seraient des lieux tout à fait inhumains sans l'apport complémentaire et indispensable du bénévolat. À tel point que le bénévolat prend figure d'institution sociale stable qui a ses propres lieux de formation, ses associations pour la promotion des causes soutenues par ses membres et ses normes d'éthique.

Le bénévolat est accessible à toute personne désireuse d'aider ses semblables. Il prend souvent la relève de ce qu'il était convenu d'appeler « rendre service ». Aussi la qualité première de la personne bénévole est-elle la serviabilité, c'est-à-dire la volonté d'apporter aide et assistance à des personnes dans le respect de la dignité de ces personnes et selon ses propres capacités. Beaucoup de personnes âgées ont vécu dans un monde de pénurie de biens et de disette de services gouvernementaux, ce qui les a amenées à valoriser l'entraide et à pratiquer l'art de rendre service avec les moyens du bord. Aussi n'est-on pas surpris d'entendre des personnes âgées dire qu'elles sont heureuses quand elles peuvent rendre service. Les contacts de personne à personne leur sont généralement plus accessibles mais il suffit de regarder l'ensemble des organismes que se sont donnés les personnes âgées pour mesurer l'ampleur des services rendus dans l'accomplissement de toutes sortes de tâches : clubs d'âge d'or dans presque toutes les municipalités, fédération nationale de ces clubs, forums d'échanges, associations de personnes âgées ou de retraités, bulletins locaux ou journaux nationaux ayant comme collaborateurs des personnes âgées et s'adressant aux personnes âgées...

Coopération des personnes âgées

L'histoire de la vieillesse nous montre que cette notion qui a désigné, pendant des siècles, la catégorie sociale des gens sans ressource, s'applique maintenant à une classe d'âge qui appelle elle-même des distinctions : préretraite, retraite, troisième âge, quatrième âge... Politiciens et marchands sont devenus sensibles à cette masse d'électeurs et de consommateurs. Les professionnels du vieillissement, gérontologues et gériatres, se retrouvent avec d'autres professionnels qui ont pris conscience de l'importance de ce groupe d'âge : infirmières, psychologues, sexologues, travailleurs sociaux... se sont regroupés à l'intérieur même de leur profession respective pour centrer leur interventions sur cette clientèle et assurer un meilleur service.

L'accroissement du nombre de personnes âgées en santé et socialement actives, de même que le fait que ces personnes sont autonomes par rapport à la famille et isolées à cause de l'organisation du travail, ces deux facteurs militent en faveur de l'établissement de nouvelles relations entre les personnes âgées, C'est pourquoi nous mettons l'accent sur l'implication des personnes âgées elles-mêmes dans les services aux personnes âgées, d'une part, pour remédier au fait que les liens entres les générations se sont distendus, ce qui a affaibli les liens naturels de solidarité, et d'autre part, pour tirer profit des ressources que possèdent les personnes âgées, ressources qui iront en s'amplifiant à mesure que de nouvelles cohortes de sexagénaires plus instruits et en meilleure situation financière viendront rejoindre la classe des adultes âgés.

Rey A. Carr (1981), de l'Université de Victoria, présenta à Ottawa, lors de la « Consultation nationale sur l'orientation professionnelle », le **co-conseil** comme système de formation à l'entraide. En partant du postulat que les personnes âgées peuvent apporter une aide positive à d'autres personnes âges si elles reçoivent une formation à la relation d'aide, nous proposons que le **co-conseil** soit employé comme moyen de support pour des personnes âgées désireuses d'intervenir auprès de leurs pairs.

Le **co-conseil** consiste à faciliter la communication aux personnes âgées qui désirent s'occuper des autres personnes âgées. Les personnes qui suivent cet entraînement à l'empathie et à la prise de décision, que nous nommons les **co-conseillers,** viennent en aide, sous supervision, à leurs semblables qui éprouvent des difficultés. Les **co-conseillers** apprennent à se mettre à l'écoute des autres personnes sans porter de jugement, tout en les encourageant à exprimer et à approfondir leurs ennuis, leurs inquiétudes, leurs anxiétés ou leurs frustrations. Cette écoute accueillante et sans formalité a pour effet de prévenir les comportements pathologiques ou auto-destructeurs.

Les étapes de la mise sur pied d'un co-conseil sont les suivantes : 1) évaluer les besoins de la clientèle âgée, 2) obtenir, s'il y a lieu, l'appui des autorités de l'institution, 3) déterminer les objectifs du programme, 4) préciser les qualifications des formateurs et le modèle de formation, 5) recruter et sélectionner les stagiaires qui deviendront des co-conseillers, 6) assurer la formation par petits groupes et attribuer des tâches, 7) définir la méthode d'évaluation et assurer la supervision.

Le contenu de la formation des co-conseillers comprend les éléments suivants : 1) stratégies de contact avec d'autres personnes âgées, 2) aptitudes à la relation d'aide, 3) analyse des obstacles à la communication, 4) révélation de soi et expression de ses sentiments, 5) écoute active, 6) clarification des valeurs et solution de problèmes, 7) évaluation de l'intervention et questions éthiques : confidentialité et devoir de référence.

Le **co-conseil** peut s'appliquer avec profit dans le domaine de la sexualité des personnes âgées car cette intervention se fonde sur certaines considérations : en premier lieu, seule une minorité de personnes âgées a recours aux professionnels de la sexualité en ce qui concerne leur santé sexuelle, en deuxième lieu, la rareté des ressources professionnelles et leur coût incitent à mettre l'accent sur la prévention et l'entraide dans les cas de certaines difficultés, et, en troisième lieu, il est admis que les personnes âgées peuvent acquérir les habiletés essentielles pour entreprendre une relation d'aide dans le domaine de la sexualité, où la gêne empêche encore de consulter les professionnels.

Parmi les thèmes sexuels susceptibles d'entrer dans la formation sur le terrain des co-conseillers, notons : la définition et les composantes de la sexualité, le développement psychosexuel à travers les âges et les caractéristiques de la sexualité des personnes âgées, les divers modes d'expression de la sexualité et les difficultés sexuelles les plus courantes chez les personnes âgées, certaines difficultés de comportement sexuel liées à la maladie et aux effets secondaires de médicaments, la méthode de solution de problèmes, le processus de clarification des valeurs et les ressources professionnelles disponibles pour les cas qui exigent une référence.

Solution de problème

La méthode de solution de problème est un procédé utile à tout professionnel ainsi qu'aux personnes âgées qui désirent apporter de l'aide à d'autres personnes. Nous privilégions cette méthode car elle fait appel à l'utilisation de l'expérience et des forces déployées tout au cours de la vie. De plus, cette méthode incite les personnes âgées à trouver elle-même la solution à leurs problèmes, ce qui est dans la ligne de la philosophie d'intervention que nous favorisons. À l'usage, la méthode de solution de problème s'avère facile et efficace pour les personnes âgées désireuses de s'impliquer elles-mêmes. Nous présentons succinctement les six étapes caractéristiques de cette méthode d'intervention.

1. Identifier le problème

La première étape consiste à définir aussi précisément que possible le problème à résoudre, à l'identifier et à le réduire à ses dimensions constitutives. Pour ce faire, il importe de procéder méthodologiquement, allant des manifestations superficielles à la source des difficultés. Isoler chaque aspect du problème et se concentrer sur les éléments à sa portée que l'on peut maîtriser. Se souvenir qu'il peut y avoir plusieurs raisons pour expliquer un problème. Rédiger une description claire du problème à résoudre et la réviser à mesure que l'on avance dans la recherche de solution.

2. Recueillir les données

La seconde étape de la résolution d'un problème se rapporte à la cueillette des faits et des renseignements que l'on peut obtenir au sujet de ce problème en évitant les suppositions quand il y a des données disponibles.

3. *Énumérer les solutions*

La troisième étape de ce processus exige de faire appel à la pensée créatrice et à l'invention. On parle alors de *brain storming* ce qui signifie que l'on prend note de toutes les solutions possibles qui viennent à l'esprit ou qui sont soulevées par toute personne qui travaille sur le problème. Éviter de sélectionner les « bonnes idées » et les « idées qui semblent absurdes » à cette étape. Il s'agit de faire une liste de **toutes** les solutions sans les évaluer.

4. *Vérifier les solutions possibles*

Cette méthode exige maintenant d'être objectif dans l'évaluation des solutions possibles sans chercher à privilégier la solution que l'on a entrevue secrètement au cours du processus de cette recherche de solution. Pour cela, il faut vérifier les solutions une à une à l'aide d'un instrument commun d'évaluation ou en employant les mêmes critères d'évaluation pour chacune des solutions énumérées. Ces critères peuvent se formuler par le truchement de trois questions : 1) cette solution est-elle **efficace** ? 2) cette solution est-elle **réaliste** ? 3) cette solution est-elle **acceptable** ? Classer alors les critères par ordre d'importance en soulignant ceux qui doivent nécessairement être satisfaits et ceux qui sont seulement souhaitables.

5. *Choisir la meilleure solution*

Il est fort probable que la meilleure solution dans les circonstances exigera la combinaison de deux ou plusieurs solutions possibles. Pour ce faire, dégager les points forts ou les mérites particuliers de telle ou telle solution en les combinant avec ingéniosité.

6. *Appliquer la solution et en surveiller les résultats*

La bonne solution fait disparaître le problème. Si, après ajustement, le problème n'est pas résolu, vérifier les étapes antérieures et si cette vérification ne règle rien, recommencer le processus : la sixième étape devient alors la première d'un nouveau processus de résolution de problèmes. Pour plus amples informations sur cette méthode, on peut consulter le document intitulé : « Comment résoudre un problème », Département d'économie rurale, Faculté d'Agriculture, Université Laval, G 3, février 1967.

La recherche de solutions est une activité humaine gratifiante car elle fait appel aux ressources de la personne : intelligence, objectivité, imagination, esprit d'invention, persévérance, volonté d'améliorer sa situation, honnêteté, etc. Cette démarche s'applique aussi bien en science qu'en politique, dans la vie privée aussi bien que dans la vie professionnelle. Son usage a été systématisé pour des raisons pédagogiques mais nul doute que chacun peut y avoir recours avec profit. Une autre façon d'aborder un problème qui met en cause des valeurs en conflit, c'est le processus de clarification des valeurs.

La clarification des valeurs

Les histoires de vie des personnes âgées nous font voir comment les valeurs ont concouru à leurs décisions importantes et comment elles ont soutenu leur courage au cours des circonstances difficiles de leur vie. Les valeurs s'installent dans nos vies de diverses façons : par l'exemple des parents et de l'entourage, par l'éducation, la science et la culture générale, par l'adhésion à une Église et à des groupes idéologiques militants au plan sociopolitique, par les leçons de morale et les conseils de personnes significatives, par la réflexion personnelle et l'influence de son milieu. Les influences peuvent être acceptées et valorisées, elles peuvent aussi être contestées, rejetées ou combattues au nom de d'autres valeurs, ce qui en fait quand même un sujet de référence. Quelqu'un peut ignorer l'influence qu'exerce son milieu sur ses valeurs, mais le milieu n'oublie personne... car il véhicule ses valeurs de toutes les façons : mass media, structure socio-économique, lieu de travail, lieu de résidence, environnement culturel, organismes sociaux, associations professionnelles, lieux de loisir, clubs, famille, cercle d'amis, etc. « Dis-moi qui tu fréquentes, je te dirai qui tu es... » au plan des valeurs.

La clarification des valeurs est un procédé qui aide à prendre conscience des convictions et des comportements que nous affichons volontiers en privé ou en public. Peser le pour et le contre, examiner les conséquences, vérifier la cohérence entre nos paroles, nos attitudes et nos comportements, c'est une démarche personnelle qui mène à une vision réaliste de ses propres valeurs. Ce questionnement sur les valeurs fait partie de l'éducation et de la réflexion. Les écoles, les groupes de croissance et les animateurs font appel à ce procédé de clarification pour conscientiser et susciter des prises de décision éclairées.

Les personnes âgées sont aussi confrontées à des prises de décision qui appellent une clarification de valeur. Ces décisions sont précédées d'interrogations telles que : Dois-je rester chez moi ou aller dans une institution pour personnes âgées ? Qu'est-ce qui est bon pour ma santé ? Est-ce que telle personne et moi, nous partageons les mêmes valeurs importantes ? Quelles sont ces valeurs les plus importantes ? Suis-je heureux dans ma situation ? Le serais-je plus avec telle autre personne ? Dois-je rester veuf ou veuve ou me remarier ? Puis-je me permettre des relations sexuelles sans être marié-e ? Est-ce que telle activité me convient ? Est-ce que je suis satisfait-e de mes relations avec les autres ? Est-ce un bon conseil à donner ? Est-ce que j'aime telle personne au point de vouloir partager une vie commune ? Mes comportements sont-ils en harmonie avec mes valeurs ? Lesquelles ? Est-ce que mon habillement et mon mode de vie me conviennent ? Qu'est-ce qui m'attire chez telle personne ? Nos valeurs sont-elles compatibles ? Suis-je fidèle à mes principes ? Lesquels ? Sur quelles valeurs se fondent mes attitudes par rapport aux jeunes ? à l'homosexualité ? la cohabitation sans mariage ? Quelles sont les valeurs que je partage avec les autres personnes âgées de mon entourage ? Quelles sont les valeurs que je veux transmettre à mes petits-enfants ?

Chacun peut construire sa propre échelle de valeurs. La clarification des valeurs est moins un jugement sur le contenu des valeurs qu'un processus qui met l'accent sur l'identification des valeurs en cause dans tel questionnement ou dans telle prise de décision. Cette technique élaborée par Louis Raths, à la suite des travaux de John Dewey, comprend sept étapes qui se regroupent sous les trois thèmes suivants : 1) **estimer** mes convictions et mes comportements : les apprécier, les communiquer en temps opportun ; 2) **choisir** mes convictions et mes comportements : les choisir parmi plusieurs options, les choisir après avoir envisagé toutes les conséquences, les choisir librement ; 3) **agir** selon mes convictions : passer à l'action, agir avec cohérence, de façon naturelle et répétée. On peut compléter son information sur le sujet en consultant le livre : « À la rencontre de soi-même » par J.B. Simon, L.W. Howe et H. Kirschenbaum, Institut de développement humain, Québec, 1979, ou le volume de C. Paquette, « Analyse de ses valeurs personnelles », Québec-Amérique, Victoriaville, 1982.

Les valeurs des groupes ethniques

Notre société se compose de personnes appartenant à divers groupes ethniques. Ainsi en est-il des personnes âgées. Les valeurs sont si intimement liées à la culture, à l'éthique et à la religion qu'il convient de porter une attention particulière aux valeurs des personnes qui appartiennent, de par leur origine à des cultures différentes de la culture des Québécois de souche. Les immigrants arrivent souvent chez nous avec un système particulier de valeurs touchant la famille, les comportements sexuels du couple, l'éducation sexuelle, les rapports humains ou le sens de la vie. Toute intervention au sujet de la santé sexuelle auprès des personnes appartenant à ces groupes demande une bonne connaissance des valeurs particulières auxquelles ces personnes sont légitimement attachées.

Les confrontations entre les valeurs de diverses cultures sont une source supplémentaire de difficultés, spécialement dans la vie de couple et dans les rapports entre les parents et les enfants, ces derniers étant généralement plus rapidement intégrés aux valeurs du milieu à cause de la socialisation par l'école et les loisirs. Aussi **le co-conseil et le procédé de clarification des valeurs** peuvent-ils s'avérer spécialement utiles pour pallier à l'absence de professionnels en nombre suffisant issus de ces groupes. Il y a lieu également d'encourager des recherches plus approfondies sur les comportements sexuels des personnes âgées appartenant à ces ethnies de telle façon que les services professionnels en santé sexuelle répondent réellement à leurs besoins dans le respect des différences.

Les interventions thérapeutiques

La santé préoccupe les personnes âgées. Il arrive même que la pré-occupation quotidienne de la santé puisse altérer la santé elle-même, au plan physique comme au plan psychologique. Aussi suggère-t-on d'éviter de toujours orienter les conversations vers le sujet de la santé quand on rencontre une personne âgée pour engager plutôt des conversations stimulantes. Des personnes interviewées ont mentionné qu'il était important de ne pas parler de maladies dans certaines circonstances, par exemple durant les repas : « À table, défense de parler de ses maladies, tout le monde est en santé » a décidé une septuagénaire optimiste. L'humour sur l'âge de ses artères peut aussi avoir un effet décapant.

Les personnes âgées sont tout de même susceptibles de connaître occasionnellement ou d'une manière continue des problèmes de santé. Nous avons mentionné l'importance des interventions préventives pour favoriser une meilleure santé, toutefois, quand c'est nécessaire, les interventions thérapeutiques ont un rôle utile à jouer pour aider une personne à recouvrer la santé ou pour atté-nuer ses problèmes de santé. Nous avons déjà indiqué aux cha-pitres III et IV que nous optons d'emblée pour une approche globale ou holiste de la santé sexuelle, aussi allons-nous considé-rer diverses approches thérapeutiques qui peuvent apporter leur contribution au rétablissement de la santé d'une personne qui le désire.

Des approches douces

Nous entendons par approches douces des interventions qui lais-sent à la personne son pouvoir de décider de collaborer activement et qui lui reconnaissent la capacité d'assumer sa quote-part dans le recouvrement de sa santé. Les approches douces se différen-cient des approches « invasives », des interventions directes sur la personne, comme l'hospitalisation, la chirurgie, la médication systématique ou même de l'usage de procédé rude comme l'élec-trochoc ou le « cri primal ». Les approches douces ou alternatives se sont développées d'une manière explosive depuis quelque temps. Nous reconnaissons que de nombreuses méthodes d'intervention pourraient mériter d'entrer sous ce titre, et nous encourageons les intervenants à explorer, selon les besoins, celles qui ont fait l'objet d'évaluation positive au plan thérapeutique. Toutefois, pour fins d'illustration, nous ne présentons sommairement que quelques-unes de ces approches dans le cadre de ce chapitre.

La musicothérapie

Les stimuli de l'environnement entrent dans le cerveau de l'être humain qui est très sensible, ce qui lui permet de réagir à cet environnement. Ces stimuli influencent soit d'une manière positive ou soit d'une manière négative selon leur nature. Ainsi certains stress sont causés par des stimuli qui ont des effets négatifs sur l'individu tandis que la musique a généralement des effets positifs qui lui sont associés depuis fort longtemps. Ne parle-t-on pas de David (I, S, 16,23) qui apaisait les crises de Saül, en proie à la mélancolie de la dépression nerveuse, par les sons harmonieux de sa cithare ? En fait depuis des millénaires, la magie comme la médecine et la religion ont reconnu les pouvoirs bénéfiques de la musique aussi bien en Orient qu'en Occident. Les Grecs firent de la musique un élément important des rapports de l'homme avec l'Invisible. Apollon était à la fois le dieu de la musique et le dieu de la médecine. Pythagore, au VIe siècle avant J-C., donna à la musique ses titres de rationalité en expliquant ses lois proportionnelles. Les premiers chrétiens avaient coutume de chanter en allant vers la torture ce qui, selon leurs gardiens, allégeait leur souffrance. Saint Augustin mentionne : lorsque nous souffrons de maux de tête, nous allons directement chez le diseur d'incantations. On reconnaît maintenant que la musique affecte le métabolisme du corps tout en augmentant ou en diminuant l'énergie musculaire. Elle peut également accélérer ou retarder la respiration en affectant ainsi sa régularité.

La musique suscite deux types de réactions, physiologique et psychologique, chez l'être humain. Au plan physiologique, la musique peut influencer la conductivité électrique du corps humain et amener un changement de vitesse dans la circulation sanguine. Au plan psychologique, la musique entendue suscite une recherche de signification, ce qui déclenche un processus mémoriel, créant ainsi un courant de pensée qui met en action les processus de connaissance. De l'image affective à l'imagination, nous assistons à un processus complexe dont les conséquences sur la personnalité peuvent être : la valorisation, la création et la communication. La musique a toutefois des effets différents sur un individu que sur un groupe.

Les effets de la musique au plan émotionnel sont bien connus : le pouvoir calmant d'une musique douce sur les schizophrènes ou le recours aux rythmes agités pour les dépressifs. Les patients psychiatriques préfèrent la musique jouée à un très bas volume. Dans le domaine des hallucinations, l'intensité et la fréquence intensifient souvent le conflit. La dissonance et la consonance ont des effets différents sur le système nerveux. Le tête-à-tête romantique n'exige pas le même choix de musique que les exercices de gymnastique aérobique, la marche militaire ou la marche funèbre.

Les personnes âgées peuvent tirer profit de la musique pour surmonter certaines de leurs difficultés, par exemple, la dépression latente, passagère ou chronique. La **thérapie individuelle** fait appel de préférence au piano ou à la flûte à bec, et en dernier lieu seulement aux cordes et rarement aux percussions (tambourins, cymbales) ; l'écoute seule, bien dirigée, peut produire d'excellents résultats. La **thérapie de groupe** recourt plus volontiers à la voix ou à l'écoute active, avec gymnastique douce. La musique vocale, instrumentale ou mixte produit ses meilleurs effets dans un temps et un lieu approprié où même la décoration des murs a son importance, par exemple, le vert affecte l'ensemble du système et en particulier le système nerveux sympathique. La suggestion et l'autosuggestion, ajoute Lachat (1981), sont grandement favorisées par cette couleur qui se révèle la couleur idéale de la psychothérapie.

La **musicothérapie, comme toute thérapie,** doit être employée selon les règles de l'art. Aussi convient-il d'avoir recours à l'expertise d'un thérapeute musical bien formé en musique comme en relation d'aide. Les effets bénéfiques nécessitent la

mise en application systématique d'un plan d'intervention qui
implique : objectifs précis, déroulement approprié et mesure des
résultats, de telle façon que la personne âgée soit réellement
aidée dans sa recherche d'un nouveau bien-être. S'il s'agit simplement d'écouter de la musique pour son agrément et sa détente,
alors la personne a avantage à exprimer ses choix pour que la
musique réponde à ses goûts et à ses besoins du moment.

La thérapie par l'art

La musique est une forme d'art, nous pouvons donc envisager
d'appliquer aussi les diverses autres modalités de l'art à la démarche
thérapeutique : danse, sculpture, poésie, théâtre, peinture, dessin,
écriture...

L'élément premier de l'art comme thérapie, c'est la conviction
que l'être humain est **créateur**. Cette conviction s'enracine dans
une épistémologie qui reconnaît que les processus de connaissance
se sont considérablement modifiés : à une perception statique du
monde considéré comme une réalité extérieure à soi qui faisait
l'objet d'observation, de contemplation ou de compte rendu s'est
substituée une vision scientifique du monde caractérisée par une
relation dynamique du sujet qui connaît et de l'univers qui est
connu. La connaissance devient alors un processus d'interaction
réciproque entre le scientifique et son monde. L'art suit le même
cheminement. Son rôle n'est plus de rendre compte du monde
« tel qu'il est », mais bien de traduire la vision subjective de
l'artiste, expérience qui peut devenir universelle pour qui entre
dans la perspective de l'artiste ou qui participe au même type de
démarche. Ainsi l'art permet la communication d'expériences
sensorielles et affectives.

Le second élément de l'art comme thérapie s'inscrit dans la
vision globale ou holiste de la santé qui établit que le malade est
doué d'une **capacité de croissance personnelle** pouvant être
mobilisée pour favoriser la guérison. Il apparaît alors que le **dynamisme** qui concourt à la création de l'œuvre d'art **est le même
qui produit la guérison**. Ce n'est pas un organe isolé qui est
malade mais bien la personne dans son organisme. L'expression

artistique ne décrit pas une émotion, elle cherche à la faire ressentir. Ainsi la personne malade qui exprime ses émotions dans l'art parle d'elle-même, de sa maladie. Elle peut ainsi se permettre d'aborder des sujets ou des émotions qui dans le vécu quotidien provoqueraient une anxiété telle qu'ils seraient aussitôt réprimés, comme c'est notoirement le cas dans le domaine de la sexualité.

Le thérapeute d'art peut aider les personnes âgées en difficulté au plan de la santé à mettre en œuvre leur créativité personnelle pour activer le processus de régénérescence. Il s'agit alors d'un retour au vécu sensoriel autour duquel se sont structurés l'identité personnelle et les comportements qui sont remis en question dans une situation thérapeutique. Développer une nouvelle façon d'être plus satisfaisante ou chercher à s'adapter à une infirmité, à un handicap physique ou psychologique, ces démarches nécessitent de dépasser l'approche cognitive ; l'art permet alors de percevoir et de vivre les expériences sensorielles et affectives qui moduleront éventuellement un nouvel art de vivre.

Le choix du mode d'expression artistique qui convient à telle personne dépend de l'intérêt et des habiletés aussi bien de la personne âgée que du thérapeute d'art lui-même. Il importe que s'établisse un bon climat de relation d'aide qui place la personne dans une position d'autonomie et de créativité face à sa propre existence. « La redécouverte du sens caché de son vécu par la réinterprétation tant de son passé que de son présent procède de données vivantes, proches de l'organisme et non déjà cristallisées dans une interprétation verbale ou cognitive (Grégoire, 1985).

La zoothérapie

L'âge est souvent un facteur d'isolement car il distend les liens entre les personnes. « Loin des yeux, loin du cœur », ce dicton décrit quelque chose de la réalité vécue par les personnes que l'âge puis la maladie ont éloigné du monde agité du travail et des turbulences de la famille. L'isolement, pour la personne âgée, c'est une coupure d'avec son monde familier, une rupture du courant de vie qui alimentait aussi bien les conversations que les besoins d'estime et de gratification. Beaucoup de personnes âgées ont vécu dans un monde où la présence des animaux occupait une grande place dans leurs préoccupations et dans leurs soins, que ce soit sur la ferme ou dans l'élevage, animaux domestiques ou simplement animaux familiers d'accompagnement. La ferme des parents ou des grands-parents fait encore partie de l'univers affectif et fantasmatique de beaucoup de Québécois. Les chevaux de labeur ont été remplacés par les chevaux-vapeurs, mais ces derniers continuent de valoriser leurs propriétaires qui ont simplement remplacé l'étrier par l'accélérateur tout en continuant de caresser, en pensée et en acte, leur faire-valoir...

Les personnes isolées peuvent tirer profit de la compagnie d'un animal à plusieurs points de vue : l'animal partage son espace vital avec celui d'une personne qui le nourrit, qui en prend soin et qui en retour reçoit la satisfaction d'être utile ; l'animal demande aussi de l'attention, de l'affection de manière continue et il en donne en retour à sa manière. En Amérique du Nord, 75 millions de chiens et de chats témoignent des liens d'affection qui rattachent les humains au monde animal. Nous avons en mémoire l'expérience d'un centre d'accueil de l'Estrie qui a eu l'heureuse initiative de doter les personnes de grand âge d'une cage de petits lapins. Cette simple présence a réactivé les souvenirs de la ferme, a remis en contact ces personnes avec leur propre passé et a suscité le goût de participer aux soins de ces petits animaux. Une vitalité nouvelle a alors circulé dans ce quartier retranché de l'environnement social.

La zoothérapie permet de réveiller la sensibilité des personnes âgées, de sortir de l'isoloir qui s'est construit autour de l'habitude de « ne penser qu'à soi ». L'*Institut canadien de zoothérapie*, qui est situé à Montréal, se donne pour objectif de poursuivre des recherches sur les rapports entre les humains et les animaux tout en sensibilisant la collectivité aux bienfaits de l'introduction d'animaux auprès de divers types de populations. Selon cet Institut, la zoothérapie est une méthode clinique qui cherche à favoriser les liens naturels et bienfaisants qui existent entre les humains et les animaux à des fins préventives et thérapeutiques. Les animaux de compagnie contribuent à la santé mentale et au bien-être physique de l'être humain aux diverses étapes de sa vie. Les animaux de compagnie au service des thérapeutes agissent en tant qu'auxiliaires et catalyseurs. L'Institut se propose, entre autres, d'étudier l'implantation de volières dans les centres d'accueil pour personnes âgées et d'étendre la zoothérapie au sein d'unités de soins palliatifs, en plus de promouvoir un projet de modifier l'environnement de patients institutionnalisés dans des départements de gérontologie.

Le **soin des animaux** mais aussi le **soin des plantes** de jardin ou des plantes d'intérieur ont l'avantage d'être autogratifiants, c'est-à-dire que ces activités procurent une satisfaction personnelle tout en mobilisant des énergies vitales qui gagnent à être activées d'une manière positive, évitant ainsi le repli sur soi autodestructeur. Quand une personne ne peut prendre soin des animaux, les zoothérapeutes jouent un rôle de suppléance pour ne pas priver cette personne de la présence d'un animal et leur compétence permet d'utiliser ce moyen thérapeutique pour le bien-être de la personne isolée ou malade. Pour les plantes, qu'est-ce qui empêche, dans les résidences communautaires, d'en confier le soin à des personnes âgées ? Même le fait de prendre soin d'une plante bien à soi dans sa chambre peut exercer une influence favorable sur la santé car le soin de cette plante cultive l'intérêt à la vie.

Le traitement spécifique des difficultés sexuelles

Les problèmes sexuels peuvent survenir à tout âge, y compris à l'âge avancé. Nous avons remarqué cependant qu'un certain nombre de personnes âgées préfèrent nier un problème sexuel ou l'attribuer aux inconvénients inhérents à la vieillesse plutôt que de rechercher l'aide de professionnels. Lier un problème **exclusivement au vieillissement**, c'est faire comme s'il n'existait pas d'alternatives à cette situation : « que voulez-vous, c'est l'âge » lance le préjugé âgiste... En fait, pour une personne âgée **en relative bonne santé,** les problèmes sexuels sont rarement irréversibles, c'est dire qu'il est souvent possible d'apporter un remède à ces difficultés. Cette attitude des personnes âgées se comprend toutefois facilement quand on se rappelle que les ressources en thérapie sexuelle sont encore peu disponibles dans le réseau de santé et que ce n'est que depuis deux décennies environ qu'elles existent avec un certain degré reconnu d'efficacité. Toutefois, il convient de noter que **le déclin dans l'exercice de la fonction sexuelle** est plus souvent dû aux modifications physiologiques liées à l'avance en âge qu'à la maladie proprement dite ou à des facteurs tels que l'absence de désir ou même la conformité à des valeurs très restrictives.

Les personnes âgées répugnent aussi à entreprendre une thérapie qui peut s'avérer longue et onéreuse, aussi préfèrent-elles parfois « prendre leur mal en patience et endurer leur sort ». En fait, il existe un certain nombre d'approches thérapeutiques, à durée variable, qui se donnent comme objet le traitement spécifique des difficultés sexuelles. **Avant de référer** une personne à un thérapeute sexuel, il convient de s'assurer que ce thérapeute a la compétence et l'intégrité voulues, ce qui, **à toute fin pratique au Québec,** implique qu'il soit au moins **reconnu comme membre** par une corporation professionnelle ou une association professionnelle, ce qui signifie aussi que le thérapeute s'est engagé formellement à respecter un **code d'éthique professionnelle** sous peine des sanctions prévues à ce code. L'Association des Sexologues du Québec regroupe, pour sa part, les thérapeutes sexuels et les éducateurs sexuels à qui elle a reconnu une formation et une expertise particulières dans les champs de la sexualité.

Parmi les traitements sexuels disponibles, certains ont fait l'objet d'évaluation scientifique et professionnelle et sont reconnus comme valables pour un certain nombre de problèmes tandis que d'autres ne font pas l'objet de consensus parmi les pairs ou les scientifiques. Pour ces dernières approches, dites parfois approches en émergence ou nouvelles, il convient de s'assurer que les thérapeutes procèdent selon les protocoles reconnus dans le domaine de la recherche et de l'expérimentation, à savoir qu'ils en avisent clairement leurs clients en vue d'obtenir un consentement libre et éclairé, comme cela est requis pour toute recherche ou expérimentation qui s'effectue sur des sujets humains. Il n'existe pas, à notre connaissance, de modèles de traitement dont l'efficacité serait reconnue pour toutes les sortes de problèmes sexuels. Aussi est-il nécessaire de s'assurer qu'un traitement offert soit bien approprié à la personne ou au couple qui demande de l'aide pour tel type de problèmes sexuels. Ne pas confondre racolage de clientèle et compétence professionnelle.

Les thérapies sexuelles reconnues, pratiquées par des personnes compétentes, peuvent aider les personnes âgées à surmonter un bon nombre de difficultés ou de dysfonctions sexuelles, telles que : impuissance, manque de désir, douleurs lors du coït, anorgasmie ou manque de jouissance, malajustement à une nouvelle situation de couple, limitation dans son expression sexuelle et érotique, besoin de désensibilisation ou resensibilisation à la suite d'un traumatisme, difficultés relationnelles dans le couple... Nous pensons qu'il y a lieu de mettre l'accent sur l'expérience acquise par les personnes âgées dans la solution de leurs problèmes passés pour en tirer profit dans la situation actuelle. Une bonne thérapie sexuelle exclut l'investissement érotique du thérapeute et fait appel aux ressources individuelles et aux ressources de couple des bénéficiaires ou des clients en leur fournissant les informations et les moyens appropriés à la difficulté et à la dysfonction sexuelles. Des gens nous demandent souvent de leur indiquer des livres susceptibles de les aider au plan sexuel. S'il faut reconnaître l'utilité et encourager le développement d'une culture dans le domaine de la sexualité, il importe toutefois de souligner qu'il paraît peu probable qu'une lecture puisse à elle seule corriger la situation d'un couple aux prises avec des dysfonctions sexuelles, aussi convient-t-il alors de référer aux ressources professionnelles en santé sexuelle.

La santé sexuelle recouvrée a souvent d'heureux effets sur l'état global de santé de la personne âgée et sur l'harmonie du couple. La solitude et le manque d'accès aux ressources dans le domaine de la thérapie sexuelle pour personnes âgées laissent perdurer des situations désolantes chez des couples âgés qui auraient grand profit à être conseillés et soutenus dans leurs difficultés sexuelles et relationnelles. L'ouverture d'esprit et la vigilance des intervenants auprès des personnes âgées ainsi qu'une meilleure compréhension de la vie sexuelle des adultes âgés sont des facteurs qui contribueront à l'amélioration de la santé

sexuelle et par le fait même de la santé tout court de ces personnes.

 ## Les intervenants auprès des adultes âgés

Il y aura de plus en plus de gens à travailler auprès des personnes
âgées à cause du nombre plus grand de personnes âgées et également parce que davantage de services de qualité dans divers
domaines seront requis. Il est peu probable que les personnes
âgées acceptent des services à rabais quand leur force politique et
économique leur permettra de s'affirmer encore plus comme
groupe détenant un pouvoir certain dans une société démocratique.

Cette vision prospective prend forme sous nos yeux alors que
plusieurs institutions d'enseignement offrent des formations spécialisées dans diverses disciplines en vue de préparer des intervenants qualifiés pour les services aux personnes âgées. Les personnes
âgées elles-mêmes se soucient davantage de participer à la culture
et de tirer profit de ses retombées sur la qualité et l'agrément de la
vie. Mieux informées, les personnes âgées sont en mesure d'évaluer les services reçus et d'exiger des correctifs, s'il y a lieu. Les
intervenants auprès des personnes âgées seront soumis aux
mêmes critères de qualité professionnelle que les intervenants
auprès des autres segments de la population.

Pour intervenir auprès d'une personnes âgée, il faut d'abord
connaître la personne âgée et se connaître soi-même comme personne en relation avec une autre personne.

La connaissance de la personne âgée, nous avons tâché de
l'expliciter sous divers aspects, dans ce livre, en mettant l'accent
sur la totalité de la personne même en parlant de sa vie sexuelle.
En résumé, la personne âgée se caractérise par son expérience de
vie, par les décisions qui ont jalonné son existence, par les valeurs
qu'elle a intégrées et par le dynamisme qui pousse tout être humain
vers l'entière réalisation de soi à travers les aléas de l'existence personnelle, familiale et sociale. Ses besoins fondamentaux rejoignent

les besoins de tout être en croissance désireux d'assurer son autonomie et son champ d'expression personnelle. Les particularités
liées à l'âge, à l'état de santé, à la situation socio-économique et
à l'état des relations avec son milieu, s'inscrivent dans une continuité qui laisse place à des possibilités de changements d'attitudes
et de modifications de comportements. La personne âgée est un
être individuel et donc un être qui a besoin d'être reconnu comme
tel par les intervenants. Cette individualité renvoie concrètement à un nom historique qui témoigne de l'identité singulière,
et à des qualités, à des défauts, à des réalisations, à des limitations
ou à des succès et des échecs qui ont marqué une longue existence.
Reconnaître cette personne dans son être, son bon droit, ses aspirations, ses besoins actuels bien concrets et ses défaillances, c'est
la porte d'entrée d'une relation humaine avec telle personne
âgée.

La connaissance de soi pour l'intervenant n'est pas moins
importante que la connaissance de la personne âgée. Dans toute
relation humaine, il y a au moins deux personnes en présence.
L'ignorance de soi place l'intervenant dans une **situation de fra-
gilité** qui peut conduire à des conduites professionnelles inaccep-
tables. Cette ignorance est encore plus déplorable quand elle
porte sur les éléments constitutifs de la relation spécifique avec la
personne âgée dont nous soulignerons les principaux points.
Dans une communication, il y a un contenu manifeste et aussi un
aspect relationnel, ce qui fait qu'un message inexprimé ou non
verbal, se rendant visible par le langage du corps, s'ajoute au message exprimé ou verbal qui fait l'objet explicite de la communication. Les deux messages agissent conjointement même s'ils sont
dissonants, par exemple, un intervenant peut dire à une personne
âgée : « je suis heureux de vous voir », tout en « suant d'ennui ».
Chacun interprète à sa façon ces deux messages, ce qui brouille la
communication.

La confiance est à la base d'une relation d'aide efficace. Pour
créer un climat de confiance, un intervenant doit **accepter la
personne âgée** telle qu'elle est dans son état présent et lui garan-
tir, en parole comme en acte, qu'il la prend au sérieux, ce qui veut
dire qu'il s'efforce de comprendre au mieux son **problème réel** et

qu'il **est apte** à lui apporter l'**aide appropriée**. Aider quelqu'un, c'est fort différent de se défouler ou de chercher à se faire valoir. L'écoute active et la compréhension du problème réel sont les deux conditions préalables pour la planification et la réalisation d'une assistance authentique et efficace. Parmi les formes d'aide qu'un intervenant peut apporter aux personnes âgées, notons : 1) informer la personne âgée de son état, de ses droits, des moyens disponibles, des choix possibles de solution ou de traitement ; 2) informer les personnes de l'entourage, familiers ou voisins, de telle façon que ces personnes puissent éventuellement comprendre et aider la personne âgée : il s'agit bien souvent d'éduquer en vue de faire évoluer le milieu, par exemple, pour humaniser les lieux de vie et faire en sorte que la personne âgée ne soit pas toujours considérée comme une malade ou une personne dépendante ; 3) mettre en œuvre les techniques appropriées et les lois de l'apprentissage, en collaboration avec d'autres intervenants, de telle façon que la personne âgée non seulement se sente à l'aise mais encore qu'elle progresse dans sa démarche et vive mieux son état présent.

Les rapports entre personnes peuvent donner naissance à des malentendus qui sont causes de tensions et de frustrations. À la source des malentendus ou des incompréhensions (Eisenback, 1982), l'on retrouve souvent les éléments suivants : 1) des propos à double sens ou à plusieurs significations. Dans une simple conversation, une question du genre : « Êtes-vous bien sûr de vous en souvenir ? » peut être interprétée comme : « il pense que je suis fou, que j'ai perdu toute mémoire... » 2) l'idée souvent erronée que l'autre pense exactement comme soi : « je suis convaincu que vous allez beaucoup aimer ce concert de musique classique » alors que telle personne âgée préfère une musique populaire ; 3) ne pas reconnaître l'individualité d'une personne dans un groupe, par exemple : « vous prendrez certainement plaisir à jouer au bingo avec vos compagnes » même si cette personne-là déteste cette activité ; et 4) transférer une relation ancienne avec une personne âgée à la situation actuelle, ce sur quoi nous élaborerons un peu plus à cause de l'importance de ce facteur de malentendu.

Transfert et contre-transfert en intervention

Toute personne a connu des expériences qui se sont avérées difficiles ou traumatisantes. Ainsi une personne âgée a pu vivre des rapports conflictuels avec ses frères et sœurs ou avec ses propres enfants. Ces souvenirs peuvent revenir à la surface de la mémoire ou agir sournoisement de telle sorte que cette personne âgée transfère ou reporte sur l'intervenant actuel les sentiments qu'elle a alors éprouvés au moment de ces expériences ou qu'elle adopte des attitudes qu'elle a déjà eues. Le déclencheur peut être le fait que l'intervenant lui rappelle au physique ou au moral cette personne ou encore qu'il ait le même âge, la même attitude, le même statut hiérarchique, etc. Il s'agit là de **réactions de transfert** qui sont causes de friction, de malentendu ou d'incompréhension. Pour quelqu'un qui observe de l'extérieur, les réactions mutuelles lui paraissent tout à fait inadaptées comme s'il y avait un manque de logique ou d'à-propos. Les expériences qui suscitent des réactions de transfert peuvent aussi avoir été heureuses et alors les sentiments exprimés peuvent porter à confusion, comme dans le cas où la personne reporte sur l'intervenant des sentiments d'amitié, de tendresse ou d'amour. Dans un cas comme dans l'autre, l'intervenant est littéralement « pris pour un autre » et il a avantage à s'en rendre compte... Notons qu'il arrive aussi que les réactions de transfert se manifestent entre les partenaires d'un couple ; ainsi un homme âgé peut éprouver envers sa compagne plus jeune des sentiments qu'il aurait eus envers sa fille, c'est en tout cas ce qu'exprime Monsieur A, au chapitre VII, quand il affirme qu'il trouvait incestueux d'avoir des relations sexuelles avec une femme qui avait « l'âge de ma fille ». Dans les cas de transfert, il appartient à l'intervenant de clarifier sans heurts cette situation difficile et de chercher à fonder la relation d'aide sur le principe de réalité.

Qu'arrive-t-il quand l'intervenant reporte sur une personne âgée actuelle des sentiments déjà éprouvés autrefois envers une autre personne, comme son père, sa mère, son institutrice, son patron, son collègue, etc. ? Il s'agit alors d'une **réaction de contre-transfert** qui apparaît plus évidente quand un jeune intervenant considère une personne âgée comme son grand-père ou sa grand-mère. Il y a parfois coïncidence du transfert et du contre-transfert quand la personne âgée adopte le rôle du « moi parental » et l'intervenant le rôle du « moi infantile » employant même le langage de circonstance : « mon petit », pépère, mémé... On est en droit de s'attendre à ce que l'intervenant réagisse avec son « moi adulte » et qu'il s'adresse à une personne âgée en employant son nom avec les formes de politesse d'usage.

L'intervenant qui prend conscience du contre-transfert doit se souvenir qu'il lui appartient de prendre les moyens en vue de clarifier ses propres sentiments et d'adopter des attitudes objectives vis-à-vis les personnes avec qui il entre en relation d'aide. Dans une équipe de travail, il est parfois plus facile pour les autres intervenants de prendre conscience de ces phénomènes plus ou moins inconscients pour l'intervenant qui les vit. Il y a actuellement suffisamment de ressources professionnelles pour permettre à un intervenant d'y recourir au besoin. Certaines approches sont plus spécialement indiquées, comme l'analyse transactionnelle, la gestalt et même la psychanalyse pour qui dispose de suffisamment de temps et de ressources pour explorer en profondeur son archéologie ou son histoire personnelle. Les phénomènes du transfert et du contre-transfert devraient faire partie des éléments de formation de toute personne qui s'oriente vers le travail en relations humaines et plus spécialement vers l'intervention auprès des personnes âgées. Le vieillissement, la maladie, la souffrance et la mort, comme loi commune de l'existence humaine, peuvent créer de l'anxiété ou de l'angoisse et même des difficultés professionnelles supplémentaires pour qui n'a pas clarifié pour lui-même ses attitudes et ses valeurs en ces domaines : « que penser de mon propre vieillissement, de mes propres infirmités, de ma propre mort ?"

La relation professionnelle avec une personne âgée ne devrait pas être troublée par les stéréotypes et les préjugés : sur le sexe, sur l'âge, sur l'état de santé, sur la sexualité, sur les valeurs, sur le statut social, etc. Une certaine vigilance est toujours souhaitable dans l'intervention professionnelle à ce sujet car nul ne peut se targuer d'être totalement libéré d'idées toutes faites sans fondement, qu'il soit juge ou étudiant, intervenant ou client. Avec les personnes âgées, il y a aussi des changements de rôles qui impliquent une certaine période d'adaptation. Ainsi, ces personnes passent souvent du rôle de donneur de soins à celui de receveur de soins alors que l'intervenant passe du rôle de relative dépendance à celui de détenteur d'une certaine autorité à l'égard des personnes âgées. Cette adaptation implique toutefois le respect de l'autonomie et de la personnalité car la relation d'aide part **de là où l'autre se trouve.**

L'intervention auprès des personnes âgées aura à se préoccuper non seulement des minorités ethniques mais aussi des minorités sexuelles. Les éléments constitutifs et militants de la société actuelle se retrouveront un jour ou l'autre parmi les personnes âgées. Par exemple, les homosexuels et les lesbiennes vieillissent aussi et leurs besoins affectifs et sexuels les accompagnent à l'âge avancé. Des recherches en ce domaine s'imposent pour assurer des interventions professionnelles respectueuses des droits reconnus par la charte des droits et des libertés de la personne (Québec, 1982), et notamment l'article 10 : « Toute personne a droit à la reconnaissance et à l'exercice, en pleine égalité, des droits et libertés de la personne, sans distinction ou préférence fondée sur la race, la couleur, le sexe, la grossesse, l'orientation sexuelle, l'état civil, l'âge sauf dans la mesure prévue par la loi, la religion, les convictions politiques, la langue, l'origine ethnique ou nationale, la condition sociale, le handicap ou l'utilisation d'un moyen pour pallier ce handicap. »

CHAPITRE 12

Vieillissement :
pertes, deuil et mort

Toute la vie humaine est jalonnée de pertes nombreuses et plus ou moins importantes. Une concentration plus grande de pertes est identifiée lors de la dernière étape du parcours : la vieillesse, alors que la personne âgée dispose d'énergies limitées pour effectuer les deuils consécutifs à ces pertes. Parfois le stress est trop grand, elle sombre dans la dépression. D'autres motifs sont cependant à considérer dans le suicide des personnes âgées. Puis, c'est la fin du parcours : la mort. Comment la personne âgée la vit-elle, comment peut-on l'accompagner dans ce moment ultime ? Quelles sont les attitudes des intervenants de la santé face à la mort et au mourir ? Comment le sexe mime la mort ?

Qui n'a pas vécu, au cours de son existence longue ou brève, la mort d'un parent, d'un ami ; la rupture d'une relation affective ; la perte d'un emploi, d'un lieu de vie auquel on était attaché ; la perte d'un animal domestique par décès ou égarement, la perte d'un objet sentimentalement important : l'anneau de mariage, un portrait de famille, un livre ancien ; enfin, la perte de toute autre chose à laquelle on tenait ? « Perte de ce qu'on a eu... de ce qu'on a été... de ce qu'on a espéré être » (Viorst, 1986). Tout ce qu'on a peut être perdu, tout ce à quoi on tient peut nous être enlevé, tous ceux qu'on aime peuvent partir ou mourir. Il y a d'autres pertes moins spectaculaires mais tout aussi réelles : la perte de ses rêves d'avenir, de ses illusions, de sa virginité, la perte d'estime pour quelqu'un qu'on admirait et qui nous a trahi, déçu... Chacune de ces pertes est suivie d'un deuil plus ou moins important selon l'investissement dans la personne, l'objet ou le rêve perdus.

◣ Développement, croissance et pertes

« Faire son chemin de la naissance à la mort, c'est aussi faire son chemin à travers la douleur de devoir renoncer et renoncer encore à une partie de ce qui nous est cher » (Viorst, 1986). En effet, chacune des étapes de la vie et le passage d'une étape à l'autre entraînent avec eux des pertes à vivre, des deuils à faire. La **naissance** d'un enfant suppose la rupture des liens symbiotiques qui unissaient mère et enfant, les deux vivent l'angoisse de la séparation qui se résorbera dans une nouvelle union : relation mère-enfant dans l'allaitement et les soins quotidiens. Le **sevrage** sera l'occasion d'une privation, d'une perte de part et d'autre en même temps qu'un gain d'une nouvelle autonomie pour chacun. Le **départ à l'école** oblige l'enfant à quitter sa mère pour se tourner vers le monde extérieur.

Puis, c'est la **puberté.** Pour la fille, la ménarche survient comme une « irruption surprenante, inattendue et brutale » dans le monde de l'enfant. Avec elle, c'est l'entrée dans le clan des femmes, c'est l'appartenance à un sexe, l'accès à un secret partagé uniquement par les femmes. Par ses règles, la fille devient plus consciente du temps marqué par les cycles menstruels, elle devient aussi plus consciente de la fin des cycles, c'est-à-dire de la ménopause, de la mort. La puberté s'apparente à la mort en ce qu'elle est un passage, une transition vers un autre âge encore hypothétique pour l'enfant, et chargé d'anxiété, parfois de regret. Il n'est pas rare à ce moment de rencontrer des fillettes qui s'accrochent à leur identité fuyante d'enfant : elles jouent à la poupée aujourd'hui alors qu'hier, elles avaient des comportements d'adultes. La ménarche et la première pollution jouent le rôle de rite initiatique pour le jeune avec l'obligation de le vivre pour en ressortir transformé, transmuté, transfiguré.

Puis vient l'**adolescence,** cet âge aux limites floues où le cœur se tourne vers « on ne sait quelle Asie » afin de satisfaire ses besoins d'identification, d'affection, d'autonomie, d'érotisme. L'adolescent se tourne vers lui-même et en même temps vers un autre lui-même : il se cherche, il cherche l'identité qui le fonderait comme sujet, en même temps qu'il fait le deuil de ses attaches infantiles. L'adolescence est à la fois la coupure avec l'enfance et l'entrée dans le monde des adultes dont les transformations pubertaires ne sont que le prélude. Puis c'est la première relation sexuelle coïtale, la défloration, signe apparent de la mutation de l'état de fille à celui de femme, signe d'entrée dans un autre rapport à la vie, à la mort. L'éclatement de l'hymen ouvre la porte de l'intimité et modifie l'image ou la perception que la fille a d'elle-même, l'arrache à l'imaginaire pour la jeter dans la réalité. L'auteur de la défloration joue un rôle d'initiateur, d'explorateur, il a été « le premier », il laisse une marque unique ; du même coup, son fantasme de femme vierge s'estompe et il effectue un retour au lieu de sa naissance. Deuil chez la fille de son image d'enfant, deuil chez le garçon de son fantasme.

À l'**âge adulte**, alors qu'un certain équilibre s'est établi, que l'autonomisation est complétée, que l'individu s'accomplit à travers la transmission de la vie ; alors qu'il surmonte la mort par la procréation, il est confronté quotidiennement à des pertes, à des morts. Puis la fin de la fonction ovarienne annonce pour la femme le passage de la maturité à l'infécondité totale. Alors que ces événements neuro-hormonaux surviennent, elle peut vivre une « tension puissante entre l'aspiration à l'immortalité du Moi et la conscience de l' inéluctable destruction du corps » reliée à la perte de l'aspect physique de la jeunesse : apparition des rides, affaissement des seins, alourdissement de la taille, manque d'endurance et de capacité physique. Autant de pertes occasionnent une crise d'identité chez elle, crise dont l'issue serait un nouvel équilibre de la personne. On dit peu de choses sur une période semblable survenant chez l'homme. Bien que la fécondité de ce dernier dure dans le temps, sa puissance, elle, risque d'être affectée. L'ampleur de la perte est relative à l'investissement qu'il a fait de son phallus (Schulte,1964 ; Meng, 1964 ; Bardet, 1981 ; Mandel, 1982 ; Badeau et Bergeron, 1985).

Puis, c'est le « **bout de l'âge** », la vieillesse, synonyme à la fois de dépouillement et de plénitude, de dépendance et de libération. Cette étape est particulièrement féconde en pertes de toutes sortes. **Sur le plan social :** la retraite signifiant la fin du travail rémunéré entraîne avec elle une perte de revenu. La personne qui jusqu'alors s'est identifiée comme travailleuse subvenant à ses besoins et à ceux des siens, « participant aux valeurs de progrès, d'avenir, d'efficacité, d'autonomie » est exclue du marché du travail, son identité sociale est affectée. À la perte de l'emploi est conséquente la perte de son environnement, de son espace et de son temps familiers, du réseau relationnel qu'elle y avait créé ; perte simultanée des amis avec qui elle avait partagé non seulement le travail, le labeur, mais aussi la vie avec ses joies, ses peines et ses préoccupations. Nouvel accent sur la perte de l'identité sociale. Du fait qu'elle n'a plus les mêmes revenus, la personne

âgée perd également son pouvoir de consommatrice et la valorisation qui y est attachée. Elle « a moins de valeur », elle « ne renouvelle plus ses objets », elle « ne se renouvelle plus ». S'ensuit un
sentiment d'exclusion de « toute la diversité des relations sociales
que procurent les activités de consommation ».(Plamondon et
Plamondon, 1981-1982). Aux pertes déjà mentionnées s'ajoute
la perte des rôles qui conditionnent fortement la personnalité :
rôle parental, rôle professionnel, rôle conjugal (dans le cas de
veuvage), rôle de partenaire sexuel. **Sur le plan émotionnel :** la
personne à la retraite vit à la maison et très souvent, pour la première fois, elle partage les vingt-quatre heures sur vingt-quatre
avec le partenaire. L'organisation de ses journées est bouleversée,
son espace est envahi. Il faut redéfinir son espace, l'absence de
territoire personnel provoquant la fuite, l'agressivité, le repli sur
soi. De nouvelles pratiques de communication sont à exploiter.
Chacun vit la perte d'une partie des attributions rattachées au
rôle habituel, une restructuration des rôles est nécessaire. La personne âgée peut vivre aussi la perte du conjoint, d'un enfant, d'un
ami, d'un confident. **Sur le plan psychologique :** les pertes énoncées plus haut entraînent ou peuvent entraîner une perception
négative de soi. La personne âgée ne sait plus très bien ce dont
elle est capable, ce qu'elle vaut à tout point de vue et nul ne lui
reflète une image positive qui lui permettrait de se redéfinir avantageusement. **Sur le plan cognitif :** la personne âgée est souvent
incapable d'attention soutenue, de concentration ; elle perd la
mémoire des faits récents et parfois l'orientation spatio-temporelle. **Sur le plan physique :** la personne vit un rétrécissement de
l'espace moteur, de l'espace visuel et auditif, et non seulement les
espaces ont diminué mais ils se sont vidés de leur contenu : on
voit moins de choses, on entend moins de sons, on rencontre
moins de gens, on vit sur un territoire moins étendu. Souvent, en
même temps qu'il y a rétrécissement de l'espace, il y a mise à distance sociale et psycho-affective. Le corps vieilli, usé de la personne âgée répond moins bien, moins vite ; elle peut difficilement
se faire représenter par lui pour être aimée, admirée. Elle vit une
déficience progressive des organes et de leurs fonctions, puis la
perte de sa puissance (physique, intellectuelle) de ses désirs, de ses
envies.

Plus tard, quand elle doit « casser maison », la personne âgée est dépossédée de son univers familier, elle n'a plus de place parmi les siens ; impuissante, fatiguée, elle doit rompre avec son environnement.

En regard de toutes ces pertes, la personne âgée doit effectuer un deuil en vue d'instaurer chez elle un nouvel équilibre, et continuer d'apprendre, de changer, de vivre enfin.

◣ Le deuil

Nous avons abordé au chapitre VIII les modifications physiologiques liées à l'avance en âge et portant sur différents organes et différents systèmes dont le système immunitaire. Il sera précieux de s'en souvenir à l'occasion des réflexions sur le deuil chez les personnes âgées.

Selon Schaerer et Pillot (1986), le deuil comprend à la fois la séparation d'un objet aimé : personne, bien, condition de vie..., les sentiments éprouvés suite à la séparation et les attitudes intérieures et extérieures qui favorisent ou non l'adaptation. Le deuil est un processus normal, qui nécessite un travail de longue haleine, qui est générateur de stress et grand consommateur d'énergie. Nombre de pertes : celle du conjoint, d'un ami, d'un enfant, de son « coin de terre », de son lieu habituel de vie, de ses forces physiques, de ses capacités intellectuelles, de son identité... surviennent à un moment où l'organisme est moins capable de faire face. Certaines personnes âgées parviendront à se réajuster, à rétablir l'équilibre dans leur structure psychique en remplaçant les pertes vitales par de nouvelles sources de satisfaction, d'autres pas. Quand le stress à la suite d'une perte atteint un seuil de tolérance qu'il dépasse pour devenir excessif, qu'il se prolonge sans interruption, il provoque l'altération du fonctionnement neurophysiologique et crée les conditions propices à la survenue d'un trouble. Parce que le système immunitaire est moins efficace, que la fatigue suite à l'effort soutenu pour s'adapter au stress augmente, il n'est pas rare de rencontrer chez la personne âgée qui a perdu son conjoint par exemple une propension plus marquée à la maladie : douleurs angineuses, grippe, dyspepsie, malaise chronique, parfois même cancer (Pelletier, 1984).

Le décès du conjoint, le décès d'un proche parent, la maladie, la retraite, les troubles sexuels, le changement de statut financier viennent en tête de liste des événements identifiés comme stressants. Presque toutes les personnes âgées vivent ces événements et combien d'autres. Les participants à notre étude considèrent comme événements hautement stressants dans leur vie : la perte du conjoint, particulièrement quand il s'agit d'une mort subite, la rupture d'avec le conjoint, la maladie (cancer du sein, infarctus...), la perte d'autonomie, l'institutionnalisation ou le placement, l'abandon des enfants, la perte des capacités intellectuelles, particulièrement de la mémoire, les problèmes chez l'un ou l'autre des enfants tels : exploitation sexuelle, homosexualité, violence. L'intensité et la durée du deuil varient d'une personne à l'autre selon la qualité de la relation établie avec la personne disparue, ou la prévisibilité de la mort ou de la perte.

Le travail du deuil va consommer une énorme énergie psychologique qui va rendre l'endeuillé démobilisé pour le reste. L'endeuillé se dira souvent « vidé », épuisé physiquement. Ce travail se fait progressivement, par avancées et reculs, prend plus ou moins de temps : un an, 18 mois, 2 ans et les tâches qu'il exige de l'endeuillé sont les suivantes : 1. accepter la réalité de la perte, de la séparation, de la maladie ; 2. accepter le fait que le travail du deuil est douloureux ; 3. s'ajuster, dans le cas de décès, à un environnement d'où le parent, l'ami est absent ; 4. retirer la libido investie dans la personne décédée ou partie, dans l'objet aimé pour réinvestir émotionnellement dans d'autres relations. Ce qui, loin d'être une trahison de la mémoire de la personne décédée, est un tribut à la signification imprégnant la relation antérieure avec elle. Par exemple : la personne âgée veuve, à qui on demande si elle aimerait rencontrer quelqu'un et poursuivre sa vie « conjugale » avec elle ou lui, répond souvent ; « Oh ! non, ce serait être infidèle à mon défunt mari ou à ma défunte femme » alors qu'une autre affirmera : « oui, parce j'ai eu une vie conjugale bien heureuse et que je sais que c'est possible » ou encore : « peut-être, car je pourrais mieux réussir une seconde expérience. »

Le travail du deuil se déroule en plusieurs temps :

1. La période de **choc** : qui peut s'exprimer par des sensations **corporelles** : papillons dans l'estomac, serrement de la poitrine, de la gorge, réaction excessive au bruit, sentiment de déperson-nalisation, d'irréalité, dyspnée, faiblesse musculaire, manque d'énergie, bouche sèche. Pendant cette période, la personne âgée ou l'endeuillé peut avoir l'impression que la personne décédée est encore vivante, qu'elle est autour d'elle :Exemple, cette femme de 77 ans dont le mari avait été trouvé mort dans son lit le matin et qui tient la porte de la chambre conjugale fermée et invite les enfants à ne pas faire de bruit parce que « il dort ».

L'endeuillé « vit alors de façon automatique, réflexe mais sans participation réelle », « il sera comme ailleurs » incapable de réfléchir, de choisir, de prendre une décision (Kalish, 1985 ; Schaerer et Pillot, 1986).

2. La période **dépressive** au cours de laquelle l'endeuillé prend conscience de l'irréversibilité de la perte. Alors surgit le déses-poir, la détresse et d'autres expressions **affectives** du deuil : *la dépression, la tristesse, l'affliction* : Plusieurs recherches ont démontré que les veufs et les veuves présentent plus de symp-tômes dépressifs que les personnes de groupes comparables mais ne vivant pas de deuil (Madison et Viola, 1968 ; Parkes et Brown, 1972 cité dans Kalish, 1985). *Le soulagement* : la personne âgée qui prenait soin de son conjoint depuis le début de sa maladie se sentira soulagée du fait qu'elle n'aura plus à le voir souffrir mais aussi parce qu'elle se sentait de plus en plus fatiguée, avait peur de tomber malade elle-même et n'osait demander de l'aide. « J'en pouvais plus, tu comprends... mais je ne pouvais pas non plus le faire garder ou le confier aux enfants, me semble que ça ne se fait pas, ou je me l'aurais reproché par la suite. » Soulagement aussi en retrouvant une certaine liberté : « Je vais pouvoir aller faire mes commissions, aller à la messe, sortir un peu... » Soulagement qui souvent s'accompagne d'autres émotions : la culpabilité, la colère, l'impression de « vide » immense, de désœuvrement. « Ça

fait un an que je vis rien que pour lui, je suis toute désorgani-
sée... » « Je n'aurais pas dû le laisser ce soir-là, je n'aurais pas dû lui
dire telle chose, faire telle chose... » ou « qu'est-ce que j'aurais dû
faire que je n'ai pas fait, dire que je n'ai pas dit ? » Plus la situation
de couple était conflictuelle avant la mort, plus elle génère
d'ambivalence, de colère, de culpabilité et plus le travail du deuil
semble être long et onéreux. Parfois la culpabilité origine du fait
qu'on ait souhaité la mort de l'autre, consciemment ou inconsciemment, quand la vie semblait trop difficile à vivre ; quant à la
colère, elle peut s'adresser à celui qui est décédé comme elle peut
très bien atteindre une cible accidentelle : un enfant adulte, un
soignant, une amie. Expressions **comportementales** du deuil :
troubles du sommeil, de l'appétit, particulièrement sous-alimen-
tation, distraction, isolement, rêves à la personne décédée, refus
de parler d'elle, cauchemars, pleurs, identification à la personne
décédée... « momification du défunt qui consiste à conserver tout
objet qui lui appartenait dans l'endroit ou l'état exact où il le con-
servait » (Viorst, 1986).

Quand la mort ou la perte survient d'une façon abrupte, la
réponse peut être la **négation.** On peut savoir que la personne ou
la séparation ou la perte a eu lieu mais ne pas y croire. Exemple :
la femme, dont le mari est disparu un beau matin pour aller à son
travail et qui 25 ans après n'est jamais revenu, espère toujours
qu'elle va le revoir, le croiser sur la rue ou qu'il va revenir à la
maison. Alors, on continue de faire comme si la personne était
toujours là : La veuve qui, six mois après le décès de son mari,
continue de mettre son couvert à table. La dame de 68 ans dont
l'enfant de 30 ans est décédé et qui en parle toujours au présent
quelque deux ans après la mort de ce dernier.

L'endeuillé peut aussi idéaliser le disparu : « Ton père, c'était
un saint, tu sais... », « C'était un homme bien généreux qui a toujours été bon avec moi. » « Ta mère ou Régina, c'était la
meilleure femme des environs, la plus travaillante, la plus propre,
la plus affectueuse... » Vit de la négation également : le retraité
qui, 8 mois après le début de sa retraite, se lève tous les matins à
6 heures, s'habille avec les vêtements qu'il portait pour aller à son
travail et sort de la maison à l'heure où il quittait pour le travail.

On identifie aussi des expressions **cognitives** du deuil : incrédulité, confusion, pensées constantes au sujet du défunt et des événements précédant sa mort : « Il me hante, je pense toujours à lui, il m'a regardé de telle façon, il m'a dit telle chose. » On peut observer chez la personne survivante de l'agitation, de la tension, une impulsivité marquée.

3. La période de **récupération, d'adaptation ou de réorganisation ou accomplissement du deuil** : « Il y aura encore des larmes, des nostalgies et des regrets » (Viorst, 1986) mais la personne âgée accepte la perte, se souvient du défunt mais tel qu'il était ; le retraité(s'il s'agit d'un deuil suite à la perte de l'emploi) cessera de se comporter comme s'il devait rentrer au travail ; la mère dont l'enfant est décédé cessera d'en parler au présent... La personne « qui fut endeuillée » tourne résolument le regard vers l'avenir, se prend en charge, décide de vivre dans le monde tel qu'il est, son monde intérieur transformé par la perte et son monde extérieur, d'où l'être aimé, d'où l'objet cher est absent.

C'est le plus souvent la dépression qui est rencontrée chez la personne âgée incapable d'effectuer le deuil suite aux nombreuses pertes qu'elle subit. Une étude britannique sur 4 500 veufs de 54 ans et plus, révélait une augmentation du taux de décès dans les six mois suivant la perte du conjoint ; une étude, ultérieure à la première, démontrait qu'une grande proportion des décès était attribuable à la maladie cardiaque (cité dans Kalish, 1985).

Accompagner la personne âgée endeuillée

Voici quelques attitudes d'accompagnement du deuil :

- **être présent :** d'une présence qui dispense de dire ou de faire des choses ; être tout simplement une oreille écoutante, une main tendue, un regard qui exprime l'intérêt, le respect, le partage, qui plus est, la tendresse.

- **permettre à la personne d'exprimer ce qu'elle ressent** quels que soient les sentiments exprimés : colère, agressivité, culpabilité, peu importe ou encore écouter et ne pas prendre pour soi les manifestations verbales ou non verbales de ces sentiments.

- **éviter les clichés :** « Je sais ce que vous éprouvez » ou « ça va aller mieux demain », ces paroles apportent peu à la personne endeuillée ou pis encore sont faussement rassurantes.

- **être patient :** le travail du deuil se fait dans le temps : quelques mois, un an, deux ans. Ne pas brusquer l'endeuillée.

- **être disponible :** le travail du deuil évolue par vagues ; une journée la personne est de belle humeur, confiante, l'autre journée, elle pleure, bougonne, refuse de s'alimenter... Elle doit pouvoir compter sur un support inconditionnel et constant.

- **être conscient de ses propres sentiments :** éviter la projection de ses sentiments sur l'endeuillée et surtout savoir quand il est difficile d'aider parce qu'on est envahi par la peur, l'angoisse face à sa propre mort, à ses propres pertes.

- **référer au besoin** à un professionnel compétent qui saisit la dynamique du deuil et qui connaît la psychologie de la personne âgée.

Il est cependant important de savoir que plus la relation avec la personne décédée était harmonieuse, plus la récupération se fera vite et bien ; que les pertes qu'on ne peut anticiper sont plus difficiles à accepter ; que plus le support social, professionnel est de qualité, mieux se sentira l'endeuillée ; que si le stress de la perte présente se complique d'autres stress, la récupération sera lente ; que si dans le passé, l'endeuillée a vécu des pertes non résolues, elle aura de la difficulté à effectuer le travail du deuil présent ; qu'une perte suite à un suicide, à la négligence personnelle sont plus difficiles à accepter ; que le support aux endeuillés est un travail exigeant et que la personne aidante doit « prendre soin d'elle » pour pouvoir l'effectuer.

 # Le suicide chez les personnes âgées

« Si les suicides augmentent chez les jeunes (le Québec en détiendrait le triste record mondial), ils augmentent de façon exponentielle chez les personnes âgées ; ce qui se voit de plus en plus, ce sont les vieux couples de soixante-quinze, quatre-vingts, quatre-vingt cinq ans en perte d'autonomie et qui se suicident ensemble en ayant souvent pris soin de laisser un mot à leurs enfants, quand ils en ont, à leurs amis, quand il en reste, à leur entourage, en expliquant qu'ils ne voulaient ni aller en institution, ni être hospitalisés, et qu'aucun des deux ne voulaient survivre à l'autre dans ces conditions » (Lafortune, M. 1988). Et « selon le Rapport du coroner en chef du Québec, 161 personnes ayant plus de 60 ans ont attenté à leur vie en 1988, soit 14,37 pour cent de tous les suicides de la province » (Ouimet, M. 1989).

Ces attentats se répartissent ainsi :

Âge	Femmes	Hommes	Total
60 à 64 ans	14	45	59
65 à 69 ans	7	33	40
70 à 74 ans	4	16	20
75 à 79 ans	10	15	25
80 à 84 ans	2	9	11
85 à 89 ans	0	4	4
90 à 94 ans	0	1	1
95 ans et plus	0	1	1

Les changements physiques qui accompagnent l'avance en âge affectent négativement l'image de soi. La perte des rôles sociaux a comme conséquence une perte d'identité et une perte d'estime subséquente à une perception de soi dévalorisée et une perte de sens à la vie. Même si Durkheim (cité dans Kalish, 1985) reconnaît les pertes sociales comme cause de suicide, il note une relation étroite entre les pertes dans le domaine social et les pertes dans le domaine psychologique. La perte d'une personne aimée et en l'occurrence du conjoint a souvent comme conséquence des sentiments d'abandon qui peuvent dégénérer en colère orientée directement vers la personne aimée dont on veut tuer le souvenir, et pour y parvenir on se tue soi-même. La personne âgée sent souvent le besoin d'expliquer et de s'expliquer à elle-même comment elle était avant et comment elle est devenue ce qu'elle est maintenant. Cette **crise d'explication** parle d'elle-même. La personne âgée qui la vit est incapable d'accepter les changements inhérents à l'avance en âge, à la vie pour ainsi dire. « Chez la personne âgée, le suicide est toujours un appel, message désespéré par lequel le patient clame à son entourage son désarroi quasi insurmontable et son incapacité, du fait de sa solitude, à trouver une solution apaisante » (Léger, J.M., Tessier, J.F., Mouty, M.D., 1989).

Trois facteurs importants ont été reconnus comme contribuant à la dépression et au suicide chez la personne âgée : la malchance ou les épreuves, l'impuissance et le désespoir (Osgood, 1985). Les stéréotypes négatifs concernant la personne âgée, jumelés avec la perte de certaines capacités physiques, de l'acuité des sens, de la mobilité, modification de l'image corporelle, perte de revenu, perte de certaines capacités cognitives, perte des rôles dans la famille, le travail et la communauté, avec l'affaiblissement de l'intégration et de la « régulation » sociales sont les sources majeures de stress dans l'âge avancé. En fait, les pertes identifiées sont émotionnelles, psychologiques, physiques, sociales, financières, etc. Ces pertes s'accompagnent très souvent d'une véritable crise d'identité chez la personne âgée : elle ne sait plus très bien qui elle est, qu'elle est. Le deuil, le diagnostic d'une maladie incurable ou terminale, un grand changement dans la vie, une dispute avec un membre de la famille, ou un grand ami augmentent aussi la vulnérabilité au suicide. La personne âgée est confrontée à des pertes vitales, elle éprouve un stress important, elle n'a pas les énergies et les ressources personnelles pour faire face à ces pertes, elle vit de la dépression, du désespoir, de l'impuissance, de la dévalorisation, elle expérimente une mort psychologique et sociale, elle procède au suicide.

Mais d'autres personnes âgées peuvent décider de « partir » parce qu'il est temps, parce qu'elles considèrent que leur vie a été bien remplie, qu'elles ont exploité au maximum leurs possibilités, parce qu'elles sont rassasiées de jours. Elles peuvent vouloir partir pendant qu'elles ont encore du plaisir avec elles-mêmes et les autres, pendant qu'elles ne sentent pas un écart trop marqué entre leur capacité physique de profiter de la vie et leur compétence intellectuelle.

D'autres peuvent se suicider parce que leur corps ou leur vie, c'est leur seul lieu de pouvoir, de contrôle, c'est tout ce qui leur reste ; aussi d'en disposer comme bon leur semble demeure le seul privilège dont elles comptent se prévaloir, que ce soit moralement acceptable ou pas pour la famille et la société.

Comment reconnaître la personne âgée suicidaire ?

Pavkov (1982) recommande de **porter attention aux intentions exprimées :**

Verbalement et directement : « je vais me tuer », « je veux en finir avec tout ça », « je vais me suicider » ;

Verbalement et indirectement : « je suis fatiguée de la vie », « ma famille, ma femme ou mon mari va être mieux sans moi », « qui peut bien se soucier du fait que je vive ou pas ? »

Quelques indications verbales demandent une interprétation pour détecter une intention autodestructrice : « bientôt, vous ne me verrez plus autour d'ici », « je ne serai pas ici quand vous allez revenir. »

La personne âgée peut donner des indications *non verbales directes* : elle fait une tentative de suicide. Elle peut donner des indications *non verbales indirectes* : donner son corps à une école de médecine, acheter un fusil, accumuler des médicaments, prendre une assurance-vie ou en modifier les bénéficiaires, faire des arrangements funéraires, faire ou modifier un testament...

Porter attention aux variations symptomatiques :

La personne âgée visite son médecin avec des plaintes somatiques variées, parfois sans maladie apparente.

Observer attentivement les changements d'attitudes et d'activités : Le médecin ou l'intervenant peut sentir que quelque chose ne va pas. Prendre du temps avec la personne âgée, l'écouter activement en prêtant attention au ton de la voix, aux tremblements des mains, à l'expression faciale, à l'apparence personnelle, à l'humeur. Si la personne habite dans un lieu d'hébergement

pour personnes âgées et qu'il est possible de le faire : vérifier l'organisation de ses journées : qu'est-ce qu'elle fait qu'elle ne faisait pas
avant ? Qu'est-ce qu'elle ne fait pas qu'elle faisait avant ? Qu'a-
t-elle modifié dans ses activités quotidiennes en termes de quantité mais surtout de qualité ? (Habitudes de sommeil, d'alimentation, d'hydratation : abus d'alcool par exemple ; isolement...)
Essayer d'identifier les facteurs familiaux et personnels, les caractéristiques du style de vie qui pourraient prédisposer au suicide.

L'intervenant qui possède une compréhension adéquate des
signes et symptômes de la dépression et de la personne à risque
suicidaire, qui aime, respecte et se soucie de la personne âgée, qui
connaît les problèmes de l'avance en âge devrait pouvoir appliquer le programme suivant avec les individus suicidaires :

- construire une relation de confiance,
- être capable de composer avec ses propres sentiments de
  professionnel parfois inadéquat, parfois impuissant,
- dépasser ses propres peurs de responsabilité en prenant des
  décisions qui pourraient avoir l'effet d' induire la personne
  âgée à passer au suicide, ou encourager le suicide plutôt que
  de la dissuader,
- se questionner sur ses sentiments et ses impulsions suicidaires,
- supporter le ressentiment de la personne âgée,
- éviter des comparaisons entre la personne âgée et soi-même
  ou d'autres individus : « si j'étais à votre place, je ferais... »
  « allez voir madame une telle, elle aussi a déjà eu ces idées-
  là, elle vous dira comment vous en défaire »...
- être empathique,
- se centrer vraiment sur le problème de la personne âgée
  devant soi,
- se souvenir que chaque personne est unique, éviter de sté-
  réotyper.

« L'intervenant ne doit pas seulement développer cette empathie à l'égard d'autrui, mais aussi à l'égard de lui-même. Quels
sentiments éprouve-t-il à l'égard du suicidant ? Quels sont ses préjugés à l'égard du suicide ? Quelles sont les valeurs qui lui sont les

plus chères ? Quel type de bonheur et de liberté cherche-t-il pour lui-même et pour autrui ? Quelle est sa conception de la vie ? Quelles sont ses peurs de la mort ? » (Volant, E., 1988).

Pour aider la personne âgée et particulièrement la personne âgée suicidaire, il est suggéré d'utiliser la **révision de vie** qui permet le retour progressif à la conscience des expériences passées, et favorise particulièrement la résurgence des conflits non résolus ; simultanément et normalement, ces expériences et ces conflits ravivés peuvent être recensés et réintégrés. Le processus met le passé dans un ordre cohérent et dans sa perspective propre à la lumière des valeurs, attitudes et expériences de la vie. Selon Jung (1934) la révision de vie aide à réduire la tension et à restaurer l'équilibre psychique, elle est nécessaire au développement de la personnalité. Pour parvenir à l'intégrité, les personnes âgées doivent revoir leur vie et déterminer qu'est-ce qui était inévitable, significatif et important. Si elles acceptent leur vie et ont le sentiment qu'elles ont fait tout ce qu'elles pouvaient et ne souhaitent rien de différent, elles parviennent à l'intégrité et gagnent la sagesse. En aidant les personnes âgées à se remémorer les événements passés, à les revivre, à les réexpérimenter et à les savourer, les thérapeutes peuvent aider à identifier et à atténuer la culpabilité en exorcisant les identifications problématiques de l'enfance, en résolvant les conflits anciens, en réparant les relations familiales, en transmettant connaissances et valeurs (Butler, 1963b). Il y a trois étapes dans la révision de vie : 1. une histoire détaillée ; 2. une observation attentive ; 3. la remémoration ou résurrection systématique des souvenirs.

Quelles expériences ont été les plus significatives dans la vie ? Quelles ont été les plus grandes peines de la vie ? Quelles ont été les expériences de rupture dans la vie ? Quelles personnes ont eu le plus d'influence sur la personne âgée, particulièrement parmi celles qui sont décédées aujourd'hui ? Quelles ont été les plus grands moments de joie, de peine, d'amour... dans quelles circonstances et quels sont les détails environnementaux ?

Si on utilise le récit écrit, faire attention au style, aux détails et aux accents mis sur tel ou tel sujet.

Les aspects suivants méritent l'attention du thérapeute :

- pèlerinages : lieu de naissance, lieu où la personne a passé son enfance, la maison des parents, etc. Photos, articles de journaux et lettres peuvent aider au pèlerinage.
- Réunions : église, famille, classe.
- Généalogie : retrouver ses racines.
- Album où la personne a recueilli photos, lettres, etc.
- Histoire synthèse de son travail ou vie professionnelle.

C'est important que l'intervenant qui choisit d'aider la personne âgée en utilisant la révision de vie soit un écoutant actif et soit capable d'utiliser les habiletés d'exploration, de « centration » et capable de permettre à la personne âgée de faire de son passé un tout cohérent, lui permettre de découvrir un sens à sa vie et d'atteindre l'intégrité, diminuant ainsi les risques de suicide.

Prévention du suicide dans la population âgée

Voici quelques moyens à prendre pour prévenir le suicide :

- **Développer une volonté commune de promouvoir une attitude positive** face à la personne âgée, au vieillissement et à la vieillesse ;

- **Inciter au respect** de la personne âgée ;

- **Valoriser** la contribution de la personne âgée à la construction du monde tel qu'on le voit aujourd'hui ; faire en sorte que la vie ait encore un sens pour elle ;

- **Cesser de faire pour elle** ce qu'elle peut raisonnablement faire elle- même ; lui confier des tâches qu'elle peut faire et réussir ;

- **Éduquer** la personne âgée, les intervenants, la population en général.

L'éducation est la clé majeure de la prévention dans l'âge avancé. Éducation centrée sur les symptômes de la dépression et les signes avant-coureurs du suicide ;

Notons quelques points importants sur lesquels peut porter cette éducation :

– processus du vieillissement,
– la possibilité de traiter la dépression,
– la prévention possible du suicide,
– les ressources disponibles,
– la préparation à la retraite,
– l'éducation au loisir.

 ## La personne âgée et la mort

« Mourir, c'est sortir du temps » (Herfray,1988). Les personnes âgées participant à notre étude exploratoire affirment n'avoir pas peur de la mort. Ce dont elles ont peur ou ce qu'elles craignent, c'est ce qui précède : la souffrance physique et psychologique, et ce qui suit la mort : la vie après la mort ou l'au-delà. Quelques exceptions cependant : une dame de 72 ans affirme ne jamais porter de pendentif, de collier ; elle a peur d'étouffer et elle ne ferme jamais la porte de sa chambre quand elle dort pour la même raison ; un homme de 68 ans exprime : « quand tu vois mourir tes amis de ton âge, t'aimes pas ça... » Lors d'une visite, une dame de 99 ans confiait : « Qu'est-ce que vous voulez, je ne peux pas me tuer. » Elle exprimait ainsi sa hâte de mourir, tant la vie (en centre de soins prolongés) n'offre plus rien de stimulant. L'attitude des personnes âgées face à la mort peut sans doute dépendre de l'âge de la personne, de son état de santé physique, de l'isolement qu'elle vit, des contacts qu'elle a avec ses proches, de l'expérience antérieure du phénomène de la mort, des activités dont elle est encore capable, du degré d'autonomie dont elle jouit, du sentiment de valorisation et d'utilité qu'elle éprouve, enfin du sens qu'a la vie pour elle dans le quotidien, de ses convictions religieuses ou de sa vie spirituelle.

Les **représentations** que la personne âgée se fait de la mort ne sont plus celles d'une voleuse de temps, de rêves, d'amis... ni de la faucheuse imperturbable ; la mort lui apparaît davantage comme un voyage, une transition, un passage, le commencement d'un repos bien mérité, le moment des retrouvailles, « je vais aller retrouver mon vieux ou ma vieille », la récompense pour le travail accompli ou les épreuves supportées ou les mérites accumulés ; elle la voit encore comme une délivrance, l'accès au paradis promis par la foi, le retour au Père ou plus modestement comme une perte d'expériences, de personnes, de biens, de son corps.

Mais la mort physique est, chez les personnes âgées, souventes fois précédée d'autres morts plus douloureuses. La mort **psychologique** : c'est le lot de la personne âgée qui ne sait plus très bien qui elle est, elle a perdu son identité, dans son milieu de vie on la traite comme un objet, on ne respecte pas son besoin de décider pour elle, on ne lui laisse aucune initiative, on ne respecte pas son intimité, on la traite comme une enfant, on ne la nomme jamais par son nom, on lui administre des médicaments qui la rendent confuse... la liste des « coups de bistouri » à l'identité peut se prolonger. La personne âgée dans ces conditions ne sait plus qui elle est, elle sait à peine qu'elle est. Cette mort psychologique est encore plus évidente chez les personnes souffrant de troubles neurologiques sévères, même si parfois la visite du conjoint, de petits-enfants ou un événement particulier favorisent pour un moment le retour à la vie psychologique exprimée, dans ce cas, par la reconnaissance des visiteurs ou les expressions de visage, ou les gestes démontrant la compréhension de ce qui se passe. Exemple : l'homme de 80 ans, confus, à qui on annonce la mort de sa femme et qui se met à pleurer... Les proches en viennent à considérer comme jour de décès le jour où leur mère, leur père ou leur parent ne les reconnaît plus.

Chez les personnes âgées, la mort **sociale** aussi précède souvent la mort physique. La vie sociale dépend de la perception des autres à leur endroit. Si les autres les perçoivent comme non existantes, comme n'ayant aucune utilité, comme étant des nuisances publiques, si les autres en viennent à souhaiter qu'on les laisse mourir parce qu'elles sont une charge pour l'État, si les autres ne leur reconnaissent aucune valeur, elles sont mortes socialement. Plus pénible est la situation où leur propre famille les traite comme mortes, où elles-mêmes se disent mieux mortes, se considèrent comme des moins que rien, des loques ambulantes, des mortes vivantes, elles sont mortes socialement. Alors, la mort physique ne vient que compléter dans la chair ce qui existe déjà.

Mais la personne âgée qui se meurt devra faire le deuil de sa vie après tous les deuils déjà effectués, elle devra accepter l'imminence de sa mort et faire le deuil de l'illusion d'immortalité peut-être entretenue jusque-là (Herfray, 1988). Il se fera selon les étapes déjà décrites. Certaines personnes âgées réussiront à le faire sereinement, d'autres pas. Les peurs les plus tenaces qui subsistent sont souvent la peur de l'inconnu, la peur de la douleur, la peur de mourir seul, la peur de perdre le contrôle, la peur de « donner du trouble » ou plutôt de ne plus pouvoir faire pour soi ce qu'on voudrait.

Accompagner la personne âgée qui se meurt, c'est :

— **se tenir à ses côtés, être avec elle** d'une manière qui lui permette d'organiser, dans la mesure du possible, et à sa façon, les possibilités de vie qui restent,

— **lui permettre de mourir sa mort,** lui permettre de réagir à ce qui se passe pour elle, d'exprimer ses émotions comme il lui convient, de donner un sens à son existence, de faire ce qui est important pour elle, de recevoir les personnes qui lui sont significatives sans contraintes, d'avoir autour d'elle les objets qui lui plaisent ;

— **lui reconnaître le « droit à la banalité »,** c'est-à-dire le droit de réagir à autre chose qu'à la maladie et à la mort qu'elle entraîne pour elle ;

— **lui permettre de mener le jeu,** son ultime jeu car c'est elle qui connaît ses besoins et c'est elle qui se meurt ; elle en sait plus que le soignant ou l'intervenant là-dessus ;

— **être proche sans se confondre avec** elle car à ce moment il est impossible de l'aider ;

- **lutter pour lui garder** jusqu'à la fin **son identité de personne humaine vivante**, ne pas faire pour la personne ce qu'elle peut faire pour elle et ne pas lui demander des choses au-dessus de ses forces afin d'éviter l'humiliation ; de même éviter les remarques désobligeantes et les comportements non verbaux de lassitude, d'impatience, de rejet.

Attitude des intervenants de la santé face à la mort et au mourir

Nous considérons comme intervenants de la santé ou professionnels de la santé ceux dont le travail est de prendre soin de la personne âgée en maison d'hébergement, en centre d'accueil, en centre hospitalier de soins prolongés, à domicile, en soins palliatifs. Le concept est extensible même si nous référons particulièrement aux infirmières et aux médecins.

Les infirmières

Parmi les acteurs du système thanatologique, les infirmières, dont le rôle essentiel est de prendre soin (caring), semblent avoir une vision plus positive de la mort que leurs collègues médecins dont le rôle est de guérir (curing). Selon certaines études, la différence de perception serait attribuable à la différence des rôles professionnels. En dépit d'une perception plus positive, il arrive que la mort de la personne âgée soit expérimentée de façon traumatisante par les infirmières, apparaissent alors un niveau élevé de stress, des mécanismes de défense tels le déni de l'imminence de la mort et de son irréversibilité, la distanciation d'avec la famille du mourant, l'évitement du contact visuel, l'usage de plaisanteries lourdes, ainsi que des références impersonnelles au patient. On note également l'identification à la personne mourante et de l'anxiété face à sa propre mort, la culpabilité devant l'inefficacité des interventions thérapeutiques, l'engourdissement ou l'incapacité de vivre ses émotions. Par ailleurs, en milieu hospitalier, admettre son anxiété face à la mort et au mourir peut être acceptable, voire attendu, et peut justifier ou excuser l'évitement dont la personne mourante fait l'objet. Alors qu'elle désire tout au moins parler d'elle et de sa vie antérieure à la maladie, de son futur impossible, moins de 20 % des infirmières discutent avec elle, et 80 % des interactions verbales se situent au niveau de la réassurance, du déni ou du changement de sujet. Ces comportements indiquent donc une fuite symbolique (faux diagnostic, débauche verbale ou flot de paroles faussement rassurantes) ou une fuite réelle (retrait par rapport au malade, ou refus de rentrer dans la chambre du mourant). Dans ces conditions, il n'est pas étonnant de constater que le personnel infirmier souffre d'un manque de temps pour soulager, écouter et assister ; souffre de solitude devant la responsabilité des soins à des malades gravement atteints et manque le support d'une équipe qui partagerait le poids des difficultés inhérentes à cette tâche (Glaser et Strauss, 1965 ; Quint, 1973 ; Bowers, 1975 ; Schulz et Aderman,1976 ; Perks,1977 ; Millerd,1977 ; Kastenbaum, 1977 ; Marie, 1978 ; Martin, 1982-83 ; Beth, B., 1985 ; Peterson, 1986).

Les médecins

Les médecins constituent de par la force de leur « pouvoir-savoir » le rouage essentiel du système thanatologique moderne. Cependant, de façon générale et malgré des progrès récents, il semble que les médecins soient encore peu préparés à affronter les dimensions sociopsychologiques rattachées à la mort et au mourant. La plupart des auteurs consultés s'accordent pour reconnaître que la confrontation à la mort leur est particulièrement problématique car elle les oblige à reconnaître les limites de la médecine actuelle dans son effort pour maintenir la vie. Aussi les sentiments d'impuissance et d'échec sont fréquents et s'accompagnent de colère, de culpabilité et de retrait émotif, entraînant une détérioration des rapports professionnels, en particulier à cause du silence qui entoure la mort, même si on peut noter une progression récente vers une attitude plus ouverte face à cette réalité (Schœnberg et Carr,1972 ; Novack et al., 1972 ; Garfield, 1977 ; Redding, 1980 ; Dubois, 1982 ; Todd, 1984).

Impact sur la vie personnelle et limites de l'accompagnement

Les professionnels de la santé (infirmières, médecins, travailleurs sociaux) évoluant quotidiennement dans des unités de soins palliatifs, de soins coronariens, d'oncologie, de soins terminaux à domicile sont confrontés de façon constante, intense, à la réalité de la souffrance, de la maladie, de la douleur et de la mort.

Aux dires de plusieurs d'entre eux, il apparaît qu'ils sont peu préparés à faire face à cette réalité. La formation bien souvent insuffisante et sur le tas, le manque de temps permettant de digérer, de réfléchir, d'évaluer ces expériences empêchent d'en tirer le maximum de bénéfices pour soi en tant que personne et en tant que professionnel. De plus, le manque de support personnel et professionnel, les contraintes rattachées aux soins, le manque de temps à consacrer à l'accompagnement, les stress rattachés aux demandes constantes de ce métier, créent un environnement particulièrement dysfonctionnel. Une infirmière interrogée l'exprime de façon éclatante :

« Ce que je déplore, c'est qu'on n'a aucun mécanisme où le personnel hospitalier peut exprimer ses sentiments dans le vécu journalier. Ce que je trouve finalement le plus déplorable, c'est qu'on s'occupe peu des mourants et des gens qui s'occupent des mourants. »

L'intervenant peut se sentir menacé par les comportements de la personne âgée qui se meurt : demandes d'attention constante, agressivité, pleurs, questions au sujet de sa maladie et du temps qui lui reste, etc. Il est stressé de la voir décliner malgré l'investissement accru dans les soins, il éprouve des sentiments de culpabilité, de colère, d'impuissance. En partageant la douleur psychologique des personnes âgées mourantes, l'intervenant s'ouvre lui-même à la douleur, y devient plus perméable. Il vit un deuil anticipé face à la mort de la personne âgée et ce deuil est d'autant plus marqué qu'il se sentait proche d'elle et de sa famille. Ce qui apparaît indéniable, c'est le niveau de stress parfois subtil, insoupçonné, parfois identifié, senti, auquel le professionnel de la santé travaillant auprès des mourants et de leurs familles est consciemment ou inconsciemment exposé quotidiennement.

Il est évident que les stress affectent la personne du professionnel et conséquemment sa vie privée. La plupart des auteurs consultés parlent principalement de dépression, ce « soleil noir » qui obscurcit toutes les sphères de la vie (personnelle, familiale, conjugale, sociale, etc.). Dépression dont les manifestations sont multiples et ne sauraient être confinées aux seules heures de travail.

L'intervenant a parfois le sentiment de « toujours courir sans réussir à faire quoi que ce soit », d'où une certaine démotivation ; il peut se sentir appesanti par l'exposition constante à la réalité de la souffrance et de la mort ; il éprouve de la fatigue chronique plus émotionnelle que physique, de l'irritabilité ; il perd l'intérêt à vivre ; il est affecté dans sa personnalité, mettant à distance ses émotions, ses affects, se créant une espèce de cuirasse protectrice pour que les chagrins, les souffrances (les siennes, celles de l'autre) ne l'atteignent trop, n'éveillent en lui le besoin de se questionner sur sa propre terreur de la mort et ne provoquent des résonances intérieures touchant sa vulnérabilité, son humanité, sa finitude. On trouve fréquemment des personnalités tronquées, dévitalisées. Certains intervenants ou professionnels de la santé seraient bloqués dans leurs possibilités d'expression corporelle, méconnaîtraient leur corps comme instrument de travail, de communication, comme messager psychosomatique des sensations et des malaises, comme source de plaisir.

Plusieurs d'entre eux sont atteints dans leur estime de soi en tant que professionnels, traversent des périodes d'angoisse, doutant d'eux-mêmes et de leur compétence, éprouvant un sentiment d'inutilité en face de la mort inévitable de la personne âgée.

Plusieurs auteurs ont identifié, comme conséquences du stress vécu par le personnel infirmier et de la dépression qui s'en suit, un haut taux d'absentéisme au travail causé par des maladies mineures, des problèmes émotionnels déjà soulignés dans ce texte, des conflits maritaux, une insatisfaction au travail et un « burn out », la volonté de changer d'unité de travail et même de changer d'emploi ou de profession. À court de mots et de moyens, le personnel infirmier se sent impuissant et démuni dans les dernières phases.

Le professionnel de la santé, à l'instar du malade et de sa famille, passe par les différentes phases du deuil, dont le déni de la mort prochaine. Mort dont le spectre l'accable et qu'il essaie parfois de conjurer dans la « sur-implication » au travail (espérant peut-être des effets de résurrection sur le malade) ; dans l'hyperactivité sociale, les abus d'alcool, de sorties, d'expériences sexuelles, etc., comme si le fait d' »excéder » permettait de préserver, de célébrer la vie dont on dispose, permettait de se poser comme « vivant » (pas mourant) alors qu'entre la mort de la personne âgée et la sienne, la différence actuelle réside dans le fait que dans un cas l'échéance est prévisible et dans l'autre pas.

Tous les effets présentés ici ne se produisent pas chez tous les intervenants auprès des mourants. Ils sont modulés, sans doute, par les structures de personnalité et les motivations diverses qui conduisent au travail auprès des mourants : proximité géographique de son domicile au lieu du travail, horaire différent plus commode, fascination pour un tel travail, désir d'appliquer ses habiletés et ses connaissances et sa personne à des interventions de soins moins physiques et plus psychosociales, rencontre de personnes réputées dans le champ, recherche, vocation ou appel particuliers, acquisition d'expérience personnelle et professionnelle, apprivoisement de la maladie et de la mort.

Est-il possible de développer des conditions favorables à l'adaptation au travail auprès des mourants ?

Pour que l'intervenant soit à son meilleur quand il prend soin des mourants et afin de réduire le stress et ses conséquences nocives sur sa vie privée, il doit questionner sa motivation pour ce genre de travail ; elle doit se garder en bonne santé physique, prendre le temps de manger, de boire, de dormir, de jouer, d'aimer, de savourer mille petits plaisirs.

Il doit se ménager aussi des temps de loisir et maintenir l'équilibre entre sa vie professionnelle et sa vie personnelle, ne pas laisser la première envahir la deuxième. Il doit accepter de ne pouvoir contrôler la mort, reconnaître ses réactions émotionnelles face à la mort du patient et les souvenirs d'expériences antérieures que cette mort risque de rappeler, considérer comme normaux les sentiments éprouvés : peur, anxiété, dégoût, etc., maintenir l'équilibre entre l'implication et l'objectivité, établir une distance thérapeutique entre les personnes dont on prend soin et sa vie personnelle, être attentif à ses propres valeurs et croyances et à celles du mourant et de sa famille, les distinguer de façon à ce qu'elles n'interfèrent pas les unes avec les autres ; il doit apprendre à jauger ses limites afin de savoir quand il peut continuer et quand il doit arrêter. De même, les relations avec sa famille et les amis en dehors du travail, les activités et les intérêts en dehors du travail sont des éléments essentiels pour se garder en santé physiquement et émotionnellement. Les moyens sont multiples et souvent idiosyncratiques : sport, lecture, bricolage, voyage, piano, cours, danse.

Durant ses heures de travail, l'intervenant a besoin de moments libres à l'écart de son service : heures des repas, pauses-santé, et il devrait pouvoir disposer d'un espace autre que la salle de toilette à cet effet ; il a besoin d'un temps suffisamment long entre les services lui permettant de récupérer ses forces physiques et émotionnelles ; il devrait pouvoir occasionnellement s'autoriser sans culpabilité à prendre une journée (maladie) de santé mentale.

Enfin, l'intervenant auprès des mourants ne peut penser s'exposer continuellement à des situations de deuil sans support. Il doit pouvoir le réclamer sans crainte d'être considéré faible parce qu'il éprouve tel ou tel sentiment ou incapable de faire face à la situation, sans crainte d'être pointé du doigt ou trahi parce qu'il a osé en parler et sans crainte d'être incompris.

Quand un intervenant apprend à faire le deuil de quelqu'un ou de quelque chose, il apprend beaucoup à son sujet : ses propres limites et forces. Il apprend à discerner le bon moment pour un retrait conscient d'une situation difficile et stressante. Si la fatigue et la « sur-implication » obscurcissent son jugement au point qu'il refuse de se retirer d'une situation intenable pour lui, il doit se demander à quels besoins il tente de répondre actuellement, les siens propres ou ceux du mourant ? En pareille circonstance, les uns et les autres demeureront sans réponse satisfaisante. Cependant, ces mécanismes d'adaptation sont insuffisants sans transformations profondes du système hospitalier, transformations qui nécessitent une réévaluation fondamentale de la relation entre la mort et le système médical. Cette réévaluation est-elle possible ? A quelles conditions ? C'est là une question essentielle qui interpelle tous les intervenants et qui nécessite une réponse originale et collective. Car le rapport à la mort est aussi le reflet du rapport à la vie (Garfield, 1977 ; Quint, 1977 ; Perks,1977 ; Marie, 1978 ; Vachon, 1978 ; Hortala, 1975 ; Todd et al.,1984 ; Beth, 1985 ; Lussier, 1985 ; Kristeva, 1987 ; Badeau et Lévy, 1989).

Le sexe comme mime de la mort

Symbole par excellence de la vie, le sexe triomphe de la mort par la mise en œuvre de la génération sexuée qui assure la survie individuelle par l'hérédité chromosomique. Dans l'acte même qui transmet la vie, le sexe mime la mort. Les diverses étapes de la vie : fécondation, grossesse, naissance, puberté, adolescence, âge adulte, vieillesse, actualisent les relations entre la vie et la mort. Des événements ponctuels, comme les difficultés sexuelles, mettent en scène les signes de la mort. La quête érotique se vit comme une authentique expérience de la mort non seulement dans l'acmé mais encore, à un autre niveau, dans la séduction et le désir libidinal.

Aujourd'hui, la mort prend la relève du sexe non seulement comme lieu des interdits mais encore comme contenu. Ainsi, par souci d'épargner le malade, on lui ment pour lui cacher la gravité de son état. Les rémissions occupent tout le champ de la conscience. C'est la même motivation qui soutient le mensonge concernant l'infidélité et l'adultère. La mort des personnes âgées institutionnalisées s'effectue en cachette, généralement sans la présence de la famille. La mort est aussi secrète que les relations sexuelles. Et le deuil est vécu d'une manière solitaire et honteuse comme «une sorte de masturbation». Cette comparaison de Gorer est d'autant plus significative que la mort a remplacé le sexe comme principal interdit. Gorer parle de «pornographie de la mort». Il y a, en effet, quelque chose d'indécent dans la mort qu'il faut cacher ou maquiller, que ce soit par l'incinération rapide ou l'embaumement qui donne l'illusion que la vie continue comme avant : «c'est une belle morte» est un compliment obligé dans les salons funéraires et un vibrant hommage aux cosmétiques. L'attitude moderne devant la mort s'inscrit dans la logique de la conception de la vie (Badeau et Bergeron, 1985 ; Gorer, 1963).

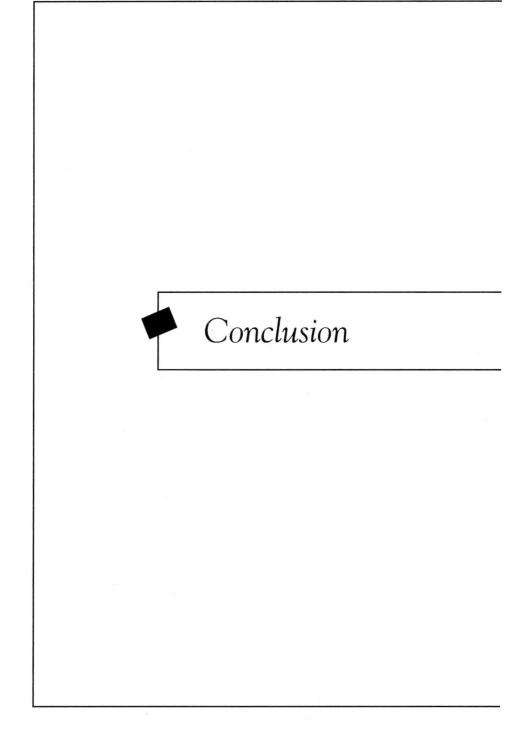

Conclusion

Nous avons tenté, au cours de cet ouvrage, de vous présenter la personne âgée comme élément de plus en plus visible de la société, comme adulte qui ne souhaite rien tant au monde que d'être autonome ou de vivre dans des conditions matérielles, psychologiques, sociales qui lui permettent d'exploiter au maximum les parcelles d'autonomie qui lui restent.

Dans le fond, il n'y a pas une personne âgée mais des personnes âgées toutes différentes les unes des autres par leurs expériences de vie et les bénéfices qu'elles en ont tirés, par leurs traits de caractères, par leur attitude face au vieillissement, à la vieillesse, à la sexualité, à la mort.

La personne âgée, c'est une personne unique qui porte dans son corps la marque du temps, que ce soit par les sillons creux de sa peau, ou par sa chevelure enneigée, ou par sa démarche plus ou moins assurée et sa voix chevrotante..., qui porte dans sa tête des souvenirs multicolores passant du rose au gris avec toutes les nuances de lumière et d'ombre, qui porte dans son cœur le fardeau de la solitude ou des multiples pertes qui ont jalonné son avance en âge mais aussi, mais surtout et encore une certaine jeunesse et des rêves à réaliser.

La personne âgée que nous avons voulu vous présenter, c'est celle qui est riche d'années, qui a 60, 70, 80, 90 ans, et qui s'est dite à nous à travers son histoire ; c'est celle qui désire partager son expérience et utiliser ses habiletés contribuant ainsi à l'évolution de notre société ; c'est celle qui souhaite qu'on la considère dans tout ce qu'elle est : adulte âgé sexué, jusqu'au bout de la vie.

Dans cet ouvrage, nous avons tenté de présenter une définition large de la sexualité dont les modalités d'expression varient selon les individus, les intérêts, leurs capacités physiques, leur développement psychologique, leur milieu de vie, les opportunités environnementales, l'intégration des idées transmises sur le vieillissement, la vieillesse, la sexualité. Nos personnes âgées ressources ne font pas exception à cette règle. Et chez elles, il y a autant ou presqu'autant de modalités d'expression de la sexualité que d'individus concernés. La personne âgée que nous avons présentée est unique y compris dans l'actualisation de sa vie, de sa sexualité.

Nous avons défini la santé sexuelle dans une perspective holiste de la santé et de la sexualité et nous avons formulé l'hypothèse qu'une amélioration de la santé sexuelle aurait comme conséquence une amélioration de la santé globale ; une démonstration, preuves à l'appui, reste à faire bien que l'observation attentive de la population âgée satisfaite sur le plan sexuel, c'est-à-dire dans son identité, son image corporelle, son estime de soi, dans ses manifestations d'amour, d'amitié, de tendresse, dans sa communication... supporte cette hypothèse.

La sexualité fait partie de la vie jusqu'au bout de la vie... même quand la maladie ou le handicap est présent ; à ce moment, un appel tout particulier doit être fait à la créativité, à l'ingéniosité des personnes âgées elle-mêmes et de ceux qui en prennent soin... afin de découvrir les modalités d'expression les plus satisfaisantes. Pour les intervenants auprès des personnes âgées, il ne s'agit pas tout simplement de signifier leur accord quant à l'expression de leur sexualité ; il faut, de plus, s'engager à promouvoir leur santé sexuelle, à adopter des attitudes permissives et organiser leur cadre de vie de façon à favoriser l'intimité et le respect de chacune d'elles.

La perspective de la mort, dans les pertes et leur symbolique, fait aussi partie de la vie jusqu'au bout de la vie. La personne aujourd'hui âgée qui a appris à faire et à terminer au fur et à mesure les deuils conséquents aux pertes occasionnées par le passage d'une étape de la vie à une autre, par les ruptures, les séparations,... parvient sereinement au bout de son âge et au deuil ultime de ses enfants, de ses amis, de ses biens, de sa vie.

Mais pour ne pas anticiper ce moment en tant que société, pour ne pas ensevelir nos personnes âgées avant qu'elles ne meurent, des actions concrètes s'imposent : développer une volonté commune d'intégration de la personne âgée dans le mouvement de notre société en lui permettant de collaborer de toute son expérience ou expertise au développement de la pensée collective, en la considérant comme utile et capable d'une participation à sa mesure. La personne âgée que nous avons entendue ne demande rien de plus qu'une place de citoyenne à part entière ayant encore quelque chose à dire, à donner, ayant encore à cœur la destinée de notre planète.

Nous devons cesser d'infantiliser les personnes âgées, de leur donner biens et services en espérant qu'elles se taisent comme un enfant repu ; cesser de faire pour elles ce qu'elles peuvent raisonnablement faire elles-mêmes pour elles-mêmes. Nous devons leur permettre de côtoyer les jeunes générations leur transmettant leur savoir, ce que la vie leur a appris et qu'il faudra tellement de temps aux jeunes générations pour apprendre.

Enfin, une invitation toute particulière est faite aux chercheurs dans la continuation de cette réflexion sur la personne âgée, particulièrement sur la sexualité de la personne âgée et ses modalités d'expression, sur l'amour aux 3e, 4e, 5e âges, sur l'érotisme dans l'âge avancé. Quels sont les aménagements que notre société, par ses maisons d'hébergement ou lieux de vie pour personnes âgées, devrait faire pour favoriser l'actualisation de la personne dans tout ce qu'elle est, y compris dans sa sexualité qui elle-même est expression de la vie jusqu'au bout de la vie ?

Annexe

Document 1
Présentation sommaire de la recherche
(1986-89)

Objet de la recherche :

Élaborer des stratégies d'intervention d'aide professionnelle pour les personnes âgées au plan de la vie personnelle, de la vie de couple et de l'insertion sociale.

Méthodologie :

Entrevues semi-structurées auprès de personnes âgées de soixante ans et plus vivant seules ou en couple et habitant dans différents milieux.

Sens de l'entrevue :

Cueillette de données sur la vie de jeunesse, la vie de couple, la vie de famille, la vie émotive, sexuelle, morale et religieuse ainsi que sur les besoins potentiels de ces personnes. Connaissances, attitudes et comportements sexuels.

Déontologie :

Respect assuré des règles d'éthique professionnelle concernant la confidentialité. Le consentement libre et éclairé des personnes sera sollicité et ces personnes pourront cesser leur collaboration en tout temps sans préjudice.

Chercheurs :

Denise Badeau, Ph.D.
André Bergeron, Ph.D.
Professeurs
Département de sexologie
Université du Québec à Montréal

Document 2
Université du Québec à Montréal
Département de Sexologie

Autorisation pour enregistrement sur magnétophone et leur conservation.

J'autorise les professeurs Denise Badeau et André Bergeron, de l'Université du Québec à Montréal, à faire des : ENREGISTRE-MENT SUR MAGNÉTOPHONE.

Cette production devra servir pour fins d'étude et de recherche à la condition que soient prises les précautions pour en conserver *l'aspect confidentiel.*

Signé à : _____ ce _____ jour de _____
19 ___

Signature de la personne : _____

Document 3

No. _____

NOM (facultatif) : _____   **PRÉNOM :** _____

1. ÂGE :

60-65 ans	1	☐
66-74 ans	2	☐
75-80 ans	3	☐
81-90 ans	4	☐
90 +	5	☐ 8

2. SEXE :

féminin	1	☐
masculin	2	☐ 10

3. ÉTAT CIVIL :

célibataire	1	☐
marié(e)	2	☐
– 1ère noce	2.1	☐
– 2e noce	2.2	☐
séparé(e)	3	☐
divorcé(e)	4	☐
veuf(ve)	5	☐
union de fait	6	☐ 20

4. ÂGE DU MARIAGE :

16-18 ans	1	☐
19-21 ans	2	☐
22-25 ans	3	☐
26-30 ans	4	☐
31+	5	☐ 25

5. ENFANTS :

OUI	1	☐
NON	2	☐ 27

6.

1-3 enfants	1	☐
4-6 enfants	2	☐
7-10 enfants	3	☐
11+	4	☐ 31

7. ÂGE ACTUEL DU PLUS VIEUX :

25-30 ans	1	☐
31-35 ans	2	☐
36-40 ans	3	☐
41-45 ans	4	☐
46 +	5	☐ 36

8. ÂGE ACTUEL DU PLUS JEUNE :

18-21 ans	1	☐
22-25 ans	2	☐
26-30 ans	3	☐
31-35 ans	4	☐
36-40 ans	5	☐
41-45 ans	6	☐
46 +	7	☐ 43

9. PROFESSION – TRAVAIL (avant la retraite) :

– col blanc	1	☐
– col bleu	2	☐
– sans travail (chômeur)	3	☐
– à la maison	4	☐ 47

10. SITUATION DE LA CONJOINTE (DU CONJOINT) :

Âge :

60-65 ans	1	☐
66-74 ans	2	☐
75-80 ans	3	☐
81-90 ans	4	☐
91 +	5	☐ 52

11. SITUATION DE LA CONJOINTE (DU CONJOINT) :

Profession :

– col blanc	1	☐
– col bleu	2	☐
– sans travail (chômeur-se)	3	☐
– à la maison	4	☐ 56

12. ÉTUDES :

Primaires	1	☐
Secondaires	2	☐
Collégiales	3	☐
Universitaires	4	☐
Autres	5	☐ 61

13. ÉTAT DE SANTÉ ACTUEL :

Bon	1	☐
Passable	2	☐
Mauvais	3	☐ 64

14. ÉTAT DE SANTÉ DU(DE LA) CONJOINT(E) :

Bon	1	☐
Passable	2	☐
Mauvais	3	☐ 67

15. MÉDICAMENTS :

OUI	1	☐
NON	2	☐ 69
– pour le cœur	11	☐
– pour la pression	12	☐
– pour les reins	13	☐
– pour dormir	14	☐
– pour les poumons	15	☐
– autres	16	☐ 81

16. MÉDICAMENTS PRIS PAR LE(LA) CONJOINT(E) :

OUI	1	☐
NON	2	☐ 83
– pour le cœur	11	☐
– pour la pression	12	☐
– pour les reins	13	☐
– pour dormir	14	☐
– pour les poumons	15	☐
– autres	16	☐ 95

17. HANDICAP :

OUI	1	☐
NON	2	☐ 97
– yeux	11	☐
– oreilles	12	☐
– bras	13	☐
– jambes	14	☐
– autres	15	☐ 107

18. HANDICAP DU(DE LA) CONJOINT(E) :

OUI	1	☐	
NON	2	☐	109
_ yeux	11	☐	
– oreilles	12	☐	
– bras	13	☐	
– jambes	14	☐	
– autres	15	☐	119

19. RELIGION :

Catholique	1	☐
Protestante	2	☐
Autre	3	☐

20. PRATIQUE :

OUI	1	☐	122
NON	2	☐	124

21. RÉSIDENCE :

Privée	1	☐	
Foyer (C.A., C.H.)	2	☐	
Institution	3	☐	
Autre	4	☐	128

22. CLUBS SOCIAUX :

Âge d'or	1	☐	
Bénévolat	2	☐	
CLSC	3	☐	
Autre	4	☐	132

Document 4
Recherche Bergeron-Badeau 1986-1989

Nom :   Âge du mariage :

Âge :   Enfants – nombre :

Sexe :   Situation du, de la conjointe :

État civil :   État de santé :

Profession :   Résidence :

Religion :   ☐ Privée
                               ☐ Institutionnelle
☐ pratiquant-e
☐ non-pratiquant-e   Club d'âge d'or ou autres :

Vie de jeunesse :

- relation avec père, mère, etc...
- relation avec camarades, ami-e-s
- initiation sexuelle : circonstances
- souvenirs marquants des parents

Vie de couple :

- fréquentations
- mariage : préparation, cérémonie, lune de miel
- relations de couple : événements marquants
- état actuel de la relation de couple
- désir, rêve, imaginaire, souhait, etc...
- ce qui vous procure le plus de plaisir, de contentement
- qu'est-ce que l'intimité signifie pour vous ?

Vie de famille :

- enfants : naissance, éducation, etc...
- éducation sexuelle des enfants

- relations passées et actuelles avec les enfants
- sujets de joie, de peine, d'inquiétude
- vie sociale : loisirs, culture, autres engagements significatifs
- relations avec les autres actuellement
- souvenir de la ménopause, du début de la retraite

Vie affective, émotive, sexuelle :

- attitude vis-à-vis les hommes, les femmes, l'orientation sexuelle
- importance des relations interpersonnelles : ce que vous aimez des autres – hommes – femmes
- rôle de la tendresse, de l'amour, de la sexualité (masturbation, coït)
- attitudes vis-à-vis de la fidélité, la jalousie
- fréquence des activités sexuelles : modalités à préciser (temps, lieu, position, etc.)
- attitudes face à leurs corps, au vieillissement, à la séduction
- ce qui rend heureux (partenaires, enfants, amis, animaux domestiques, biens, etc.)

Vie morale, religieuse :

- ce qui est bien, mal (bon, mauvais, valable, non valable, etc.)
- que penser de la morale sexuelle (des interdits, des défenses, des restrictions, etc.)
- qu'est-ce qui est bien, bon, valable au plan sexuel pour vous
- regrets, culpabilité, remords
- place de la sexualité dans leur vie passée, actuelle, future
- que penser de la masturbation, des contacts sexuels hors mariage, de l'homosexualité

Besoins actuels :

- comment exprimer leurs besoins actuels : affectif, sexuel, amoureux
- comment espèrent-ils vivre leur vie sexuelle dans l'avenir
- conseils à donner aux jeunes, aux personnes de votre âge
- qu'est-ce qui serait plus agréable pour vous ?
- aimez-vous la solitude ?
- type de besoin et type d'aide à recevoir des médecins, des infirmières, des sexologues ou autres
- dans quel genre d'activités êtes-vous le plus à l'aise, le plus valorisé ?
- quelles sont les personnes sur qui vous comptez le plus maintenant ?

Observations :

- avez-vous des remarques à faire sur cette entrevue ?
- langage verbal
- langage non verbal
- attitudes vis-à-vis la sexualité
- autres caractéristiques de l'entrevue
- apport particulier pour la recherche

Besoins actuels :

Personne seule ou vivant en couple

Mise en situation :

• Si vous aviez à exprimer librement vos besoins, que diriez-vous ?

1) à votre médecin (généraliste, spécialiste, gynécologue...) – quels types de besoins ? d'aide ? de support ? d'encouragement ? de référence ?

2) à votre infirmière, aux employés du Centre ...

3) au personnel de direction

4) au propriétaire de votre loyer

5) à votre entourage

• Dans votre vie plus personnelle, qu'est-ce que vous appréciez le plus ?

– de votre conjoint, de votre ami-e de cœur ?

– de vos enfants

– de vos ami-e-s

– des personnes qui vous entourent

• Y a-t-il une demande particulière concernant vos besoins physiques, intellectuels, affectifs, sexuels que vous aimeriez exprimer à ces personnes ?

• Si vous fermiez vos yeux un instant et que vous vous mettiez à rêver, qu'est-ce qui vous ferait le plus plaisir de la part des gens avec qui vous vivez ?

• Quelle activité vous donne le plus d'agrément durant une semaine ?

• Qu'est-ce qui vous valorise le plus à vos yeux ?

• Qu'est-ce que vous aimez le plus de vous-même actuellement ?

• Quelles sont les personnes sur qui vous comptez le plus maintenant ?

• Quels conseils donneriez-vous :

– à des jeunes gens ?

– à des personnes âgées ?

– à vos enfants ?

– au gouvernement par rapport aux personnes âgées ?

• Quelle est la meilleure façon de vieillir pour être heureux-se ?

Document 5

Montréal, le 28 janvier 1987

Madame,
Monsieur,

Nous tenons à vous remercier bien sincèrement pour votre participation à notre recherche sur les personnes âgées. Vos réponses aux questions posées nous seront très utiles pour mieux comprendre et aider les personnes âgées.

Vous trouverez ci-inclus un texte sur les personnes âgées que nous vous donnons pour vous souligner notre appréciation de votre collaboration.

Nous incluons aussi une feuille-questionnaire que nous vous prions de nous renvoyer, une fois remplie, si vous le jugez à propos.

Nous vous assurons de notre gratitude et nous vous prions, Madame, Monsieur, de recevoir nos salutations les meilleures.

Denise Badeau,
Professeure
Département de sexologie

André Bergeron
Professeur
Département de sexologie

Madame,
Monsieur,

Au cours des derniers mois de 1986, vous avez bien aimable-
ment accepté de collaborer à une recherche sur les personnes
âgées en répondant aux questions posées par notre collaborateur.
Nous aimerions, à ce moment-ci, vérifier si le fait de participer à
cette entrevue a fait surgir en vous des *idées nouvelles*, des *questions* ou des *préoccupations*. Si tel est le cas, vous nous obligeriez
beaucoup de bien vouloir répondre le plus simplement possible
aux questions suivantes.

1. Comment vous êtes-vous senti(e) pendant cette entrevue ?

    a) à l'aise   ☐ Oui   ☐ Non

    b) gêné (e)   ☐ Oui   ☐ Non

    c) soulagé (e)   ☐ Oui   ☐ Non

    d) inquiet (e)   ☐ Oui   ☐ Non

    e) autres (précisez si possible en quelques mots)

2. Après l'entrevue et depuis lors, vous êtes-vous senti(e) :

    a) à l'aise   ☐ Oui   ☐ Non

    b) inquiet (e)   ☐ Oui   ☐ Non

    c) libéré (e)   ☐ Oui   ☐ Non

    d) satisfait (e)   ☐ Oui   ☐ Non

    e) compris (e)   ☐ Oui   ☐ Non

    f) exploité (e)   ☐ Oui   ☐ Non

3. Y a-t-il des choses que vous aimeriez ajouter sur votre vie que
    vous croyez utiles pour notre recherche sur les personnes
    âgées ?

    ☐ Oui   ☐ Non

    Si oui, dites lesquelles, en quelques mots :

    _____

    _____

4. Éprouvez-vous le besoin de rencontrer, pour votre propre bénéfice, un des chercheurs sur un sujet particulier ?

   ☐ Oui   ☐ Non

   Si oui, sur quel sujet ?

   _____

   _____

À quel numéro de téléphone peut-on vous rejoindre pour traiter de ce sujet ?

    Tél. : _____ (si vous désirez nous parler seulement)

NOTE :   Renvoyez, s'il-vous-plaît, ce questionnaire dans l'enveloppe ci-jointe. Merci beaucoup.

Denise Badeau et
André Bergeron
Chercheurs

Document 6
Recherche Badeau-Bergeron 1988

*Échelle de connaissances et d'attitudes
sexuelles des personnes âgées
(Aging Sexual Attitudes and Knowledge Scales – ASKAS)*

1. L'activité sexuelle, chez les personnes âgées, est souvent dangereuse pour leur santé.

    1. Vrai   2. Faux   3. Je ne sais pas

2. Les hommes âgés de plus de 65 ans prennent généralement plus de temps pour obtenir une érection pénienne que les hommes plus jeunes.

    1. Vrai   2. Faux   3. Je ne sais pas

3. Les hommes âgés de 65 ans font l'expérience, en général, d'une réduction de l'intensité de l'orgasme comparativement aux hommes plus jeunes.

    1. Vrai   2. Faux   3. Je ne sais pas

4. La fermeté de l'érection chez les hommes âgés est souvent moindre que celle d'hommes plus jeunes.

    1. Vrai   2. Faux   3. Je ne sais pas

5. La femme âgée de plus de 65 ans a une lubrification vaginale moindre que celle des femmes plus jeunes.

    1. Vrai   2. Faux   3. Je ne sais pas

6. La femme âgée prend plus de temps pour obtenir une lubrification vaginale adéquate que les femmes plus jeunes.

    1. Vrai   2. Faux   3. Je ne sais pas

7. La femme âgée peut expérimenter un coït douloureux à cause de la réduction de l'élasticité du vagin et de la diminution de la lubrification vaginale.

    1. Vrai   2. Faux   3. Je ne sais pas

8. La sexualité est généralement un besoin qui se manifeste durant toute la vie.

   1. Vrai   2. Faux   3. Je ne sais pas

9. Le comportement sexuel chez la personne âgée de plus de 65 ans accroît le risque d'une crise cardiaque.

   1. Vrai   2. Faux   3. Je ne sais pas

10. La plupart des hommes âgés de plus de 65 ans sont incapables de s'engager dans une relation coïtale.

    1. Vrai   2. Faux   3. Je ne sais pas

11. Les jeunes personnes qui sont relativement plus actives au plan sexuel ont tendance à devenir des personnes âgées relativement plus actives au plan sexuel.

    1. Vrai   2. Faux   3. Je ne sais pas

12. Il y a une évidence scientifique à l'effet que l'activité sexuelle chez les personnes âgées a d'heureuses conséquences au plan physique.

    1. Vrai   2. Faux   3. Je ne sais pas

13. L'activité sexuelle chez les personnes âgées peut leur être bénéfique au plan psychologique.

    1. Vrai   2. Faux   3. Je ne sais pas

14. La plupart des femmes âgées ne réagissent pas au plan sexuel.

    1. Vrai   2. Faux   3. Je ne sais pas

15. Le désir sexuel s'accroît en général avec l'âge pour les hommes de plus de 65 ans.

    1. Vrai   2. Faux   3. Je ne sais pas

16. Une ordonnance médicale de drogues peut affecter les pulsions sexuelles d'une personne.

    1. Vrai   2. Faux   3. Je ne sais pas

17. Les femmes après leur ménopause ont un besoin physiologique nouveau pour l'activité sexuelle.

   1. Vrai   2. Faux   3. Je ne sais pas

18. Au fond, les changements au plan sexuel, chez les personnes de plus de 65 ans, impliquent plutôt une diminution du temps de la réponse sexuelle qu'une réduction de l'intérêt sexuel.

   1. Vrai   2. Faux   3. Je ne sais pas

19. En général, les hommes âgés éprouvent une diminution du besoin d'éjaculer ; c'est pourquoi ils peuvent maintenir une érection du pénis plus longtemps que les hommes plus jeunes.

   1. Vrai   2. Faux   3. Je ne sais pas

20. Les hommes et les femmes âgés ne peuvent agir comme partenaires sexuels car les hommes et les femmes âgés ont besoin de partenaires plus jeunes pour être stimulés.

   1. Vrai   2. Faux   3. Je ne sais pas

21. Le facteur le plus déterminant, en général, de la fréquence de l'activité sexuelle chez les couples âgés, c'est l'intérêt ou le manque d'intérêt du mari par rapport à une relation sexuelle avec sa femme.

   1. Vrai   2. Faux   3. Je ne sais pas

22. Les barbituriques, les tranquillisants et l'alcool peuvent abaisser le niveau de l'excitation sexuelle chez les personnes âgées et peuvent affecter leur réponse sexuelle.

   1. Vrai   2. Faux   3. Je ne sais pas

23. Le manque d'intérêt sexuel, chez les personnes âgées, peut être la conséquence d'un état de dépression psychologique.

   1. Vrai   2. Faux   3. Je ne sais pas

24. Il y a une diminution de la fréquence de l'activité sexuelle chez les hommes âgés.

   1. Vrai   2. Faux   3. Je ne sais pas

25. Avec l'âge, il y a une plus forte diminution de la sexualité masculine que de la sexualité féminine.

   1. Vrai   2. Faux   3. Je ne sais pas

26. Fumer beaucoup de cigarettes peut diminuer le désir sexuel.

   1. Vrai   2. Faux   3. Je ne sais pas

27. Un facteur important dans le maintien de la réponse sexuelle chez l'homme âgé, c'est la constance de l'activité sexuelle au cours de sa vie.

   1. Vrai   2. Faux   3. Je ne sais pas

28. La crainte de ne pas obtenir une bonne performance sexuelle peut amener des difficultés de performance sexuelle chez les hommes âgés.

   1. Vrai   2. Faux   3. Je ne sais pas

29. La fin de l'activité sexuelle chez les personnes âgées est généralement et en priorité davantage attribuable à des causes sociales et psychologiques.

   1. Vrai   2. Faux   3. Je ne sais pas

30. Se masturber d'une manière excessive peut occasionner une attaque précoce de confusion mentale et de démence chez les personnes âgées.

   1. Vrai   2. Faux   3. Je ne sais pas

31. Il y a une perte inévitable de satisfaction sexuelle chez les femmes déjà ménopausées.

   1. Vrai   2. Faux   3. Je ne sais pas

32. L'impuissance secondaire, sans cause physiologique, augmente chez les hommes âgés de plus de 60 ans comparativement aux hommes plus jeunes.

    1. Vrai   2. Faux   3. Je ne sais pas

33. L'impuissance chez l'homme âgé peut, dans plusieurs cas, être traitée et guérie.

    1. Vrai   2. Faux   3. Je ne sais pas

34. En l'absence de maladies physiques graves, les hommes et les femmes peuvent garder un intérêt sexuel et une activité sexuelle même à 80 et à 90 ans.

    1. Vrai   2. Faux   3. Je ne sais pas

35. La masturbation chez les hommes et les femmes âgés a des effets bénéfiques sur le maintien de la réponse sexuelle.

    1. Vrai   2. Faux   3. Je ne sais pas

Directives sur les attitudes
(Échelle Likert : 1 = accord ; 7 = désaccord)

Échelle de 1 → 7

1. Pas de réponse
2. Très d'accord
3. D'accord
4. Peu d'accord
5. Indécis
6. Pas d'accord
7. Pas du tout d'accord

36. Les personnes âgées de plus de 65 ans ont peu d'intérêt dans le domaine de la sexualité. _____

37. Une personne âgée qui manifeste de l'intérêt sexuel se couvre de disgrâce. _____

38. Les institutions, par exemple les foyers pour personnes âgées, ne doivent pas encourager ou donner quelque support à l'activité sexuelle de leurs résident(e)s. _____

39. Les hommes et les femmes résidents dans des foyers pour personnes âgées devraient vivre dans des étages ou des pavillons séparés. _____

40. Les foyers pour personnes âgées n'ont pas l'obligation d'assurer la vie privée pour les résidents qui désirent être seuls pour eux-mêmes ou en tant que couple. _____

41. Quand une personne dépasse 65 ans, l'intérêt pour la sexualité disparaît inévitablement. _____

Note : Pour les points 42, 43 et 44 : si un(e) parent(e) vivant dans une résidence pour personnes âgées devait avoir une relation sexuelle avec un(e) autre résident(e) :

42. Je me plaindrais à la direction. _____

43. Je retirerais ce(cette) parent(e) de cette institution. _____

44. Je ne me mêlerais pas de ce qui ne me concerne pas. _____

45. Si je savais que tel foyer pour personnes âgées permettait ou encourageait l'activité sexuelle chez les résident(e)s qui le désirent, je ne placerais pas mon(ma) parent(e) dans ce foyer-là. _____

46. C'est immoral pour une personne âgée de s'engager dans une activité sexuelle récréative. _____

Questions de connaissance (1 → 7)
(Échelle renversée : 1=7 ; 7=1, etc.)
(Un chiffre bas = attitude permissive)

47. J'aimerais en connaître davantage au sujet des changements dans le fonctionnement sexuel au cours des années de vieillesse. _____

48. J'ai le sentiment de connaître tout ce que j'ai besoin de connaître au sujet de la sexualité des personnes âgées. _____

49. Je me plaindrais à la direction si je connaissais l'existence d'activité sexuelle entre les résidents d'un foyer pour personnes âgées. _____

50. Je serais en faveur de cours d'éducation sexuelle pour les résident(e)s d'un foyer pour personnes âgées. _____

51. Je serais en faveur de cours d'éducation sexuelle pour le personnel d'un foyer pour personnes âgées. _____

52. Se masturber est une activité sexuelle acceptable pour les hommes âgés. _____

53. Se masturber est une activité sexuelle acceptable pour les femmes âgées. _____

54. Les institutions tels que les foyers pour personnes âgées devraient fournir des lits assez larges pour les couples qui désirent dormir ensemble. _____

55. Le personnel des foyers pour personnes âgées devrait être formé ou éduqué au sujet de la sexualité des personnes âgées ou des personnes handicapées. _____

56. Les résidents des foyers pour personnes âgées ne devraient s'engager dans des activités sexuelles d'aucune sorte. _____

57. Les institutions telles que les foyers pour personnes âgées devraient fournir des opportunités pour des interactions sociales entre les hommes et les femmes. _____

58. La masturbation est dangereuse et devrait être évitée. _____

59. Les institutions telles que les foyers pour personnes âgées devraient assurer l'intimité de la vie privée de telle sorte que les résidents puissent s'engager dans des comportements sexuels sans crainte d'une intrusion d'une autre personne et sans crainte d'être observés. _____

60. Si des membres de la famille s'objectent à ce qu'un(e) parent(e) veuf(ve) s'engage dans des relations sexuelles avec un(e) autre résident(e) d'un foyer pour personnes âgées, c'est l'obligation de la direction et du personnel de s'assurer qu'une telle activité n'ait pas lieu. _____

61. Les relations sexuelles en dehors du contexte du mariage sont toujours mauvaises. _____

Charles B. White, Ph.D.
Archives of Sexual Behavior,
Vol. 11, No. 6, 1982, pp. 495-497

Échelle de 1 → 7

1. Pas de réponse
2. Très d'accord
3. D'accord
4. Peu d'accord
5. Indécis
6. Pas d'accord
7. Pas du tout d'accord

Bibliographie

ABRAHAM, G. (1985), « Vie sexuelle dans l'âge avancé », *in* Abraham, G. ; Pasini, W., *Introduction à la sexologie médicale*, Payot, Paris, 305-313.

ABRAHAM, G. (1984), « Éloge de la vieillesse », *in* Abraham, G. ; Simeone, I., *Introduction à la psycho-gériatrie*, SIMEP, Paris, 11-20.

ALLGEIER A.R. ; ALLGEIER, E.R. (1989), *Sexualité humaine, dimensions et interactions*, Centre Éducatif et Culturel Inc., Montréal.

APFEL, R.J. ; FOX, M. ; ISBERG, R.S. ; LEVINE, A.R. (1984), « Counter Transference and Transference in Couple Therapy : Treating Sexual Dysfunction in Older Couples », *Journal of Geriatric Psychiatry*, New York, XVII (2), 203-215.

ARISTOTE (1965), *Éthique à Nicomaque*, Flammarion, Paris.

AUMOND, M. (1987), « Les dynamismes du vieillissement et le cycle de la vie : l'approche d'Erikson », *Le Gérontophile*, 9 (3), 12-17.

BADEAU, D. ; BERGERON, A. (1989), « Stratégies pour une intervention auprès des personnes âgées » PLOUFFE,L. et PLAMONDON, L. *Sexualité et vieillissement*, Méridien, Montréal.

BADEAU, D. ; BERGERON, A. (1989), « La sexualité des personnes âgées et la sexologie », *in* DUPRAS, A. *La sexologie au Québec*, IRIS, Longueuil, 205-218.

BADEAU, D. ; LEVY, J.J. (1989), Attitudes face à la mort et au mourir de quelques professionnels de la santé d'un milieu hospitalier, *Médecine et Hygiène*, 47, 742-750.

BADEAU, D. ; LEVY, J.J. (1989), Le soleil noir, *Frontières*, 3(3), 18-21.

BADEAU, D. ; BERGERON, A. (1985), La symbolique de la sexualité et de la mort, *Médecine et Hygiène*, 43, 1218-1225.

BARBATO, Carole A. ; FEEZEL, Jerry D. (1987), « The Language of Aging in Different Age Groups », *The Gerontologist*, 27 (4), 527.

Barbeau, G. (1984), « Le vieillissement biologique », *Le vieillisse-ment, les Cahiers de Formation Annuelle du Sanatorium Bégin*, 1, 11-22.

Bardet, J.P. et al.(1981), *La première fois ou le roman de la virginité perdue à travers les siècles et les continents*, Ramsay, Paris.

Béland, F. (1980), *Une enquête sur les personnes âgées vivant à domicile dans trois villes du Québec*, Direction des politiques de santé, M.A.S., Québec.

Berger, L. et al. (1990) *Personnes âgées, une approche globale*, Étu-des Vivantes, Montréal.

Bergeron, André (1990), « Violence à connotation sexuelle », communication au congrès *Violence et mythes collectifs*, Jérusa-lem. *Sessuologia*, Florence.

Beth, B.(1985), *L'accompagnement du mourant en milieu hospita-lier*, Doin Éditeurs, Paris.

Beth, M.N. (1985), *Socialization and Ideal Expectations for the Health Professional Role in the Provision of Quality Terminal Care for the Urban Elderly*, Ph.D. Portland State University.

Birren, J.E. (1977), *Handbook of the Psychology of Aging*, Van Nostrand Reinhold, New York.

Bois, Jean-Pierre (1989), *Les vieux de Montaigne aux premières retraites*, Fayard, Paris.

Bowers, M. (1975), *Counseling the Dying*, Jason Aronson, New York.

Brecher, E.M. (1984), *Rapport sur l'amour et la sexualité après 50 ans*, Éditions du Jour, Montréal.

Buhler, C. (1973), « Developmental Psychology », BB. WOL-MAN (édit.) *Handbook of General Psychology*, Prentice-Hall, Englewood Cliffs, 861-917.

Butler, R.N. (1963b), « The Life Review : An interpretation of reminiscence in the aged », *Psychiatry*, 26(1), 65-76.

Burkhalter, P.K. et D.L. Donley (1978), *Dynamics of oncology nursing*, McGraw-Hill, NewYork.

CAPRA, Fritjof (1983), *Le temps du changement*, Éditions du Rocher, Monaco.

CAROLL, D. (1985), *Living with Dying*, McGraw-Hill, New York.

CARR, Rey A. (1981), *Le Co-conseil – Théorie et pratique*, La Commission de l'emploi et de l'immigration du Canada, Ottawa-Hull.

CARLSON, Bonnie E. (1987), « Dating Violence : A Research Review and Comparaison with Spouse Abuse », *Social Casework*, Family Service America, 1.

Charte canadienne des droits et des libertés (1981), Ottawa.

Charte des droits et des libertés (1982), Québec.

Conseil National du Bien-être Social (1984), *Soixante-cinq ans et plus*, Ministère des Approvisionnements et Services, Ottawa.

COX, H. (1984) « Biological and Health Correlates of Aging Process », *Later Life The Realities of Aging*, Prentice-Hall, Englewood Cliffs.

D'AMOURS, L. (1987), « Le veuvage », Guide du passage à la retraite, *Le Bel Âge*, 102-104.

DELISLE, M.A. (1988), « Dossier vieillir. La solitude des personnes âgées », *Santé et Société*, 10 (3), 41-44.

DUBOIS, J.M. (1982), « L'euthanasie, l'approche de la mort, un médecin témoigne », *Fêtes et saisons*, Novembre, 23-36.

DURKHEIM, E. (1951), *Suicide*, Free Press, New York.

EBERSOLE, P. et al. (1985), *Toward Healthy Aging, Human Needs and Nursing Response*, Mosby, Toronto.

EHRLICH, G.E. (1973) *Total management of the Arthritis Patient*, Lippincott, Philadelphie.

EISENBACK, Marin (1982), *L'aide psycho-sociale aux personnes âgées*, Privat, Toulouse.

EMICK-HERRRING,B. (1985) « Sexual changes in Patients and Partners following Stroke », *Rehabilitation Nursing*, mars-avril, pp.28-29.

ERIKSON, E. (1982), *The Life Cycle Completed, A Review*, Norton, New York.

FERGUSON, Marylin (1980), *Les enfants du verseau*, Editions Calmann-Lévy, Paris.

FREUD, S. (1970), *Essais de Psychanalyse*, Petite Bibliothèque Payot, Paris.

FROMM, E. (1956), *The Art of Loving*, Harper & Row, New York.

GANDELL, A.S. (1985), *La conquête du Moi*, La Presse, Montréal.

GARFIELD, C.A. (1977), « Impact of Death on Health-Care Professionals »,in H. FEIFEL (Ed.), *New Meanings of Death*, McGraw-Hill, New York, 143-151.

GARNIER, E. (1988), « Le veuvage, réapprendre à vivre sans l'autre... », *Le Bel Âge*, 34-39, octobre.

GAUVREAU, D. (1987), « Théories du vieillissement biologique » Arcand-Hébert, *Précis pratique de gériatrie*, Edisem, St-Hyacinthe, chap. 2, 30-40.

GLASER, B.G. et STRAUSS, A.L. (1965), *Awareness of Dying*, Aldine Press, Chicago.

GORER, G. (1963), *Death, grief and mourning*, Appendice, Doubleday, New York.

GOTTESMAN, K.G. (1977), « Clinical psychology and aging : a role model » W.D. GENTRY, *A model of training and clinical service*, Ballinger, Cambridge.

GRÉGOIRE, Pierre (1985), *Traité d'anthropologie médicale*, sous la direction de J. Dufresne et al.., P.U.Q., Québec.

GUTTON, Jean-Pierre (1988), *Naissance du vieillard*, Aubier, Paris.

HABER,S. et al. (1979) *Le nursing en psychiâtrie, pour une vision globale*, traduit de l'américain par R.M. Bélisle et al., HRW, Montréal.

HAVIGHURST, R.J. (1981), « Personality and Patterns of Aging » in L.D. Steinberg, (édit.), *The Life Cycle*, New York : Columbia University Press, 341-348.

HELLERSTEIN, H.K. et FRIEDMAN, E.H. (1969) « Sexual activity and the postcoronary patient », *Medical Aspects of Human Sexuality*, vol. 3, n° 3, pp. 70-96.

HERFRAY,C. (1988), *La vieillesse, une interprétation psychanalytique*, Epi, Desclée de Brouwer, Paris.

HETU, J.L. (1988), *Psychologie du vieillissement*, Édition du Méridien, Montréal.

HITE, S. (1977), *Le rapport Hite sur la sexualité féminine*, Laffont, Paris.

HITE, S. (1983), *Le rapport Hite sur les hommes*, Laffont, Paris.

HOGAN, R. (1980). *Human sexuality, a nursing perspective*, Appleton, New York.

HORTALA, F. (1975), « La médicalisation de la mort 'et son influence sur le comportement des infirmières, » *Gérontologie*, 145-149.

HOUDE, R. (1986), *Les temps de la vie*, Gaétan Morin, Chicoutimi.

HUBERDEAU, Madeleine (1986), « La gérontologie, c'est l'avenir », *Réseau*, Université du Québec, Québec, 11 (mars).

ILLITCH, Ivan (1976), *Némesis médicale, l'expropriation de la santé*, du Seuil, Paris.

JACQUARD, Albert (1978), *Éloge de la différence*, Seuil, Paris.

JUNG, C.G. (1933), « The Stages of Life », J. Campbell (1971) *The Portable Jung*, Viking, New York.

JUNG, C.G. (1934), *Modern man in search of a soul*, Harcourt, Brace and Co., New York.

KAAS, M.J. (1981), « Geriatric Sexuality Breakdown Syndrome », *International Journal of Aging and Human Development*, 13, 71-77.

KALISH, R.A. (1985) *Death, grief and caring relationships*, Brooks, Monterey.

KAPLAN, H. (1979), *Disorders of Sexual Desire, The New Sex Therapy*, vol. 11, Brunner, New York.

KAPLAN, H. Singer (1979) *La nouvelle thérapie sexuelle*, traduction de l'américain par Claude Frégnac, Buchet-Chastel, Paris.

KASTEMBAUM, R. ; AISENBERG, R. (1972), *The Psychology of Death*, Springer, New York.

KASTEMBAUM, R.S. (1977), *Death, Society, and the Human Experience*, C.V. Mosby, St. Louis.

KINSEY, A.C. et al. (1948), *Sexual Behavior in the Human Male*, Saunders, Philadelphie.

KINSEY, A.C., et al. (1948), *Le comportement sexuel de l'homme*, Éditions du Panois, Paris.

KINSEY, A.C., et al. (1953), *Sexual Behavior in the Human Female*, Saunders, Philadelphie.

KINSEY, A.C. et al. (1954), *Le comportement sexuel de la femme*, Amiot Dumont, Paris.

KIRBY, D. (1985), « Sexuality Education : A more realistic view of its effects », *Journal of School Health*, december, 55 (10), 421-424.

KOZIER, Du Gas, B.W. (1973), *Introduction au Nursing*, HRW, Montréal.

KRISTEVA, J. (1987), *Soleil noir, Dépression et Mélancolie*, Gallimard, Mayenne.

KUYPERS, J. (1972), « Internal Locus of Control, ego functioning, and personality characteristics in old age », *Gerontologist*, 12(2), 168-173.

L'ECUYER, R. (1986), « Potentiel intellectuel des personnes âgées », *Personnes âgées, personnes-ressources, Les Cahiers de l'Agence*, Actes du Colloque International, 1987, (r.i.), Montréal, Agence d'Arc., 24.

LACHANCE, Gabrielle (1989), *Nouvelles images de la vieillesse. Une étude de la presse âgée au Québec*, Institut québécois de recherche sur la culture, Québec.

LACHAT, Jean (1981), *Musicothérapie*, Guérin, Montréal.

LAFORTUNE, M. (1988), « Peut-on décider de sa fin ? » *Frontières*, 1(2),25-29.

LAGANIÈRE, S. (1987) « Physiologie de la sénescence » in Arcand-Hébert, *Précis pratique de gériâtrie*, Edisem, St-Hyacinthe.

LECLERC, G.;PROULX, J. (1983), « Les dynamismes positifs du vieillissement », Communication présentée au Colloque de l'A.Q.G., Hull.

LEGER, J.M. et al. (1989), *Psychopathologie du vieillissement*, Doin, Paris.

LEVET-GAUTRAT, M. (1985), « Quelques modèles théoriques américains du vieillissement », *A la recherche du 3ème âge*, Collin, Paris, 7-17.

LEVINSON, D.J. et al. (1978), *The Seasons of Man's Life*, Alfred A. Knorpf, New York.

LUDEMAN, K. (1981), « The Sexuality of the Older Person : Review of the Literature », *The Gerontologist*, 21 (2), 203-208.

LUSSIER, J.(1985), « Que vit l'infirmière aux soins intensifs ? », *Psychologie préventive*, 7, 49-56.

MANDEL, S. (1982), *Psychologie et santé mentale*, Études Vivantes, St-Laurent.

MARIE, H. (August 1978). « Reorienting Staff Attitudes Toward the Dying », *Hos. Prog.*, 59 (8), 74-76, 92.

MARTIN, T.O. (1982-83), « Death Anxiety and Social Desirability », *Omega*, 13, 31-58.

MARTY, F. (1982), « L'infirmière face à la mort et aux mourants », *Revue de l'infirmière*, 2, 4-6.

MASLOW A.H. (1971), *Motivation and Personality*, Viking Press, New York

MASLOW, A.H. (1954), *Motivation and Personality*, Harper and Row, New York.

MASLOW, A.H. (1962), *Toward a Psychology of Being*, Van Nostrand Reinhold, 1962, 2nd ed., 1968, New York.

MASLOW, A.H. (1972), *Vers une psychologie de l'être*, Fayard, Paris.

MASTERS, W.H. ; JOHNSON, V.E. (1966), *Human Sexual Response*, Little Brown, Boston.

MASTERS, W.H. ; JOHNSON, V.E. (1968), *Les réactions sexuelles*, Laffont, Paris.

MASTERS, W.H. ; JOHNSON, V.E. (1971), *Les mésententes sexuelles*, Laffont, Paris.

MASTERS, W.H. ; JOHNSON, V.E. ; Kolodny, R. (1986), *Masters and Johnson on Sex and Human Loving*, Little Brown, Boston.

MASTERS, W.H. ; JOHNSON, V.E. (1970), *Human Sexual Inadequacy*, Little Brown, Boston.

MEER, J. (1986), « The Reason Age », *Psychology Today*, 20 (6), 60-64.

MENG, H. (1964), « Psychologie de la ménopause », A. WILLY et C.JAMONT, *La sexualité 2*, Marabout Université, Verviers.

MILLERD, E.J. (1977), « Health Professionals as Survivors », *Journal of Psychiatric Nursing*, 15, 33-37.

MIMS, F.H. et M. Swenson (1980). *Sexuality a nursing perspective*, McGraw-Hill, New York.

MINOIS, Georges (1987), *Histoire de la vieillesse en Occident*, Fayard, Paris.

MISHARA, B. et R.G. Riedel(1984) *Le vieillissement*, PUF, Paris.

MONTAGU, A. (1979) *La peau et le toucher, un premier langage.* du Seuil, Paris.

MOOS R.H. et SOLOMON, G. F. (1965) « Psychologic comparisons between women with rhumatoïd arthritis and their non-arthritis sisters », *Psychosomatic Medicine*, 2, p. 150.

MYERS, W.A. (1985), « Sexuality in the Older Individual », *Journal of the American Academy of Psychoanalysis*, 13 (4), 511-520.

NOVACK, D.H. et al.(1979), « Changes in Physicians' Attitudes toward Telling the Cancer Patient », *Journal of the American Medical Association*, 241, 897-900.

Organisation mondiale de la santé (1975), *Formation des professionnels de la santé aux actions d'éducation et de traitement en sexualité humaine*, OMS n° 572, Genève.

OSGOOD, N. (1985) *Suicide in the Elderly*, Aspen, Rockville.

OUIMET, M. (1989), « Le suicide chez les vieux : le Québec détient le record », *La Presse*, Montréal, vendredi 30 juin, B5.

PASINI, W. (1979), « Sexualité de la femme âgée », *Pathologie génitale de la femme du troisième âge*, S.F.G., Masson, Paris.

PAVKOV, J. (1982), « Suicide in the elderly », *Ohio's Health*, 34 (1), 21-28.

PECK, R. (1956), Psychological Developments in the Second Half of Life » in ANDERSON, J. (ed.), *Psychological Aspects of Aging*, Washington, D.C. American Psychological Association, 42-53.

PELLETIER, K. R. (1984), *Le pouvoir de se guérir ou de s'autodétruire*, Québec-Amérique, Montréal.

PELLETIER, Kenneth R. (1982), *La médecine holistique, médecine totale : du stress au bonheur de vivre*, Éditions du Rocher, Monaco.

PERKS, G.S. (1977), « Some Thoughts on Death », *Nursing Times*, 73, 105-107.

PETERSON, G.A. (1986), *The Relationship between Nurse's Educational Background and their Attitudes toward Caring for the Dying Patient*, Ed.D. University of Houston.

PLAMONDON, G. ; PLAMONDON, L. (1981-82), *Pour une problématique de la crise de la retraite*, FEP, Université de Montréal.

PLAMONDON, L. ; PLAMONDON, G. ; CARETTE, J. (1984), *Les enjeux après cinquante ans*, Robert Laffont, Paris.

POMPEO, M.S. (1979), *Human Sexuality and the Aging*, Center for Studies in Aging, North Texas State University.

PORTO, R. (1985), « L'activité sexuelle dans la seconde moitié de la vie », *Médecine et Hygiène*, Genève, 43, 1209-1216.

PRÉCLAIRE, M. (1985), « La vieillesse », *Traité d'anthropologie médicale*, sous la direction de J. Dufresne et al., P.U.Q., Québec, 679-691.

PRÉCLAIRE, Madeleine (1984), « Quand les masques tombent », le 3ème âge et la profession, *Les Cahiers de la Femme*, 5 (3), 23.

QUINT, J. (1973), *The Nurse and the Dying Patient*, MacMillan Co, New York.

RANDO, T.A. (1986), *Loss and Anticipatory Grief*,Lexington, Toronto.

REDDING, R. (1980), « Doctors, Dyscommunication and Death », *Death Education*, 3, 371-385.

RENSHAW, D.C. (1984), « Geriatric Sex Problems », *Journal of Geriatric Psychiatry*, Boston, XVII (2), 123-137.

RIVERIN-SIMARD, D. (1983), « Développement vocationnel de l'adulte de 63-67 ans, *Revue Québécoise de Psychologie*, 4 (3).

ROFF, L.L.; KLEMMACK, D.L. (1979), « Sexual Activity Among Older Persons », *Research in Aging*, 1 (3), 389-399.

ROY, M.C. (1982) « Médicaments et sexualité », *Revue québécoise de sexologie*, Vol. 3, n° 1, p. 34.

Santé et Bien-Etre Canada – Statistique Canada(1981),*La santé des canadiens : rapport de l'Enquête Santé Canada* n° 82-538, ministère des Approvisionnements et Services Canada, Ottawa.

SCHAERER,R.; PILLOT, J. (1986), « Le deuil », *Soins palliatifs termi-naux*, 36(9), 493-500.

SCHNARCH, D. (1986), « Sexuality in Later Life : Misconceptions of Therapist », *Sexuality Today Newsletter*, 9 (18), New York.

SCHŒNBERG, B. et al. (1972), *Education of the Medical Student in Thanatology*, Arno Press, New York.

SCHULTE, G. (1964), « La menstruation », WILLY, A.; JAMONT, C., *La sexualité 2*, Marabout Université, Verviers.

SCHULZ, R.; ADERMAN, D. (1976), « How the Medical Staff Copes with Dying Patients: A Critical Review », *Omega*, 7, 11-21.

SHOCK, N.W. (1977), « Biological Theories of Aging », Birren, J.E. et Shaie, K.W. (eds) *Handbook of the Psychology of Aging*, Van Nostrand Reinhold, New York.

SIMARD, C. (1980) « Identité, vieillesse et société », *Santé mentale du Québec, vers une nouvelle pratique, Vieillir*, vol. V, n° 2, novembre.

SONTAG'S. (1979) *La maladie comme métaphore*, du Seuil, Paris.

SPITZ, R.A.; WOLF, K.M. (1946), « Analytic Depression », *Psychoanalitic Studies of Child*, International Universities Press, New York, 2, 313-347.

STARR, B.D.; WEINER, M.B. (1981), *On Sex and Sexuality in the Mature Years* (The Starr-Weiner Report), Stein and Day Publishers, New York.

TALESE, Guy (1980), *La femme du voisin*, Julliard, Paris.

TODD, C.J.; STILL, A.W. (1984), « Communication between General Practitioners and Patients Dying at Home », *Soc. Sci. Med.*, 18, 667-672.

TORDJMAN, G. (1987), « La sexothérapie par le praticien », *Cahiers de sexologie clinique*, 13(82), 7.

TORDJMAN, G. (1982), « Diabète et dysfonctions sexuelles », *Cahiers de sexologie clinique*, 8 (47), p. 263-269.

TOURNIER, P. (!976), *Apprendre à vieillir*, Delachaux, Neuchâtel.

TOWNSEND, P. (1963), *The Family Life of the Old People*, Penguin, Baltimore.

VACHON, M.L.S. (1978). *Motivation and Stress Experienced by Staff Working with the Terminally Ill*, Community Resources Section, Clarke Institute of Psychiatry, Université de Toronto, Canada.

VACHON, M.L.S. (1979), « Staff Stress in Care of Terminally Ill », *Quality Review Bulletin*, May,13-17.

VACHON, M.L.S.; LYALL, W.A.; FREEMAN, S.I.I. (1978), « Measurement and Management of Stress in Health Professionals Working with Advanced Cancer Patients », *Death Education*, 1, 365-375.

VEYNE, Paul (1988), *Sénèque, De la tranquillité de l'âme*, Préface, Petite Bibliothéque Rivages, Paris.

VIMORT, J. (1987), *Ensemble face à la mort*, Le Centurion, Paris.

VIORST, J. (1986), *Les renoncements nécessaires*, Laffont, Paris.

VOLANT, E.,(1988), « Questions éthiques: L'intervenant face au suicide », *Frontières*, 1 (2), Automne, 11-15.

WALZ, T.H. ET BLUM, N.S. (1987) *Sexual Health in Later Life*, Lexington Books, Toronto.

WEG, R. B. (1983), *Sexuality in the Later Years*, Academic Press, New York.

WEISS, L.J. (1977), « Intimacy and Adaptation », *Sexuality in the later years*, Academic Press Inc., Toronto.

WHITE, C.B. (1982b), « Interest, attitudes, knowledge, and sexual history in relation to sexual behavior in the institutionnalized aged », *Archives of sexual behavior*, 11, 11-21.

WHITE, C.B.; CATANIA, J. (1981), « Sexual education for aged people, people who work with the aged, and families of aged people », *International Journal of Aging and Human Development*, 15, 121-138.

ZILBERGELD, B. (1978), *La sexualité masculine aujourd'hui*, Marabout, Verviers.

TABLE DES MATIÈRES

Chapitre 7
La sexualité vécue de personnes âgées 157

Chapitre 8
Handicaps, médicaments et expression de la sexualité dans l'âge avancé 185

30 oct 19